Андрей КОНСТАНТИНОВ
и Агентство
журналистских расследований

АГЕНТСТВО
«ЗОЛОТАЯ ПУЛЯ»

Санкт-Петербург
«Издательский Дом "Нева"»

Москва
Издательство «ОЛМА-ПРЕСС»
2001

ББК 84. (2Рос-Рус) 6
К 65

Андрей КОНСТАНТИНОВ и Агентство журналистских расследований

Максим МАКСИМОВ, Сергей БАЛУЕВ (ответственные редакторы проекта),

Александр Горшков, Елена Гусаренко, Андрей Катков, Ольга Крюкова, Роман Лебедев, Елена Летенкова, Наталия Молькова, Александр Новиков, Марина Ольховская, Александр Самойлов, Алена Троицкая, Татьяна Федорова

Константинов А. и Агентство журналистских расследований
К 65   Агентство «Золотая пуля»: Сборник новелл. — М.: ОЛМА-ПРЕСС; СПб.: Издательский Дом «Нева», 2001.— 447 с.
    ISBN 5-7654-0541-X
    ISBN 5-224-01214-7

ББК 84.(2Рос-Рус)6

ISBN 5-7654-0541-X
ISBN 5-224-01214-7

«Золотая пуля» — так коллеги-журналисты называют Агентство журналистских расследований, работающее в Петербурге. Выполняя задания Агентства, его сотрудники встречаются с политиками и бизнесменами, милиционерами и представителями криминального мира. То и дело они попадают в опасные и комичные ситуации.

Первая книга цикла состоит из тринадцати новелл, рассказываемых от лица журналистов, работающих в Агентстве. У каждого из них свой взгляд на мир, и они по-разному оценивают происходящие как внутри, так и вне Агентства события.

Все совпадения героев книги с реальными лицами лежат на совести авторов. До настоящего времени Агентство журналистских расследований не проиграло ни одного судебного процесса.

видно, несколько. Потом мы совмещали заявки, все раскидано по дисложных темы для, что сдавалось видно еще и представлялись какую-то молодых политиков в себе хотя бы чуть ниже, нам самим «не лучше духовно, когда мы «влюбился» поклик профессионал осуществлять поиск этих реальных подробно до подробностей и детелей в учетя

Авторское предисловие

Уважаемый Читатель! Книга, которую Вы держите в руках, — это уже третье произведение, где действует Агентство журналистских расследований и его сотрудники. Первые две книги — «Специалист» и «Ультиматум губернатору Петербурга» — вышли в свет в мае и ноябре 1999 г. Но в первых двух книгах АЖР и его сотрудники не были главными героями. Однако мы часто получали письма от наших читателей, которые хотели бы больше узнать о самом Агентстве, его сотрудниках и отношениях, складывающихся внутри этого коллектива. В результате этого интереса к нам и нашей работе был осуществлён совместный проект журналистов реально существующего в Санкт-Петербурге Агентства журналистских расследований.

Мы официально заявляем, что агентство «Золотая пуля» и его прототип — это не одно и то же, хотя между ними есть много общего, и в представленных новеллах внимательный читатель, конечно же, найдет знакомые ситуации, которые на самом деле случались в Питере.

Но художественное произведение и реальная жизнь имеют существенные различия. Поэтому и работа АЖР происходит не совсем так, как это изложено в новеллах. У нас есть свои профессиональные секреты, которые мы, Уважаемый Читатель, при всем уважении к Вам не вправе раскрывать. Поэтому мы официально заявляем: всё изложенное в предлагаемых Вам новеллах является вымыслом, а представленная фактура не может быть использована в суде.

...Хотя иногда даже нам самим становилось жутковато, когда уже написанные новеллы предвосхищали случившиеся впоследствии события.

От имени и по поручению Агентства журналистских расследований

Андрей Константинов

Ноябрь 1999 г.

СПРАВКА
О результатах изучения Агентства журналистских расследований

№ 012215 от «__» _____1999 г.

Нами с начала 1998 г. с использованием официальных контактов и имеющихся оперативных возможностей проводилось изучение объединения журналистов под названием Агентство журналистских расследований (далее АЖР). В профессиональных журналистских кругах Санкт-Петербурга оно более известно под псевдонимом — агентство «Золотая пуля». Причиной появления данного неофициального названия послужил очерк «Золотая пуля» одного из основателей АЖР, пионера и продолжателя жанра расследования в современной петербургской журналистике Андрея ОБНОРСКОГО о результатах проведенного им в 1991 г. расследования обстоятельств покушения на известного в нашем городе телерепортера Александра НАВРОЗОВА, свидетельствующих о возможной инсценировке этих событий в целях саморекламы. В настоящее время офис АЖР располагается по адресу: 191011, Санкт-Петербург, ул. Зодчего Росси, д. 1/3, 6-й подъезд. Телефон — (812) 110-46-23. АЖР имеет адрес в интернете — info@investigator.spb.ru.

Целью изучения явилась необходимость:

1) проверить направленность и законность деятельности АЖР, действующего в сфере интере-

сов правоохранительных органов в соответствии с законодательством Российской Федерации в сфере средств массовой информации;

2) установить наличие у названного объединения, провозгласившего себя впервые в Санкт-Петербурге в качестве независимого органа журналистских расследований в области борьбы с преступностью, информации по данной теме, могущей представить оперативный интерес для заинтересованных лиц и организаций, оценить степень ее достоверности и полноты, круг ее источников;

3) выявить возможные факты противоправной деятельности объединения и его конкретных сотрудников, наличие их связей с преступной средой, признаки, указывающие на участие АЖР в мероприятиях по дезинформации государственных органов и общественности с целью компрометации конкретных лиц и организаций, нелегальные источники финансирования;

4) определить возможность взаимодействия с указанным объединением в целях информационного обмена по вопросам, представляющим взаимный интерес.

В результате комплекса проведенных мероприятий установлено следующее.

В самом факте создания специализированного информационно-публицистического агентства в Санкт-Петербурге нашли отражение объективные процессы, происходящие в общественно-политической жизни российского общества и в профессиональной среде средств массовой информации. Ликвидация государственной монополии на собственность в стране, бурный процесс ее раздела вызвали появление различных групп, главными

7

устремлениями которых стали собственнические, узко эгоистические интересы, требовавшие немедленного удовлетворения. Вакуум сильной власти, могущей взять на себя роль арбитра при решении споров о собственности, очевидный дисбаланс в системе нового государственного устройства России, в котором сильная президентская власть сначала подмяла под себя законодательную, исполнительную и судебную ветви, а потом сама стала заложницей узкой группы лиц, преследующих личные интересы, привели к деградации ранее действовавшей правоохранительной системы и, как следствие, к смыканию институтов власти с крупными банкирами, авантюристами, мошенниками и другими представителями преступного мира, к все более нарастающей взаимозависимости одних от других.

В области средств массовой информации, получивших на основе нового законодательства максимально возможную свободу и широкое поле для деятельности, появилось большое количество новых субъектов, многие из которых стали эксплуатировать криминальную тему для завоевания внимания аудитории в коммерческих интересах и компрометации политических и экономических оппонентов своих хозяев и богатых заказчиков.

Таким образом, в условиях освободившегося от прежнего партийно-государственного пресса, но еще не свободного российского общества, при обилии противоречивых мнений и интересов различных групп и лиц и наличии широкого спектра возможностей для их выражения, информация наряду с исполнителями заказных убийств стала главным оружием в развернувшейся борьбе за власть и богатство. Образовалась ниша в информационном поле, которую первым в Санкт-Петербурге заполнило упоминаемое агентство.

Агентство журналистских расследований было зарегистрировано 13 марта 1998 г. в Санкт-Петербурге как средство массовой информации.

В состав его учредителей вошли А. ОБНОРСКИЙ, Н. ПОВЗЛО, коллектив агентства и Демократический фонд защиты гласности.

В качестве основной цели деятельности в учредительных документах было декларировано:

— формирование адекватного общественного мнения в отношении сложившейся на данный момент в России ситуации с преступностью, разработка эффективной идеологии противодействия процессу криминализации различных сфер жизни общества;

— основная задача агентства (согласно учредительным документам) — отслеживание криминальной ситуации и проведение журналистских расследований в отношении криминальных проявлений, оказавших заметное влияние на общественную жизнь Санкт-Петербурга.

Непосредственное оперативное управление агентством в настоящее время осуществляют директор АЖР Андрей ОБНОРСКИЙ и его заместители Николай ПОВЗЛО и Алексей СКРИПКА. Распределение между ними функциональных обязанностей будет описано ниже.

Агентство представляет собой не просто группу единомышленников, объединенных общими интересами, а структурированное образование, состоящее из взаимодействующих подразделений, ведающих отдельными направлениями деятельности агентства:

А) отдел расследований, возглавляемый Глебом СПОЗАРАННИКОМ,

Б) оперативный или репортерский отдел, во главе которого стоит Владимир СОБОЛИН,

В) информационно-аналитический отдел под началом Марины АГЕЕВОЙ.

Особое внимание надо обратить на то обстоятельство, что в агентстве существует информационно-аналитический отдел, оснащенный компьютерной техникой и занимающийся предварительной разработкой тем и проектов на основе формирующейся базы данных, что позволяет не только держать в поле зрения и отслеживать процессы в преступном мире, отдельные криминальные группировки и активных их представителей, но и оперативно готовить наиболее полную и всестороннюю информацию по исследуемым темам. Это свидетельствует о серьезности подхода и ответственности за результаты публикуемых в СМИ от имени агентства материалов, долгосрочности планов его руководителей и представляет интерес для использования накопленного банка данных в оперативных целях.

В агентстве отработана и эффективно действует система мер и средств, обеспечивающих внутреннюю и внешнюю безопасность его деятельности, правовую защиту. В подтверждение этому можно сослаться на то, что до сих пор агентство не проиграло ни одного судебного иска, заявленного некоторыми героями проведенных расследований. Также не отмечено ни одного случая злоупотребления своими журналистскими обязанностями со стороны его сотрудников, привлечения их к уголовной или административной ответственности.

В деятельности агентства не прослеживается ярко выраженной политической ориентации. Внутри коллектива отмечается политический и мировоззренческий плюрализм, но главным, что объединяет его сотрудников, является присущий им прагматизм, нетерпимость к нечестным способам достижения жизненного успеха и увлеченность своим делом.

Социально-демографический состав агентства представлен чрезвычайно широко.

Разнообразие характеров, профессиональных навыков, круга связей позволяет внедряться в случае необходимости в различные слои и группы жителей города, представляющие интерес для журналистского расследования, получать доступ к закрытым банкам данных, приобретать источники информации.

Краткая характеристика официальных сотрудников агентства выглядит следующим образом.

1. ОБНОРСКИЙ (Серегин) Андрей Викторович. Дата и место рождения — 30.09.1963, поселок Наречный, Астраханская обл., Наримановский район, русский. Образование высшее — Восточный факультет ЛГУ (1986 г.); специальность по диплому — страноведение по странам Зарубежного Востока (история арабских стран). Владеет языками: арабским, ивритом, английским, немецким. Мастер спорта СССР по борьбе дзю-до (1982 г.). Капитан запаса (демоб. 1991 г., Красногвардейский РВК, состав — командный). Проходил службу вне территории СССР в в/ч 27275 и в/ч 06725, дважды направлялся в спец. командировки по линии 10-го ГРУ ГШ МО СССР (1984—85 — НДРЙ, 1988—1991 — ВНСЛАД, характеристики положительные). Правительственных наград СССР и России не имеет, награжден медалью «За храбрость» НДРЙ (1985 г.) и Орденом Сентябрьской Революции II степени (1991 г.) — Ливия.

С 1991 г. работал в различных СМИ СПб, где с самого начала проявил интерес к расследовательско-криминальной тематике. В качестве псевдонима избрал девичью фамилию матери. Имеет многочисленные контакты в среде сотрудников правоохранительных органов и в преступной среде.

По ряду признаков имеет навыки, которые могли быть получены им в результате спецподготовки во время службы в ВС СССР (данных нет).

Коммерческой деятельностью не занимался.

В 1998 г. возглавил Агентство журналистских расследований. Автор книг: «Прокурор», «Переводчик», «Инвестигейтор», «Криминальный Петербург».

По характеру общителен, обладает чувством юмора, склонен к проявлениям авантюризма и необоснованного риска. Холост (дважды разведен, детей нет). Отношения с женщинами достаточно беспорядочные. Вспыльчив, раздражителен. В одежде опрятен. Обладает ярко выраженными аналитическими способностями.

В сентябре 1994 г. ему было предъявлено обвинение в совершении преступления, предусмотренного ч. 1 ст. 218 УК РСФСР (незаконное хранение оружия). Осужден к лишению свободы, направлен для исполнения наказания в ИТК общего режима в г. Нижний Тагил. За это время была установлена его непричастность к событиям, вмененным ему в вину. По протесту прокуратуры освобожден из-под стражи на основании п. 1 ст. 5 УПК РСФСР (отсутствие события преступления).

Неоднократно проходил в качестве свидетеля по различным уголовным делам, в частности по делам о финансовых злоупотреблениях в сфере банковской и предпринимательской деятельности, должностных преступлениях работников государственных органов и органов правопорядка. Прозвище в коллективе — Шеф.

2. ПОВЗЛО Николай Степанович, первый зам. директора АЖР, фактически является вторым человеком в агентстве после Обнорского. Дата и место рождения — 28.05.1964, г. Винница. Укра-

инец. *Паспорт:* _____, *прописан:* _____, *тел:* _____. *Закончил в 1994 году заочно философский факультет СПбГУ. С конца 80-х активно участвовал в политической жизни Ленинграда — примыкал к клубу «Перестройка», «Демократическому союзу», ленинградскому народному фронту, партии зеленых. Безуспешно баллотировался в депутаты Ленсовета в 1990 году. Сотрудничал как публицист с рядом петербургских СМИ. В 1995 году стал одним из учредителей и генеральным директором рекламного агентства «Геракл», которое прекратило существование в 1997 году по причине банкротства. Отвечает за политическую часть расследований. Имеет широкие связи в кругах политиков и чиновников города. Жена — Ильина Ольга Викторовна, 1959 г. р., менеджер по рекламе НПО «Анод», дочь — Повзло Алена, 1988 г. р. Прозвища в коллективе — Хохол, Запорожец.*

3. СКРИПКА Алексей Львович, дата и место рождения — 03.12.1970, г. Энгельс Саратовской области. Русский. Паспорт: _____, *прописан_____, тел:* _____. *Заместитель директора АЖР по административно-хозяйственной части. В 1992 году закончил факультет журналистики Челябинского университета. Работал корреспондентом в газетах «Невское время», «Час пик». В АЖР начинал в качестве корреспондента, позже стал исполнять административные функции. Занимается коммерческими вопросами АЖР и осуществляет связь агентства со средствами массовой информации. Семейное положение — холост.*

4. СПОЗАРАННИК Глеб Егорович, журналистский псевдоним Валентин ЕРШОВ. Дата и

место рождения — 05.04.1970, Барановичи, Белоруссия. Молдаванин. Паспорт: _____, прописан: _____, тел: _____.
Образование — Северо-Западный Политехнический институт. В прошлом — научный сотрудник НИИ УППСН, кандидат физико-математических наук, нашедший себя в журналистике после краха НИИ. Жена — Спозаранник Надежда Борисовна, 1973 г. р., врач-психотерапевт поликлиники № 37. Трое детей — Михаил (1994 г. р.), Дарья и Анна (обе — 1997 г. р.). Прозвища в коллективе — Железный Глеб, Жеглов (по причине совпадения имени-отчества).

5. СОБОЛИН Владимир Альбертович, начальник репортерского отдела АЖР. Дата и место рождения — 20.01.1974, г. Вятка Кировской области. Русский. Паспорт: _____, прописан: _____, тел: _____.
В 1992 году закончил Ярославское театральное училище по специальности «актер драматического театра». Работал в театрах Казани, Майкопа, Норильска. С 1995 года живет в Санкт-Петербурге. Был актером в театре-студии «На Неве», внештатно сотрудничал с петербургскими газетами. В АЖР возглавляет репортерский отдел со дня основания. Имеет множество контактов с сотрудниками практически всех РУВД разного уровня — от оперативников до начальников. Жена — Соболина Анна Владимировна, работает в том же отделе.

6. АГЕЕВА Марина Борисовна, начальник информационно-аналитического отдела АЖР. Дата и место рождения — 16.04.1955, г. Санкт-Петербург. Русская. Паспорт: _____, прописана: _____, тел: _____. В 1978 го-

ду закончила филологический факультет СПбГУ, работала заместителем редактора журнала «Стиль», заведующей отделом редкой книги в Библиотеке Академии наук РФ. С 1992 по 1998 годы не работала. Муж — Агеев Роман Игоревич, 12.03.1948, генеральный директор ООО «МонолитСтройСервис». Двое детей — Агеева Мария Романовна, 1977 г. р., студентка юрфака СПбГУ, Агеев Сергей Романович, 1985 г. р.

7. ЗУДИНЦЕВ Георгий Михайлович, корреспондент отдела расследований. Дата и место рождения — 10.08.1958, г. Ялта. Паспорт: _____, прописан: _____, тел: _____. С 1978 по 1998 год — сотрудник органов внутренних дел Санкт-Петербурга, последняя должность — начальник ОУР Кировского РУВД. В 1990 году закончил заочно юридический факультет СПбГУ. Уволен из органов по выслуге лет в звании подполковника. Личное дело № М-6754423. В АЖР — со дня основания. Жена — Зудинцева Галина Михайловна, 1960 г. р., старший оперуполномоченный ОБЭП Выборгского РУВД, капитан милиции. Дочь — Зудинцева Наталья Георгиевна, 1985 г. р.

8. ГВИЧИЯ Зураб Иосифович, корреспондент отдела расследований. Дата и место рождения — 13.02.1961, г. Цхалтубо. Грузин. Паспорт: _____, прописан: _____, тел: _____. В 1982 году закончил Рязанское высшее военное воздушно-десантное училище. В составе ВС СССР в 1983—86 годах принимал участие в боевых действиях в Афганистане, имеет ранение. Награжден медалью «За доблесть». С 1986 года — командир взвода, позже зам. командира дивизии в/ч 24765 ЛенВО. Уволен из ВС России в 1996 г. Работал в службе безопасности ОАО «ТрансБизнесЛимитед».

В АЖР — с мая 1998 г. Женат четвертым браком на Гвичия (в девичестве — Розанова) Татьяне Михайловне, 1975 г. р., студентке факультета менеджмента Северо-Западной академии управления при президенте РФ. От предыдущих браков дети: Лаура (1981 г. р.), Мигран (1983 г. р.), Павел (1987 г. р.), Анастасия (1992 г. р.). Прозвища в коллективе — Зурабик, Князь (т. к. является, по его собственной версии, потомком грузинского князя). Известно также, что дед Зураба Иосифовича — Теймураз Гвичия — командовал в 1932—38 гг. одним из подразделений НКВД Грузии. В АЖР Гвичия используется в основном для «силовой поддержки» в расследованиях, отвечает за безопасность сотрудников агентства, хотя склонен к журналистике и время от времени публикует за своей подписью материалы. По непроверенным данным, употребляет анашу.

9. КОНОНОВ Максим Викторович, дата и место рождения — 07.11.1967, г. Луга Лен. области. Паспорт: _____. Русский. С 1984 по 1987 учился на филологическом факультете СПбГУ, с 1987 по 1989 гг. служил в ВС, в/ч 35786. После службы в армии занялся коммерцией, возглавлял несколько кооперативов. С 1992 года — соучредитель и зам. генерального директора ОАО «Глория». Вышел из состава учредителей и уволился с должности в августе 1998 года. По непроверенным данным, Кононов стал объектом криминальной ситуации, возникшей в результате финансового кризиса. В АЖР пришел в октябре 1998 года по рекомендации Зудинцева, который участвовал в расследовании уголовного дела, где Кононов был потерпевшим. Жена — Кононова Юлия Сергеевна, 1968 г. р., зам. директора парикмахерской № 65, дочь — Кононова Полина,

1995 г. р. С августа 1998 года жена с дочерью проживают отдельно. Опыт и знания Кононова помогают в расследованиях экономических преступлений. Склонен к злоупотреблению алкоголем. Прозвища в коллективе — Конан, Конан-Варвар, Безумный Макс.

10. ШАХОВСКИЙ Виктор Михайлович, корреспондент репортерского отдела. Дата и место рождения — 31.07.1970, г. Череповец Вологодской области. Русский. Паспорт: _____, прописан: _____, тел: _____. После службы в ВС (в/ч 53654, Закарпатский ВО) в 1990 году поступил в Ленинградский институт физической культуры имени Лесгафта, ушел в 1993 году. Мастер спорта по троеборью. По оперативным данным, в начале 90-х занимался рэкетом на морском вокзале в составе «бригады спортсменов», являвшейся одним из подразделений «тамбовского» ОПС. Позже возглавил одну из бригад, непосредственно подчиненных «авторитету» Бабуину (Ледогорову В. С.). К уголовной ответственности не привлекался. В феврале 1998 года неустановленными лицами был взорван принадлежащий ему «мерседес», Шаховский чудом остался жив. Уголовное дело по факту взрыва возбуждено и приостановлено следственным отделом Центрального района. В апреле 1998 года Шаховский сам предложил АЖР свои услуги. Не женат. Прозвища в коллективе — Шах, Витек.

11. ЖЕЛЕЗНЯК Нонна Евгеньевна, корреспондент отдела расследований. Дата и место рождения — 09.05.1969, г. Санкт-Петербург. Русская. Паспорт: _____, прописана: _____, тел: _____. В 1992 году закончила с отличием факультет журналистики СПбГУ. Работала в газе-

тах «Санкт-Петербургские ведомости», «Деловой Петербург». В АЖР — с января 1999 года. Согласно ее собственной версии, прадед Нонны Евгеньевны — легендарный матрос Максим Железняк, закрывший Первое учредительное собрание молодой российской республики. Множество родственников связаны с правоохранительными органами. Родители — Игорь Михайлович и Анна Петровна Железняки — постоянно проживают в США, штат Алабама, где Игорь Железняк читает бизнес-курс в местном университете. Не замужем. Сын — Железняк Денис Робертович, 1994 г. р.

12. МОДЕСТОВ Михаил Самуилович, корреспондент отдела расследований. Дата и место рождения — 21.01.1972, г. Санкт-Петербург. Еврей. Паспорт: _____, прописан: _____, тел: _____. В 1994 году закончил Санкт-Петербургскую консерваторию по классу виолончели. С 1994 по 1997 г. работал в оркестре Мариинского театра. По оперативным данным, имел кратковременные проблемы со злоупотреблением спиртными напитками. С 1997 года — обозреватель по вопросам культуры еженедельника «Северная Пальмира». В АЖР — с сентября 1998 года. Специализируется на расследованиях в сфере культуры. Прозвище в коллективе — Паганель.

13. СОБОЛИНА Анна Владимировна (девичья фамилия Рожнова), сотрудник информационно-аналитического отдела АЖР. Дата и место рождения — 05.03.1975, г. Санкт-Петербург. Русская. Паспорт: _____, прописан: _____, тел: _____. В 1997 году закончила Педагогический университет им. Герцена по специальности преподаватель истории. В АЖР — со дня основания. С 1995 года замужем за Владими-

ром Соболиным. Основная обязанность — сбор компьютерной информации.

14. ГОРНОСТАЕВА Валентина Ивановна, корреспондент репортерского отдела. Дата и место рождения — 04.10.1972, г. Пенза. Русская. Паспорт: _____, прописана: _____, тел.: _____. В 1994 году закончила факультет журналистики СПбГУ. Работала в информационной редакции ГТРК «Петербург». В АЖР — с мая 1998 года. Не замужем. Есть неподтвержденные данные о нетрадиционной сексуальной ориентации Горностаевой.

15. ЗАВГОРОДНЯЯ Светлана Аристарховна, корреспондент репортерского отдела. Дата и место рождения — 03.05.1974, г. Санкт-Петербург. Русская. Паспорт: _____, прописана: _____, тел: _____. Училась в Художественно-промышленной академии на отделении «Дизайн одежды», числится в академическом отпуске. С 1995 по 1998 г. работала моделью в агентстве «Афродита», участвовала в конкурсе «Мисс Бюст-98», где Обнорский был одним из членов жюри. Вероятно, тогда произошло их знакомство. Активно использует свой успех у мужчин для добывания информации. Не замужем.

16. ЛУКОШКИНА Анна Яковлевна, юрист АЖР. Дата и место рождения — 07.09.1968, г. Калининград. Русская. Паспорт: _____, прописана: _____, тел: _____. В 1990 году закончила юридический факультет СПбГУ. Работала судьей в Калининском и Василеостровском районных судах. Член Городской коллегии адвокатов. В АЖР — со дня основания. Осуществляет в агентстве цензорские функции,

а также представляет АЖР как адвокат на судебных процессах против агентства. Разведена, сын — Лукошкин Петр Олегович, 1989 г. р.

17. КАШИРИН Родион Андреевич, стажер отдела расследований. Дата и место рождения — 12.11.1966, г. Санкт-Петербург. Русский. Паспорт: _____, *прописан:* _____, *тел:* _____. *В 1987 году закончил Ленинградское арктическое училище (ЛАУ) по специальности «радиотехника». С 1987 по 1991 год — радиотехник в п. Диксон. В 1992—93 гг. — оперуполномоченный отдела уголовного розыска в п. Диксон. В 1994—98 гг. — охранник в частном охранном предприятии «Щит и меч». Инвалид второй группы, разведен.*

Из представленных характеристик ведущих сотрудников агентства усматривается, что в настоящее время объективно имеются условия для тайного проникновения в АЖР и корыстных манипуляций с имеющейся в нем информацией. В качестве таковых можно назвать:

1) достаточно частые неконтролируемые контакты с представителями криминального мира,

2) использование наличных денег для оплаты неизбежно возникающих в ходе расследования текущих расходов,

3) недостатки, слабости, присущие каждому человеку, от которых не избавлены и сотрудники агентства.

Все это вместе предполагает возможность создания ситуаций для провокации со стороны криминалитета или правоохранительных органов, последующей вербовки сотрудника агентства и проникновения в АЖР для решения поставленных задач.

Направления деятельности агентства в основном представлены участием в текущем информационном процессе во взаимодействии со средствами массовой информации на региональном и федеральном уровнях и издательской деятельностью. В качестве СМИ федерального уровня, являющихся постоянными потребителями информации агентства, следует назвать «Огонек», «Комсомольскую правду», «Новую газету», «Общую газету», «Коммерсантъ» и другие.

Особо следует отметить издательскую деятельность АЖР. В качестве примеров можно назвать следующие книги:

— Серегин А., Тингсон Л. Криминальная Россия. — М.: Глобус, 1997, тираж 150 000 экз.;

— Серегин А. Петербург криминальный. — СПб.: Фолиант-пресс, 1996, доп. тираж 25 000 экз.;

— Серегин А. Петербург мафиозный. — СПб.: Фолиант-пресс, 1997, тираж 150 000 экз.;

— Серегин А. и АЖР. Петербург мафиозный — 98. — М.: Глобус, 1998, тираж 200 000 экз.;

— Серегин А. и АЖР. Очерки коррумпированного Петербурга. — М.: Глобус, 1998, тираж 150 000 экз.;

другие издания, подготовленные силами АЖР и реализованные по всей территории Российской Федерации.

(Справка о доходах Агентства за прошлый год прилагается.)

На основании изложенного следует сделать следующие выводы.

1. Агентство журналистских расследований в настоящее время представляет собой устойчивую работоспособную развивающуюся структуру, приспособленную к выполнению задач сбора, хранения, обработки, публикации или легализации в иной за-

конной форме информации о негативных процессах в жизни города, лицах, причастных к ним.

2. В связи с этим названное объединение представляет собой несомненный интерес для установления с ним информационного взаимодействия в целях обеспечения общественного порядка и законных интересов граждан, решения вопросов охраны гражданских прав и свобод и контроля за деятельностью властных и коммерческих структур в Санкт-Петербурге.

3. Отмеченный потенциал возможностей агентства и его сотрудников требует особой осторожности в выборе средств и методов сбора информации, диктует повышенные требования к эмоционально-нравственной и правовой основе их профессиональной деятельности, организации контроля за их работой.

Старший оперуполномоченный
Майор Пименов

Исп. и отп. в един. экз.
Майор ПИМЕНОВ

«__» _____ 1999 г.

Черновик уничтожен

ДЕЛО О БРИЛЛИАНТОВОЙ ЗАПОНКЕ

Рассказывает Андрей Обнорский

> *Обнорский (Серегин) Андрей Викторович, директор и главный редактор Агентства журналистских расследований.*
>
> (Служебная характеристика отсутствует)

— Igni et ferro! Это выражение, Андрей, переводится как...

— Огнем и мечом, Бьянка.

— О-о-о-о, Андрей! Если я напишу, что русский журналист владеет еще и латынью, мои читатели...

— Я не владею латынью, синьора.

...А тебе лучше было бы прийти в длинной юбке. Я не могу смотреть на твои ноги и одновременно отвечать на вопросы о страшной, загадочной русской мафии. Это невозможно, Бьянка Мария...

— Что, Андрей?

— Я не владею латынью, Бьянка.

Бог мой, какие ноги! Ты, наверно, сумасшедшая, если приходишь брать интервью в такой короткой юбке.

Igni et ferro...

— И все-таки, Андрей, ты думаешь, что русская мафия...

Я думаю, что у тебя красивые ноги. Я думаю, что у тебя невероятно красивые ноги. Я думаю, что устал. Что — ноябрь. Что — Петербург. Что — снегопад... Igni et ferro. Русская мафия? А, да... русская мафия... Два маленьких пацаненка на плацу Суворовского училища тараканят огромную лопату. Господи, Бьянка, лучше бы ты пришла в брюках...

Вот так вот все это начиналось. Я, офигенная звезда российской журналистики, давал интервью для известной итальянской газеты. И открылась дверь. И Оксана сказала:

— Андрей Викторович, к вам Васнецов. Говорит, что у него дело очень срочное. И не терпит отлагательства.

— А-а... пусть заходит... Вот, кстати, Бьянка, классический представитель страшной русской мафии.

А Васька услышал конец фразы. И распустил хвост. И наткнулся взглядом на ноги.

— Я, — сказал Васька, — страшный русский мафиози. Я внук известного русского художника. В каждом кармане у меня по пистолету, по кастету, по тактическому ядерному заряду. А как зовут барышню?

— Синьору зовут Бьянка Мария делла...

— Все! — сказал Васька. — Я сражен, Андрюха. Больше ничего не говори. Я тихонько сяду в углу и буду плакать.

Ага, будешь ты плакать... С Васькой Васнецовым я когда-то вместе занимался борьбой. Давно это было. Тысячу лет назад. Или две. Или три. Тогда я еще, разумеется, не знал, что буду директором агентства журналистских расследований, а Васька станет известным питерским криминальным авторитетом. А эта итальянская синьора с невероятными ногами...

— ...О-о, это у нас строго, — говорит Васька. — Мы чуть что — гранату в зубы. И — кранты.

— Что такое кранты, Василий?

— Кранты, синьора? Кранты — это...

Костюмчик у Васьки стоит не меньше полутора тысяч баксов. В вашей Италии позволить себе такие шмотки могут только очень небедные люди. Да, портки и спинжачок за полторы тыщи баксов... ай да Вася. Igni et ferro.

— Василий Петрович, ты вообще-то зачем пришел? Ты говорил, у тебя дело какое-то срочное.

А Васька уже про меня забыл. Он смотрит на эти ноги, он смотрит в эти черные итальянские глаза. И заливается соловьем. Ну какое тут, к черту, интервью? Синьора Бьянка Мария делла чего-то там еще смотрит на русского бандита Василия Петровича Васнецова с открытым ртом.

— А? Чего, Андрюха?

— Ты по какому срочному делу-то пришел?

— А, фигня... заказали тебя, понимаешь. А скажите, синьорина, чем вы заняты сегодня вечером?

Вот так. Пустяк. Фигня. Заказали меня, понимаешь. Фигня... Я тихонько выхожу из кабинета. И они — рашен бандито и итальянская журналистка — просто не замечают этого. Думаю, что уже сегодня вечером они окажутся в постели. На женщин Василий Петрович всегда оказывает неизгладимое впечатление. А я выхожу из своего кабинета и сажусь напротив своей секретарши. Страшно болит голова.

— Ксюша, — говорю я.

— Да, Андрей.

— Ксюша, — говорю я, — можно мне посмотреть в глаза твои бездонные и утонуть в них навсегда?

— Да ну тебя, Обнорский! Взрослый человек, а прямо как ребенок... Сколько лет с тобой работаю, а так и не могу понять, когда ты всерьез, а когда шутишь.

— Я, Оксана, вообще никогда не шучу. В детстве мне по ошибке удалили чувство юмора. Хотели гланды, а получилось — чувство юмора. Такая у меня, Оксана, беда...

Я еще чего-то вру, а голова раскалывается. Грипп, наверно. Пошло, глупо, банально... Грипп. Раньше это хоть называлось загадочно — инфлюэнца. Теперь — грипп. Кризис, дефолт, грипп... Из кабинета выходят итальянская синьора и Василий Петрович Васнецов. Ноги... Бог мой, какие ноги! Васька перешел на английский. Он держит Бьянку Марию делла чего-то там еще под локоток и бодро впаривает ей про то, что он приглашен на охоту к принцу Эдинбургскому, но...

— Я тебе, Андрей, потом позвоню...

— Ну-ну... привет принцу Эдинбургскому.

Итальянские ноги и костюм за полторы тысячи баксов выходят. Оксана крутит пальцем у виска. Суворовцы за окном орудуют огромной лопатой. Звонит телефон.

— Тебя, Андрей, — говорит Оксана, протягивая трубку.

Господи! Если бы я знал... но тогда я еще не знал. Не мог знать... Я механически взял трубку. И услышал незнакомый голос. Голос сказал, что мы не знакомы. И его фамилия мне ничего не скажет... но есть документы, которые могут быть мне интересны... А что за документы?

Голова у меня болела уже почти невыносимо, все документы мира, начиная от узелковой письменности майя до последних указов Ельцина, были мне до фонаря. Фанерная лопата суворовцев скребла по асфальту, как по оскальпированной голове: шир-р-р...

— А что за документы?

— Речь идет о таможенных аферах. Вам фамилия Фонарский о чем-нибудь говорит?

Стоп! Стоп, машина! Малый назад! Фамилия Фонарский мне о чем-нибудь говорит... Фанерная лопата проехала по мерзлому асфальту. Наверно, именно так делают трепанацию черепа. Фонарский! Виктор Васильевич Фонарский. Вот его-то фамилия и решила исход дела. А одна из следующих фраз моего анонимного собеседника поставила жирную точку под резолюцией.

— Да, говорит. Вы по его поручению звоните?

— Напротив... если бы господин Фонарский узнал о моем звонке вам... Я думаю, он бы сделал все, чтобы наш разговор не состоялся.

— Вот так? Ну что же, давайте встретимся. Где и когда?

— Лучше бы прямо сегодня, Андрей Викторович. Это возможно?

Это, разумеется, невозможно. Das ist unmöglich*. Шир-р-р-р, прокатилась лопата по плацу Суворовского училища. Это невозможно!

— Да, возможно. Если примерно через час в кафе «Северная Пальмира» — идет? Как я вас узнаю?

— Я сам вас узнаю. Я... видел вас по телевизору.

— Ну... хорошо. Значит, в двадцать ноль-ноль. В кафе.

— Спасибо, Андрей Викторович. Вы не пожалеете, документы стоящие.

---

* Это невозможно (нем.).

Тогда я еще не знал, что пожалею. Еще и как пожалею. Если бы я знал... Но я не знал. Может ли это служить оправданием? Нет. Нет, это не может служить оправданием.

...На поставленный вопрос: может ли это служить оправданием, ответил: нет. Прочитайте и распишитесь...

Ну-ну... ты не знал. Огнем и мечом, сказала Бьянка.

Das ist unömglich.

Короче, я поехал. Я съел две таблетки, которые дала мне Оксана, и поехал. Тысячи фар светили мне в лицо. Тысячи пронзительных фар дробились в тысячах дождинок. Голова раскалывалась. Будущие великие полководцы делали трепанацию черепа огромной фанерной лопатой. Дождь сменялся снегом. Снег сменялся меленькой шуршащей крупой. Дождь мгновенно замерзал, асфальт покрывался блестящей кольчугой. Стада автомобилей катились медленно.

Самые предусмотрительные уже переобулись на шипы. Черная вода Фонтанки отражала желтые вспышки светофоров. Огнем и мечом, говоришь? Ну-ну...

Фонарский. Виктор Васильевич Фонарский. Человек, который позвонил мне, не мог знать, что наша встреча обусловлена фамилией Фонарский. Если бы он не сказал — Фонарский, я бы хрен согласился на встречу. Я бы спихнул это дело на Глеба Спозаранника. Или на Володьку Соболина. А сам поехал домой. И выпил бы меду. И полстакана водки. И лег под одеяло.

Да, Фонарский... Третье лицо в Северо-Западной таможне. А по значению, возможно, и не третье. Что-то ему нужно... Дело в том, что

Виктор Васильевич сам позвонил мне сегодня. Был любезен. Просил о встрече. Намекал на возможное сотрудничество. И завтра в четырнадцать ноль-ноль у нас с Виктором Васильевичем встреча... Вы что же, Виктор Васильевич, пресс-конференцию собираете?.. Да помилуй Бог, Андрей Викторович, какая же пресс-конференция? Лично вам хочу сдаться. Эксклюзив, так сказать...

Ага, эксклюзив... Эксклюзив — это хорошо.

Вот, собственно, поэтому я и согласился встретиться с анонимом. Звонок Фонарского и — спустя несколько часов — звонок человека, который что-то знает о Фонарском. Поэтому я и еду сейчас в кафе на Суворовском.

Интересно, связан ли как-то звонок Фонарского со звонком моего анонимного собеседника? Скоро узнаем.

Я паркую свою «Ниву» возле кафе. И вхожу внутрь. Здесь тепло, здесь уютно. Негромко играет музыка. Из-за столика навстречу мне поднимается мужчина моего примерно возраста. Легкая седина, внимательный, чуть напряженный взгляд.

— Здравствуйте. Меня зовут Алексей.

Потом мы пьем кофе, и из внутреннего кармана Алексея появляется синяя пластиковая папка с несколькими листочками бумаги.

— К сожалению, копии...

Чтобы изучить несколько листочков, мне понадобилось всего двадцать минут. Да, понятно, почему господин Фонарский «сделал бы все, чтобы наш разговор не состоялся». Эти бледные ксерокопии вполне могут стать для Виктора Васильевича пропуском в «Кресты».

— Вам это интересно? — спрашивает Алексей.

— В общем — да... но все это нуждается в проверке.

— Будете об этом писать?

— После проверки обязательно. У нас в агентстве мы как раз сейчас готовим «Коррумпированный Петербург-98».

— О-о-о-о... Когда же это будет?

— Скоро. Через два-три месяца. Максимум — четыре.

— Жаль, — говорит он тихо, видимо себе, а не мне.

— А что так?

Алексей смотрит на меня, но кажется — мимо.

— Два-три месяца, Андрей, я, скорее всего, не проживу. Фонарский и те люди, что стоят за ним, либо избавятся от меня, либо упекут на нары...

— Вы считаете, что это возможно?

— Еще как возможно, Андрей. Там ведь не дети. Они уже знают, что у меня есть эти копии. Фонарский и его помощничек, некто Семенов, уже провели контроперацию. Против меня фабрикуется дело. Семенов — страшный человек. Убийца.

— Фабрикуется? Но если ты чист...

— Андрей, ты ведь уже догадался, что я тоже сотрудник таможни. С десятилетним стажем. Какой, к чертовой матери, чист? Таможня — это такое болото...

Алексей махнул рукой, рассыпал пепел по скатерти.

— Просто... понимаете ли, Андрей Викторович, можно чуть-чуть помочь человеку с бумажной волокитой. И заработать сотню-другую баксов. А можно, как Фонарский, воровать целыми вагонами и пароходами. Так что... я, конечно, не ангел, но они-то хотят повесить на меня черта с рогами.

— Понятно, — сказал я. — Понятно. Ну а почему бы тебе не пойти в официальные органы?

— Э-э... там меня сразу возьмут в работу. Это же система. Все куплено.

— Ну... так уж сразу все. Я знаю много порядочных людей и в прокуратуре, и в ФСБ, и в РУБОПе.

— Нет, Андрей. Категорически нет. Будете печатать эти материалы?

— Я же сказал: будем. Но сначала необходимо провести проверку.

— А сколько времени на это потребуется?

— Трудно сказать. Я думаю: два-три дня. Возможно — неделя.

— Ну, пару дней... может, и ничего. Может, и обойдется.

— Все будет хорошо, Алексей. У нас в агентстве работают отличные специалисты. Коли вопрос стоит так остро, я ребят напрягу, сделаем быстро. Вы ведь понимаете — информация-то у вас почти годичной давности. След за это время поостыл.

— Есть и свежая. Совсем свежая. Об афере, которая только готовится. Но она не менее масштабна.

Вот как! Алексей снова лезет в пачку за очередной сигаретой, но там уже пусто, я подталкиваю ему свою пачку с верблюдом. Верблюд неспешно пересекает желтые пески скатерти.

— Спасибо.

— Ну так что же с новой аферой? Хотелось бы увидеть документы, Алексей.

— Они у меня есть. И я их передам вам, как только получу подтверждение серьезности ваших. намерений.

Разумно, подумал я, молодец.

— Ну что ж, ваше право... Как мне вас найти?

— Никак, Андрей Викторович. Лучше я сам вас найду.

* * *

Наутро я нагрузил своих орлов новой работой. Они, конечно, взвыли... Соболин внезапно вспомнил, что у него срочный разговор с Рио-де-Жанейро.

— А почему не с Нью-Йорком, Володя?

— Если бы у меня был разговор с Нью-Йорком, господин Обнорский, я бы и сказал: с Нью-Йорком. Но если разговор с Рио, то я и говорю — с Рио.

— Логично, — хмыкнул Скрипка и попытался впарить нам очередную свою историю про одного мужика, который хотел позвонить в Жмеринку, но по ошибке попал в Копенгаген.

— Это ты к чему? — спросил бывший опер Зудинцев.

— Да так... для общего развития.

— А-а-а, — протянул Зудинцев. Он вообще был мужик конкретный и пустой болтовни не любил.

— Все, — сказал я. — Бегом работать, хватит трепотней заниматься. А для тебя, Зудинцев, есть конкретная тема.

И я протянул ему пачку «Кэмэла» в полиэтиленовом пакете. Бывший опер взял ее двумя пальцами.

— Что за тема? — спросил он.

— На этой пачке, Зудинцев, есть отпечатки пальцев двух человек. Мои, но мне они неинтересны, и еще одного человека. А вот они вызывают огромный интерес. Можно проверить?

— Можно-то можно. Но только если он судимый.

— Этого я не знаю.

— И только если подсел у нас. А если в каком-нибудь Кривом Роге... тогда сложно.

Еще несколько минут Зудинцев читал мне лекцию по основам оперативно-розыскной деятельности. Я терпеливо слушал. Хотя все это мне было знакомо.

Потом он ушел, и я остался один. Но ненадолго. Вернулся Скрипка и с невероятно важным видом завел свой обычный разговор о невероятном (фантастическом! — сказал он) количестве высококачественной бумаги, которую расходуют эти инвестигейторы. Слово «инвестигейторы» он выговорил с нескрываемой издевкой. И его я тоже терпеливо слушал. Хотя и это было знакомо.

А потом пришел по очень срочному делу Василий Петрович Васнецов.

— Ну, Андрюха, — начал он с порога. — Вот это женщина!

— Слушай, Вася, а как охота с принцем?

— Какая, к черту, охота с принцем! Ты мне скажи, часто к тебе такие синьоры приходят?

— Как Бьянка? Бьянка — это что! Второй сорт. Вот в понедельник придет женщина... вот это да! Высокий стиль!

— Ну-ну... рассказывай.

— Не нукай, не запряг. Приходи в понедельник, познакомлю.

В понедельник ожидался визит одной дамы из Тель-Авива. Зоя Залмановна весила не менее сотни килограмм, носила большую бородавку на носу и курила «Беломор». Любимым выражением у нее было: греб вашу маму.

— Обязательно приду, — сказал Василий Петрович с фанатичным блеском в глазах.

— Приходи, Вася, приходи, — ласково сказал я. — Слушай, а чего вчера-то прибегал?

Васнецов притушил огоньки в глазах, досадливо крякнул и сел на стул.

— Заказали тебя, Андрюха.

Хорошее начало. Люблю я такие веселые, жизнеутверждающие зачины. Вчера Васька уже на этот счет трепался. Что-то, значит, есть...

А Васька был несколько даже смущен, что на него в принципе не похоже.

— Ну так что, Вася? Не тяни ты кота за хвост.

— Ты такого господина Мамкина знаешь?

— Еще бы... можно сказать, герой нашего совместного с Глебом расследования. Одна статья про его художества уже вышла. На той неделе даем вторую.

— Вот в них-то все и дело, — сказал Васька. — Очень сильно на тебя господин Мамкин обиделся.

— И что?

— А ничего... У меня, понимаешь ли, к господину Мамкину тоже есть свой интерес.

— Какой у тебя-то?

— Коммерческий, конечно... Нужно мне одну бумажонку в мэрии оформить. Как раз по ведомству этого Папкина.

— Мамкина, Вася.

— А хоть дедкина, хоть бабкина. Дочкина, внучкина, жучкина... Ну, вышли мы на этого козла. Все как положено. С конвертиком. А он, пидор, аккурат сильно был твоей статьей огорчен. И двинул нам встречное предложение: те-

34

бя, Андрюха, маленько поучить. В обмен на лицензию.

Да, господин Мамкин, не ожидал я от вас такого, подумал я. И хотел расспросить Василия поподробней, но тут пришел Глебушка Спозаранник. Сунулся в кабинет, увидел, что я не один, и хотел уйти. Но я не дал, окликнул:

— Зайди, Глеб Егорыч, послушай. Тебя тоже касается.

И пришлось Василию снова рассказать историю кошмарного заказа на избиение журналиста.

— Вам же это сделать, говорит, без проблем, а? Представляешь, какой козел? Вы его, говорит, поучите. Так, чтобы жив остался, но в больнице поваялся. А все ваши вопросы я, ребята, решу. Вот так, синьоры.

Глебушка выразительно матюгнулся и сказал:

— Ну, действительно козел. Это он после первой статьи так взвыл. А уж после второй...

— Не будет, — перебил я Глеба.

— Что не будет? — удивился он.

— Второй статьи не будет. Снимаем материал.

— Ты что, Андрей?

— Я сказал: снимаем.

— Да почему, Андрей?

— Потому что я так сказал.

Несколько секунд Спозаранник смотрел на меня непонимающим взглядом, а потом резко повернулся и вышел из кабинета. Дверью грохнул от души.

* * *

На девятой линии Васильевского острова, где разместилось Северо-Западное таможенное управление, я еле нашел место для своей «Нивы».

Я зашел под арку старинного и весьма неказистого снаружи здания под зеленым с крестом флагом... и обомлел. К входу в таможенное управление вела шикарная мраморная лестница. Явно современного вида. И лежал сбоку загадочный мраморный грифон. Ни фига себе! Бедно живет таможня... А за державу, конечно, обидно. Бедно, бедно живет таможня.

В огромной приемной меня встретила смазливая деваха. Наверное, внучка знаменитого таможенника Верещагина... ну-ну.

— Вы Обнорский? — спросила она очень приятным голосом. — Виктор Васильевич вас ждет.

И столько тепла было в ее голосе, столько радости, что я подумал: как только вы тут без меня жили-то?

А самого Виктора Васильевича Фонарского я раньше не видел. Третий таможенный чин Северо-Запада оказался маленьким, невзрачным, лысым мужиком. Чем-то он неуловимо напоминал опарыша. Но — умен. Это бесспорно. Хитер, проницателен. Это тебе не Мамкин.

А потом был обязательный кофе. И хороший, обстоятельный рассказ о таможне. Говорил Виктор Васильевич хорошо, толково, по существу. Я слушал, кивал и пытался понять: что же ему от меня нужно?

— А главная проблема, Андрей Викторович, это, разумеется кадры. Вы меня понимаете?

— Конечно, — киваю я, — кадры.

— Кадры... Мы, конечно, организация серьезная. С улицы к нам на работу не попадешь. Все люди проходят очень строгую проверку. Но, тем не менее, бывают и у нас проходимцы. Да, такова реальность.

Фонарский сокрушенно покачал головой. Если бы в ящике моего письменного стола не лежала синяя пластиковая папочка с несколькими бледными ксерокопированными листочками, я бы поверил в искренность Виктора Васильевича. Интересно, сколько вы наварили на той операции? И сколько хотите наварить на следующей?

— ...такова реальность. Но мы своих негодяев вычисляем сами.

— Да, любопытно. Может быть, дадите какие-нибудь материалы?

— Конечно, Андрей Викторович, о чем разговор? Мы не боимся выносить сор из избы. Вот, пожалуйста. Свежий пример. На прошлой неделе выявили супостата. Сейчас готовим материалы для передачи в органы.

Фонарский нажал кнопку на селекторе и сказал секретарше:

— Надя, передай Павлу Степановичу, чтоб зашел ко мне с материалами на Горбунова. Срочно.

— Павел Степанович Семенов — мой помощник, — добавил Фонарский для меня. «Семенов страшный человек, — сказал вчера Алексей. — Убийца».

Через минуту в кабинет вошел крепкий, подтянутый мужчина лет сорока. Отличный костюм, безукоризненно начищенные ботинки, галстук в тон сорочке. И — перебитый нос. И фигура, и нос, и манера двигаться безошибочно выдают бывшего боксера. Он быстро, уверенно прошел по сияющему паркету и положил на стол Фонарского темно-коричневую папку.

— Это не мне, Степаныч, — сказал третий человек в таможне. — Это нашему гостю. Познакомьтесь, кстати. Это — мой помощник Павел Степанович Семенов. А это известный журналист и писатель Андрей Викторович Обнорский. Он же — Серегин. Звезда, можно сказать...

Мы пожали друг другу руки. Рукопожатие Семенова было сильным, крепким. Он улыбнулся, сказал что-то типа: приятно... весьма приятно, — и передал мне папку. Маленькие бесцветные камушки на его запонке метнули искрящиеся лучи. Мать честная! Неужели бриллианты?.. очень... очень приятно... Страшный человек, сказал вчера Алексей. Убийца.

Я раскрыл папку. С первой страницы на меня смотрел Алексей. Но на фотографии он был значительно моложе. ...Два-три месяца, Андрей, я, скорее всего, не проживу...

— Вы так смотрите пристально, — негромко сказал Семенов. — Вы знакомы?

— Что? А... нет. В первый раз вижу этого Горбунова.

— А мне показалось: вы знакомы.

— Пока нет, — ответил я. — Но, думаю, придется познакомиться.

— А вот это на данный момент затруднительно.

— Почему?

— Да этот гусь скрывается. Глупо, конечно, деваться-то ему некуда. Но... такова реальность.

— Что же он натворил?

— А вы познакомьтесь с документами. Павел Степанович, если что-то непонятно, пояснит...

Папочку я изучил за двадцать минут. Поработали они неплохо... Если этим бумагам дать ход, то Алексей Горбунов гарантированно и надолго попадает за решетку. Неплохо они поработали. Только вот ходу этим бумагам они пока не дали. Понятно... у них одна папка, у Алексея другая. Невыгодно им его сажать. Выгодно поторговаться, совершить обмен. Бартер, так сказать.

— Так что, как видите, Андрей Викторович, мы открыты для сотрудничества в самых широких аспектах. И в информационном, так сказать, плане, и в иных отношениях.

— Это в каких иных отношениях? — вяло поинтересовался я.

— Ну, например... в плане спонсорской помощи прессе, — веско произнес Фонарский. — Мы таможня. У нас возможности не беспредельны, но велики... Мы бы могли организовать вам компьютеры из конфиската. Оргтехнику.

Ишь ты! Спонсорскую помощь, говоришь? Компьютеры — это, конечно, здорово. И оргтехника — здорово. Но... я делаю морду утюгом и наивно спрашиваю:

— А это, извините, законно?

— Андрей Викторович, — весело произносит Фонарский, — нельзя же быть буквоедом. Закон не догма, а руководство к разумному компромиссу.

— О, позвольте я запишу, — говорю я, — блестящий афоризм. Вот только я почему-то очень боюсь компромиссов. Один раз пойдешь на компромисс, другой...

— Полностью с вами согласен, Андрей Викторович, — горячо поддерживает меня Фонарский. Семенов тактично улыбается. — Полностью с вами согласен, разделяю вашу позицию. Про компьютеры я от чистого сердца... так что подумайте.

— Спасибо. От чистого сердца — это дорогого стоит, — говорю я проникновенно. На меня смотрят внимательно.

— Дело-то общее делаем, Андрей Дмитриевич.

— О, да. Дело общее.

Затем меня провожают до выхода. И заверяют в полном и глубоком уважении, в понимании и еще в чем-то... Я прижимаю руки к сердцу и тоже говорю о сотрудничестве, о понимании, об ответственности.

— Да, кстати, — оборачиваюсь я в дверях. — А запонки у вашего помощника...

— Что — запонки?

— Они что, с настоящими бриллиантами?

Фонарский делает удивленное лицо. Фонарский весело и заразительно смеется. Фонарский подмигивает и тихонько говорит мне:

— Вы меня удивляете. Конечно, с настоящими.

Я выхожу и чувствую спиной его внимательный взгляд. Значит, все-таки Алексей. Приглашали меня для беседы об Алексее Горбунове. Интересно, что они знают? Скорее всего, знают они немного... Но, тем не менее, знают. Возможно, сам Горбунов что-то брякнул. Типа: я знаю про ваши аферы и обращаюсь в прессу. Может быть, даже сказал, к кому именно. Вот они и решили подстраховаться. Спонсорская помощь, говоришь? От чистого сердца? Ну-ну...

Вечером снова нарисовался Василий Петрович Васнецов. Зачастил чего-то Вася. Но в этот раз он по делу.

— Сделал, Василий Петрович?

— Конечно... заяц трепаться не любит. Все как договаривались. Держи.

И Василий возвращает мне портативный диктофон, которым я оснастил его утром. Незаменимая машинка, когда хочешь произвести скрытую запись. А в нашей работе такие ситуации иногда случаются.

Мне не терпелось прослушать кассету прямо сейчас, но это было бы не шибко вежливо по отношению к Ваське. Мы потрепались еще минут пять, выкурили по сигарете, и внук великого русского художника ушел. То, что он внучек Васнецова, Васька, конечно, врет... А так он мужик нормальный.

— Ну, я пошел, — говорит Васька с порога. — Значит, я в понедельник приду, Андрюха... лады?

— А чего хочешь?

— Как чего? Ты же сам говорил: женщина будет — супер.

— А-а... — говорю я. — Действительно. Как же я забыл? Ты приходи, Василь Петрович, обязательно приходи. Познакомлю тебя с Зоей. Незабываемое впечатление. Неизгладимое.

— О, Зоя! — мечтательно воскликнул Васька. И исчез.

Да... когда Василий Петрович увидит Зою Залмановну, он, пожалуй, решит, что прав Мамкин и стоит меня поучить... А что? За Зою Залмановну запросто. Да уж чего теперь? Дело-то сделано.

Я остался один и решил наконец-то послушать кассету, которую принес Васька. Опять не вышло: пришел Зудинцев и доложил, что отработка пачки с пальчиками Алексея ничего не дала. Мы, собственно, это предполагали. Крайне маловероятно, чтобы на работу в таможню смог проникнуть судимый... хотя всякое бывает. Расея!

Теперь, после встречи с господином Фонарским, мне, собственно, и так известны фамилия, имя и отчество моего вчерашнего визави. Теперь установить его не проблема. Только что это даст? Если он скрывается... Однако я все же прошу Зудинцева пробить адрес Алексея Горбунова.

А потом приходил Соболин, потом Горностаева, а потом пришел Коля Повзло... вот только Глеб Спозаранник меня явно игнорировал. Ну спасибо...

* * *

Информацию, которую подкинул Алексей Горбунов, проверить удалось, в общем-то, быстро. Все выходило в цвет, срасталось... Вот только сам Горбунов не звонил. А давать ход документам без предварительного разговора с ним я не имел права...

Кончилась еще одна ноябрьская неделя, зима все сильнее напоминала о себе. Зима в сочетании с тягостными какими-то предчувствиями, тревожными ожиданиями изрядно давила на психику. Так, как давят на нее серое ноябрьское небо и быстрые ноябрьские сумерки. Была пятница, неделя кончилась, мои отношения с Глебом так и оставались натянутыми. Вернее, не мои отношения с Глебом, а его отношение ко мне.

Наконец я не выдержал, поймал Спозаранника за рукав и усадил на диван в своем кабинете.

— Ну ты чего? — задал я идиотский вопрос. Господи, услышали бы мои читатели, как классно я сформулировал... Но они, разумеется, не слышали. И слава Богу.

А Глебушка оказался умнее меня — он просто промолчал. Он индифферентно смотрел в окно и молчал.

— Нет, Глеб, ну ты чего куксишься-то? — продолжал я. — Ты из-за материала по Мамкину? Ты же ничего не знаешь...

— А чего я должен знать? — угрюмо говорит Спозаранник.

— Вот, кстати, ты послушай, — я протягиваю кассету.

Глеб смотрит на портативную кассету с недоумением.

— А чего я должен слушать? И так уже все ясно. Только раньше ты, Андрюха, другой был.

— Это какой же я раньше был?

— Раньше ты себя не давал запугать. А теперь достаточно стало какому-то Мамкину обратиться к браткам, ты уже и скис... Извини, Андрюха, но работать я с тобой, видимо, не смогу.

— Ясно, — говорю я. — Ясно, Глеб Егорыч. Но ты все-таки кассетку послушай. А потом зайди — поговорим. Там всей записи минут на пятнадцать.

Глеб пожимает плечами и уходит с кассетой в руке. А мне становится немного грустно... И чтобы совсем не раскиснуть, я сажусь работать, прикидываю планы на следующую неделю. Хотя отлично знаю, как легко рассыпаются эти планы. Наша чумовая жизнь вносит свои коррективы постоянно. Мы не успеваем за событиями, бежим за ними, пытаемся догнать... и, как правило, не можем. Расследовательская работа журналиста в пятимиллионном мегаполисе состоит из одного затяжного цейтнота. Мы бежим за событием, как гонится свора борзых за механическим зайцем. А заяц неизбежно оказывается быстрее. Он железный.

Работа расследователя состоит из массы разочарований, потерь, ошибок. И даже когда ты победил, когда ты сложил полноценную мозаику из разрозненных фрагментов, у тебя, как правило, нет никакого чувства победы.

Ты просто разоблачил очередного ворюгу, бандита, взяточника, предателя... Кому это надо? — спрашиваешь ты себя.

— Андрюха, — кричит с порога Спозаранник. — Андрюха, класс!

...Ну вот! Хоть кто-то похвалил. А ты говоришь — кому это надо? Значит, надо. Все-таки надо.

— Просто класс, — говорит Глеб. — Как ты это записал?

— Обыкновенно, Глеб Егорыч. Попросил Ваську Васнецова еще раз сходить к господину Мамкину. И конкретно оговорить задачу: как бить Обнорского? До какой степени? Ломать ли руки? Ноги? Зубы? И вслух внятно подтвердить, что за избиение журналиста он оформит потребную Ваське лицензию.

— Да... влип Папкин.

(Что же это всех так тянет переделывать аристократическую фамилию моего лучшего друга? Беда прямо какая-то, ребята.)

— Ну влип-то он еще раньше, когда взятки брать начал. А теперь мы просто констатируем факт. А факты таковы: в понедельник я иду к Папкину... тьфу, черт! И я туда же... иду к Мамкину, и вместе мы слушаем кассету. И всем становится хорошо: Васька получает свою лицензию, а мы — хорошего информатора.

— И только Папкин не получает ничего.

— Э-э нет, Глебушка. Во-первых, Папкин... тьфу, Мамкин получает бесплатный урок на всю жизнь. И, во-вторых, мы гуманно не печатаем второй материал. Не будем же добивать бедного маленького Папкина?

— Мамкина, — поправляет меня Глеб. И тут же великодушно добавляет: — Конечно, не будем. Хотя и хочется.

Мы с Глебом закуриваем и смотрим друг на друга. А за окном уже совсем темно. И кружатся снежинки. И два маленьких суворовца тараканят по плацу огромную фанерную лопату. Еще одна чумовая неделя позади.

— А Васька-то мне, пожалуй, и ребра может посчитать, — говорю я задумчиво.

— Это за что? — интересуется Глеб.

— Ты вчерашнюю итальянку помнишь?

— Ха... такую забудешь.

— Ну вот... Васька на нее запал круто. Но я его пообещал познакомить с еще более крутой дамой. В понедельник придет интервью у меня брать.

— А это кто ж такая? — удивляется Глеб.

— Это Зоя.

— Какая Зоя?

— Зоя Залмановна Лившиц.

...И мы хохочем. И мы катаемся по дивану и хохочем. И открывается дверь. И входит Оксана. Мы все хохочем. Оксана смотрит на нас с удивлением. Мы, наверно, действительно похожи на идиотов.

А потом... а потом Оксана говорит:

— Звонит какой-то мужчина. Назвался Алексеем. Сказал, что ты поймешь.

Глеб все еще продолжает смеяться. И я по инерции улыбаюсь... я улыбаюсь. Igni et ferro. А где-то поблескивают бриллианты в запонке безукоризненно вежливого помощника господина Фонарского. Я беру трубку.

— Андрей Дмитриевич, это Алексей. Не забыли?

— Я рад, что вы наконец позвонили, Алексей.

— Скажите, Андрей Дмитриевич, вы проверили те документы, о которых мы говорили в прошлый раз?

— Да, разумеется. Я думаю, есть потребность поговорить подробно. Документы того стоят. Приезжайте, потолкуем, попьем кофейку.

— Андрей, — мой собеседник слегка замялся, — Андрей Дмитриевич, тут такое дело... мне подъехать к вам затруднительно. А если уж говорить откровенно, то и невозможно. Мои обстоятельства сильно изменились, и, к сожалению, не в лучшую сторону.

— Я понял.

Но в тот момент я только думал, что понял. Если бы я знал! Но я еще не знал...

— Я понял. Давайте договоримся, где и когда.

— Спасибо, — ответил Алексей. — Записывайте адрес...

Я чиркнул на листке бумаги адрес. Отметил про себя, что удачно: недалеко от моего дома.

— Записал. А когда...

— Андрей, очень не хотелось бы откладывать. Сегодня — реально для вас?

— Реально. Часа через полтора-два могу подъехать.

— Очень хорошо. Буду ждать. Не прощаюсь.

Спустя полтора часа я подъехал к огромному девятиэтажному дому в районе «Пяти дураков». Улицы здесь носили такие названия: Ударников, Наставников, Передовиков, Энтузиастов и кого-то там еще... такой вот юмор.

Подъехать прямо к дому не удалось: улица была перекопана. Черный безмолвный экскаватор сиротливо торчал на краю огромной ямы.

Я пошел в обход по мерзлым комьям выбранной земли. Яма напоминала могилу неизвестного монстра или ловушку для мамонта. Если зверь попадет в западню, экскаватор выплюнет клуб воняющего соляркой дыма и добьет его ударом зубастого ковша. Огнем и мечом!

В подъезде оказалось относительно чисто, но лифт не работал. На шестой этаж мне пришлось подниматься пешком. Мимо стальных дверей... мимо хлипких фанерных дверей... мимо глазков... мимо изображений поганок... мимо смердящего мусоропровода. По бетонным ступеням — вверх! Черная ловушка на мамонта осталась внизу. Экскаватор с высоты шестого этажа стал еще больше похож на хищника с занесенной для удара когтистой лапой. Он ждал добычу...

Дверь в квартиру девяносто шесть оказалась приоткрытой. Это мне сразу не понравилось. Такие расклады мы уже видали в детективах. Мы уже их видали... И все же я нажал на кнопку звонка. Потом нажал второй раз. Потом третий. Потом я толкнул дверь и вошел внутрь. Прихожая выглядела нежилой. Горела голая, без абажура лампочка под потолком и стояли в углу мужские зимние сапоги.

— Алексей! — позвал я. И не узнал собственный голос.

В прихожую выходили четыре двери. За одной из них, с матовым стеклом, горел свет.

— Алексей! — позвал я. И понял, что никто мне не ответит. На улице заворчал движок экскаватора, вспыхнули желтым круглые, без зрачков, глаза. Я взялся за ручку двери. С лязгом упал вниз ковш. Когти стальной лапы опустились на череп мамонта. Раздался треск и оглушительный рев.

Алексей Горбунов лежал посреди практически пустой комнаты. Голое, без шторы, окно. Старый диван в углу. Телефон на подоконнике и открытая дорожная сумка. Опрокинутый стул... и рядом с ним скорчившийся человек на полу. Мамонт ревел. Ковш снова взлетел вверх и опустился на широкий лоб. Руки и ноги Алексея Горбунова были плотно забинтованы скотчем. А лицо... лицо было похоже на кровавое месиво.

Я опустился на корточки. Я закрыл глаза. Полтора часа назад я разговаривал с ним. Сейчас он страшно улыбался раскрытым ртом с выбитыми зубами. Мамонт ревел. Лязгал ковш экскаватора. Суворовцы тараканили фанерную лопату для трепанации черепа.

Сейчас я распахну глаза — и все кончится. Все будет хорошо. Все будет тамам*.

Я открыл глаза. Чуда не произошло. Все осталось муштамам**. Тело Алексея Горбунова все так же лежало в темно-красной, остро пахнущей луже посреди комнаты. Рядом с ним валялась пустая синяя пластиковая папка. В такой же он приносил документы на нашу первую встречу в кафе.

Я медленно встал. Я сделал шаг к двери. Подкатывала рвота, пол под ногами слегка покачивался. Плясали в глазах разноцветные искорки. Маленькие яркие лазерные лучи. Сейчас это пройдет, сказал я шепотом и снова закрыл глаза. Прежде чем снова раскрыть их, я сосчитал до десяти. Я досчитал до десяти и раскрыл глаза.

Лучики никуда не исчезли. Они весело плясали в углу пустой комнаты с мертвым челове-

---

* Хорошо (*арабско-йеменский диалект*).
** Нехорошо (*арабско-йеменский диалект*).

ком посредине. Я заставил себя подойти ближе. Я присел. Изящная запонка с россыпью мелких бриллиантов испускала благородное свечение... Рев мамонта стих.

Огнем и мечом, синьора Бьянка.

Огнем и мечом!

Потом я заставил себя подойти к телефону. Я по памяти набрал номер убойного отдела. А потом сел на корточки в углу и стал ждать... Я ждал приезда оперативников, а бриллиантовые лучики сверкали.

* * *

Алиби у Семенова было железным. Бронированным было алиби. Запонка? Ну, с этим еще проще... Трое свидетелей (все — уважаемые, солидные люди) подтвердили, что днем Алексей Горбунов приехал в таможню и набросился на тишайшего Павла Степановича. Был в невменяемом состоянии, хватал за рукав. «Видите? Разорванную петельку видите? А синяк у локтя?»

...И синяк, и разорванная манжета — действительно были. И прямой, открытый взгляд, и незапятнанная репутация... и алиби... Все в порядке было у гражданина Семенова Павла Степановича.

А третий человек из Северо-Западного таможенного управления, господин Фонарский, позвонил мне только спустя неделю.

— Зря вы это затеяли, Андрей Викторович, — сказал он. — Ей-богу зря.

— Что именно? — спросил я равнодушно. Или, по крайней мере, мне хотелось, чтобы голос звучал равнодушно.

— Вашу гнусную провокацию с ксерокопиями. Экспертиза дала заключение о том, что ваша якобы копия — фальшивка. Сожалею, что так в вас ошибся. Вам все понятно?

— Да, мне все понятно, господин Фонарский.

Шир-р-р... покатилась по плацу фанерная лопата. Шир-р-р... Мне все понятно.

Огнем и мечом, Бьянка.

Огнем! И мечом!

ДЕЛО ПРОФЕССОРА ЗАСЛОНОВА

Рассказывает Алексей Скрипка

«...*Работу в агентстве начал в качестве корреспондента. В 1998 г. временно (из-за отсутствия в штате АЖР человека, отвечающего за бытовые проблемы) Скрипке А. А. было поручено решение хозяйственных вопросов.*

Материально-техническими проблемами агентства занимался с удовольствием. Впоследствии назначен на должность заместителя директора агентства по хозяйственной части.

Рачителен и экономен. По мнению некоторых сотрудников агентства, даже чересчур.

...Имеет несколько завышенную самооценку: считает себя по крайней мере вторым человеком в агентстве. В разговорах подчеркивает, что он — журналист, то есть человек, хорошо разбирающийся в том, чем занимаются в агентстве остальные сотрудники. Впрочем, когда его называют „завхозом", не обижается, но добавляет, что он — как минимум „главный завхоз".

Обязателен. Утро начинает с обхода агентства — помыты ли туалеты, целы ли окна, заполняется ли журнал использования автотранспорта.

...Внешние данные. Больше всех в агентстве похож на бандита — круглая, коротко подстриженная голова, накачанные мышцы...

Коммуникабелен. Что в рассказываемых им историях правда — неизвестно».

Из служебной характеристики

1

Мне позвонили около шести утра.

Звонил вахтер. Или, как любит называть их Обнорский, — сотрудник службы безопасности агентства. Всего этих сотрудников у нас три — две женщины за пятьдесят и один еще вполне крепкий товарищ, которого как-то привел Коля Повзло и сказал, что это безработный философ, и не помочь ему — грех. Вахтеры должны были круглосуточно находиться в агентстве, фиксировать посетителей и реагировать на нештатные ситуации. Вооружены они авторучками. Все они подчиняются мне.

— Алексей Алексеевич, — сказала сотрудник службы безопасности Ядвига Львовна, — извините, что беспокою, но у нас тут авария. В туалете прорвало трубу. Немножко пахнет, и коридор заливает.

— Вызывали аварийную?

— Нет. Я же не знаю...

Я бросил трубку. Толку в нештатных ситуациях от этих вахтеров на грош. Но Обнорский гордится тем, что у него есть своя служба безопасности. Надо будет хотя бы провести среди вахтеров учения на тему «чрезвычайная ситуация и моя роль в ее устранении».

«Пятерка», слава Богу, завелась. Через двадцать минут я был в агентстве. Вонь стояла ужасная. Потом приехали «аварийка» и дядя Володя, которого вызывали всегда — когда падало напряжение в сети или перегорал чайник в архивном отделе. Впрочем, главной его задачей было поддержание рабочего состояния любимого кресла директора агентства. И аварийщики, и дядя Володя сказали, что трубам в нашем флигеле пришла хана и работы примерно на день, а то и на два. В случае своевременного финансирования.

Я сказал, что финансирование будет своевременным, хотя и соответствующим реалиям переходного периода.

В агентстве я отвечаю за такие ситуации. Меня называют завхозом. Я на них не обижаюсь. Хотя на самом деле я главный завхоз, то есть заместитель директора агентства по хозяйственной части. Кроме трех вахтеров у меня в подчинении две уборщицы: Оля, миниатюрная 20-летняя выпускница Университета имени Герцена, и Лида, профессиональная уборщица с 45-летним стажем, встревающая абсолютно во все разговоры, которые ведутся в комнатах, где она делает уборку (при этом, что меня всегда умиляет, Лида имеет свое мнение как по вопросам политики Ельцина, так и по проблемам ведения наружного наблюдения за объектом женского пола). Лиду, отчество которой никто не знает, от меня требовали уволить уже раз сто. Но я знал, что в ситуации вроде нынешней никакая выпускница пединститута не справится. И вызвал Лиду.

В начале девятого пришел главный расследователь агентства Спозаранник, который всегда зачем-то приходит на работу рано. И тут же скривил лицо от запаха. Я сказал ему:

— Однажды у моего знакомого, кстати, журналиста, тоже прорвало какую-то трубу. Наверное, фановую, потому что от нее немножко пахло. Он не стал ее чинить. Его жена не выдержала и съехала к маме. А он остался. Он говорил, что запах и отсутствие жены напоминают ему отдых на сероводородных источниках. Тогда он писал по заказу какой-то фирмы сценарии рекламных роликов. И что ты думаешь, эти ролики идут в телевизоре по сей день.

— И что было потом?

— Потом, Глеб Егорович, было неинтересно. Вернулась жена с сантехником. И больше вдохновение его не посещало.

Спозаранник сказал, что запах сероводорода на него действует не столь положительно и что он пошел домой, но загубленный рабочий день останется на моей совести. И хорошо бы компенсировать его, Спозаранника, потери из моей зарплаты. Об этой своей идее, сказал Спозаранник, он не замедлит известить шефа на ближайшей планерке.

Потом позвонил Обнорский.

— Леха, — сказал он, — я по дороге в Финляндию. Еду на конгресс расследователей неприсоединившихся стран. Слушай, тут должен подойти один профессор. Он со мной договорился о встрече. По-моему, хочет заказать нам какое-то расследование. Пообщайся с ним, пожалуйста.

2

Беседовать с профессором в агентстве я не решился. Может, у профессора какая аллергия на запахи? И мы с ним поехали пить пиво в «Невский Палас».

Профессор мне понравился. Он был еще далеко не стар. Средней упитанности. Одет в хорошо сшитый костюм. Мне показалось, что особую пикантность внешности профессора придает единственная седая прядь на прочем черном фоне. Кроме того, у него был хороший галстук. Долларов за сто. А как учили меня некоторые мои знакомые, главное в мужчине — это галстук. Все остальное он может просто не надевать.

Мы заняли столик у окна. Мне показалось, что профессор немного подозрительно смотрит на меня. Утром я надел какие-то выцветшие штаны и футболку с небольшим пятном на животе. Может быть, в сочетании с моей короткой стрижкой и золотой цепочкой на шее это произвело на профессора какое-то ложное впечатление. Но я не стал выяснять — какое. К тому же профессор заговорил:

— Обнорский сказал, что вас зовут Алексей Алексеевич и я могу решить с вами все интересующие меня вопросы. А должность у вас не подскажете какая?

— Фамилия моя Скрипка. Я заместитель директора агентства.

— Вы журналист?

— Я работал журналистом в газетах и на радио. Теперь у меня несколько более широкие функции.

— Откуда у вас такая фамилия? — спросил профессор.

— Говорят, что на самом деле фамилия у моего деда была Виолончель, но потом дед поменял ее на более короткую и демократическую, — сообщил ему я. — А вы о себе не расскажете?

— Вот моя карточка.

На простой белой визитке было написано: «Заслонов Виктор Вениаминович. Профессор». Ни телефона, ни адреса, ни названия фирмы.

— А на чем вы специализируетесь? — спросил я.

— Я на многом специализируюсь, — улыбнулся профессор. — Как-то даже участвовал в открытии сто четырнадцатого элемента таблицы Менделеева.

— Так вы химик, — порадовался я. — Вот у меня была приятельница, так она приходила в экстаз от лакмусовых бумажек. Знаете, опускаешь ее в стаканчик, а она уже зелененькая. Моя приятельница таких бумажек изводила в день по сотне...

— Давайте к делу, — зачем-то оборвал меня профессор. — У меня кроме научных интересов есть и коммерческие. Существует некая фирма, которая торгует лесом. Все абсолютно законно. Но недавно в двух городских газетах появились статьи о том, что эта фирма занимается незаконной вырубкой леса, что экология региона страдает от таких предпринимателей, и вообще, что я аферист и мошенник. А у меня контракты с западными партнерами. Им это может не понравиться.

— Так подайте на газеты в суд.

— Это я сделаю обязательно. Но позже. А сейчас я бы хотел узнать, кто заказал постановку этих материалов в газеты. И это я хотел бы сделать с помощью вашего агентства.

— Однажды был такой у нас случай, — решил рассказать я ему историю из практики агентства. — Наш журналист получил пачку фотографий, компрометирующих жену одного городского политика, да вы его, наверное, знаете...

Профессор опять прервал меня. Его явно не интересовали поучительные истории.

— Я понимаю, — сказал он, — что всякая работа стоит денег. И готов оплатить вашему агентству счет, скажем, на сумму десять тысяч долларов. Дайте мне ваши реквизиты.

Я молча написал на бумажке номер нашего счета. Что сказать профессору, я не знал, поскольку названная им сумма явно не соответствовала объему предполагаемой работы.

— Это не единственное задание, — тут же сказал мне профессор. — Просто я хочу, чтобы вы все делали качественно и с учетом перспективы.

— Какие задания последуют в дальнейшем?

— У меня много конкурентов и недоброжелателей. Я не хочу связываться с бандитами. И хотел бы все делать совершенно легально. Мне понадобится рекламная кампания в прессе. Кроме того, за мной следят. Я хотел бы узнать — кто?

Неожиданно рядом с нашим столиком оказался немолодой мужчина в старом коротком пальто. Я подумал, как же такого пустили в приличное заведение. Он схватил профессора за лацканы дорого пиджака и стал тихо тянуть на себя. Профессор, как я уже говорил, был в теле, и сил у нападавшего явно не хватало на то, чтобы сдвинуть его с места. Профессор, что меня несколько удивило, не стал кричать: «Помогите, убивают!». Он даже не сопротивлялся. А молча ждал, когда официанты отцепят от него мужчину и выведут его из зала.

— Вы знаете этого человека? — спросил я профессора.

— Да. Это священник. Он спятил и считает, что я виноват в том, что Христа распяли. Хотя никакого отношения к евреям я не имею.

На этом мы расстались. Я пообещал, что уже завтра утром заеду к нему домой и предоставлю отчет о том, что удалось узнать о компромате в прессе.

3

Работа на профессора показалась мне исключительно легкой. Я заехал в агентство. Запах там стоял уже не тот, что утром. Дядя Володя возился с какой-то трубой. Лида, опершись о любимую швабру, с которой она не расставалась уже лет двадцать, беседовала с Валей Горностаевой о разных проявлениях геноцида русского народа. Горностаевой я сухо кивнул, поскольку беседовать с ней даже о геноциде мне совершенно не хотелось. Несмотря на достаточно яркую внешность, она, пожалуй, единственный человек в агентстве, с которым я не хочу работать. Она демонстративно не выполняет требования к личному составу, которые я вывесил в каждом кабинете. Например, курит в неположенных местах. Более того, она категорически не желает пользоваться пепельницами и постоянно, как бы по рассеянности, стряхивает пепел на пол.

Я попросил Марину Борисовну, заведующую нашим архивно-аналитическим отделом, найти мне публикации с компроматом на профессора.

Пока надо было разобраться с проблемой закупки бумаги для агентства. Собственно, проблемой была не закупка бумаги — тут как раз никакой проблемы не было, иди в магазин и покупай сколько хочешь, — а разумные объемы этой закупки. Поскольку агентство в целом и каждый его сотрудник в отдельности готовы ежедневно расходовать бумагу в абсолютно неимоверных количествах. При этом все они утверждают, что для их ручек и их принтеров подходит бумага только особой плотности и качества.

За день агентство готово сожрать и две, и три, и даже пять пачек бумаги. При том, что на выходе продукции у наших журналистов как минимум в десять раз меньше. Куда они девают остальные листочки — совершенная загадка. Я уже неоднократно ставил перед Обнорским вопрос о необходимости ограничить потребности агентства в бумаге, поскольку скоро все наши доходы будут уходить только на бумагу. Шеф в конце концов сказал, чтобы я самостоятельно решил эту проблему.

Проблема решалась просто — я быстро написал инструкцию, в соответствии с которой каждому отделу на неделю будет выдаваться одна пачка «хорошей» бумаги для распечаток и одна пачка «плохой» для заметок. Если не хватит — пусть покупают из зарплаты.

Марина Борисовна уже нашла статьи, в которых ругался мой профессор. Публикации были очень похожи. Там сначала говорилось о заказниках, заповедниках и национальном достоянии. Потом о том, что есть некая фирма «Техлесимпорт», которая это национальное достояние ни в грош не ставит. Затем о том, что директор этого «Техлесимпорта» В. В. Заслонов отказался чего-то там прокомментировать корреспонденту и даже прямо нахамил ему, нарушив при этом пару статей закона о печати. Под конец делались намеки на подозрительную связь моего профессора, то есть Заслонова, с кем-то из чиновников из областной администрации.

Статьи были подписаны неким И. Ивановым, что сразу говорило о том, что сделаны они на заказ, автором, решившим скрыть свою настоящую фамилию.

Я в очередной раз удивился щедрости профессора — пусть даже потенциальной. Зачем платить деньги за то, что и так видно. А из напечатанного видно, что у фирмы «Техлесимпорт» есть конкуренты. Какие — сам профессор Заслонов наверняка знает. И эти конкуренты решили немного напакостить профессору и его бизнесу.

Тем не менее для отчета надо было узнать кое-что поподробнее. Я позвонил Михаилу Коровину, ответственному секретарю той газеты, в которой я когда-то работал и которая напечатала столь разоблачительный материал о разбазаривании российского леса.

— Миша, мы тут занимаемся расследованиями в области лесозаготовок. А у вас как раз замечательный материал вышел на эту тему. Не подскажешь, кто его готовил?

Коровин сказал, что у них в редакции никто лесом, к сожалению, не занимается, а публикацию подготовило рекламное агентство «МикС». «МикС» было достаточно известным агентством. Периодически ходили слухи, что оно принадлежит «тамбовцам». Потом говорили — «казанцам». В общем, было понятно, что оно готово работать со всеми, кто дает деньги. Оставалось только выяснить, кто именно заплатил «МикСу» в этот раз.

Но с руководителями «МикСа» отношения у меня были плохие, и звонить я туда не стал. Решил, что пока профессору хватит и имеющейся информации. Вот когда заплатит — займемся его делом плотнее.

4

Утром я поехал к профессору. Он жил на Юго-Западе в одном из недавно построенных домов.

Профессор лежал на земле возле своего дома. Я узнал его по седой пряди и позвонил в «скорую». Крови на теле видно не было. Скорее всего, он упал из приоткрытого окна на седьмом этаже, где находилась его квартира.

Ко мне из подъезда вышла старушка.

— Вы не видели, что с ним случилось? — спросил я ее.

— Да упал он из окошка. Минут десять назад.

— А чего ж в милицию не позвонили?

— Так у меня ж телефона нет.

— А видели кого-нибудь тут недавно?

— Да машина долго стояла, а потом уехала.

— Какая машина-то?

— Да черная.

— А еще что видели: выходил кто, входил?

— Вроде женщина какая-то выходила. А может, это и вчера было.

«Скорая» и милиция приехали практически одновременно. Врачи убедились, что профессор мертв. А за меня взялся старший лейтенант.

— Да, — сказал я чистую правду, — была назначена деловая встреча. Приехал — а тут труп.

Мы поднялись в квартиру на седьмом этаже. Она была закрыта изнутри. Замок был цел. Потом дверь взломали, и мы вошли внутрь. В квартире царила какая-то нереальная чистота. В прихожей, кроме двух пар мужских ботинок, никакой другой обуви я не заметил. В шкафу висели вчерашний профессорский костюм и светлый летний пиджачок.

— Похоже, он здесь жил один, — сказал старший лейтенант.

— Похоже, он здесь вообще не жил, — ответил я.

Окно было приоткрыто. Чтобы установить контакт с милиционером, я решил рассказать ему какой-нибудь забавный случай

— У меня был знакомый, — сказал я, — который упал в детстве из окна. С тех пор он классно говорит по-английски. Даже не как англичанин, а как шотландец. Но по всем остальным предметам он получал только двойки. Он всегда говорил, что жалеет только о том, что не запомнил, каким именно боком он стукнулся при падении. Он считал, что если бы запомнил, то смог бы писать потом научные работы и получить какое-нибудь звание. Может, даже Нобелевскую премию.

— Это ты к чему? — спросил меня старший лейтенант.

— Да так, для общего развития, — пояснил я. — А что вы думаете по поводу этого? — спросил я и показал на окно.

— По-моему, криминала тут нет, — ответил милиционер.

Я поехал в агентство к своим вахтерам. Дело о десяти тысячах долларов можно было считать закрытым.

5

Из Финляндии вернулся Обнорский. Вызвал меня к себе. Сказал:

— На счет нашего агентства поступило двести сорок три тысячи рублей. От какого-то «Техлесимпорта». Ты не знаешь, за что?

— Это деньги с того света.

— То есть?

— Ну, профессор пообещал нам десять тысяч долларов авансом. И умер. А деньги в рублях пришли. Когда они, кстати, были отправлены?

— Позавчера.

— Все правильно. За день до смерти.

— Этим надо заняться, — сказал Обнорский, подумав.

— А чего заниматься? Деньги пришли. Клиента нет. Напишем отчет о выполненной работе, и все. .

— Нет, — с малопонятной злобой в голосе отрезал Обнорский. — Мы этим займемся.

Как этим заниматься, Обнорский не сказал. Поэтому можно было заняться другими делами.

Например, составить журнал использования автотранспорта сотрудниками агентства. На балансе у нас находились две машины. Но ездили ребята как попало, не следили за уровнем масла и тосола, и этому надо было положить решительный конец.

6

Обнорский решил устроить совещание. Позвал меня, бывшего опера Зудинцева и нелюбимую мной Горностаеву. Она зачем-то надела жутко короткую юбку. Ноги у нее действительно довольно приличные. Но зачем надевать такие юбки, если не испытываешь никакого интереса к мужчинам?

Обнорский сел в любимое кресло. Кресло заскрипело и закачалось. Я от греха подальше устроился в уголке на диванчике. Как назло, рядом со мной стала дымить своим кубинским зельем Горностаева.

— Финны, — сказал Обнорский, — обеспокоены смертью профессора Заслонова. Они готовы оплатить нам расходы на расследование его смерти.

— А откуда твои финны знают о профессоре? — спросил я.

— Это не мои, а другие финны. У него был с ними договор на поставку леса. И наверное, что-то еще, но они об этом не говорят. Ну давайте, рассказывайте, что мы о Заслонове знаем.

— Знаем мы мало, — доложил я. — Называл себя профессором. Неизвестно, каким и где. Намекал, что химик и даже открывал сто четырнадцатый элемент в таблице Менделеева. Директор «Техлесимпорта». Конкуренты. Слежка. Сумасшедший священник.

— Давайте так, — сказал Обнорский, — Зудинцев займется выяснением всех данных по профессору и попытается узнать в РУВД, как идет расследование по его смерти. Горностаева доработает ситуацию с «МиксСом». Скрипка узнает, что там с коммерческой деятельностью профессора. Координировать работу будет он же.

Работать с Зудинцевым было хорошо. Он всегда в срок выполнял задания и пытался докопаться до сути вещей. Кроме того, у подполковника милиции в отставке были приятели практически во всех районных управлениях, которые — порой даже с удовольствием — делились с ним информацией.

Другое дело Горностаева. Работать с ней я не хотел. Но — пришлось.

Мы вышли с Горностаевой в коридор. Она демонстративно закурила в неположенном месте. Я не стал с ней ругаться.

— У одного моего приятеля, — сказал я ей, — жили кошка и собака. Собака была добрая и умная. А кошка ей постоянно портила жизнь. И вообще никакой пользы хозяину не приносила. Но приятель мой был добрый и кошку не только не бил, но даже подкармливал всякими «Вискасами». А потом наступил финансовый кризис. И «Вискасы» закончились. И что ты думаешь? Собака осталась, а кошка сбежала.

— Я думаю, Алексей Алексеевич, — сказала Горностаева, — что завхоз — он и рождается завхозом, и умирает завхозом. И на могиле ему ставят памятник, на котором выбита инструкция по использованию этого надгробного камня.

— В общем, Горностаева, — ответил я на этот бред, — топай в «МикС». Завтра доложишь.

7

Я отправился в «Техлесимпорт». Повод у меня был железный — необходимость подписания акта приемки-сдачи работ на сумму двести сорок три тысячи рублей.

Этот «Техлесимпорт» оказался не государственным или постгосударственным предприятием, как можно было бы заключить из названия, а недавно образованным обществом с ограниченной ответственностью. Оно занимало две комнаты в здании какого-то НИИ у метро «Академическая». Бухгалтер — пятидесятилетняя тетушка в толстых очках — ни слова ни говоря поставила мне печать на принесенный мной документ, а когда я спросил ее, что будет делать фирма после смерти профессора, сказала, что не знает. Пока деньги на счету есть. Может, объявятся другие учредители.

— И кто они?

— А я их никогда не видела, — ответила бухгалтер.

8

Утром следующего дня мы уже кое-что знали о профессоре Заслонове.

Зудинцеву удалось выяснить, что версия самоубийства Заслонова уже не рассматривалась. Прежде чем он выпал из окна, кто-то ударил его по голове тяжелым предметом. Оперативники считали, что этим предметом была мраморная пепельница, которую обнаружили в квартире. Сейчас ее отправили на экспертизу.

Впрочем, этот удар пепельницей или чем-то другим не был смертельным. Скорее всего, Заслонов потерял сознание. А потом его выбросили из окна. Из квартиры вроде бы ничего ценного не пропало. В квартире сняли отпечатки пальцев, но кому они принадлежат, пока не выяснили.

Жильцы дома говорят, что профессор купил в нем квартиру около полугода назад, но появлялся в ней редко. А если и появлялся, то в основном один. В течение нескольких дней, предшествовавших убийству, соседи видели около дома немолодого мужчину, который кого-то явно ожидал или искал. После убийства его никто не видел.

Машину, которая стояла рядом с домом в утро убийства, кроме моей старушки никто больше не видел. А старушка утверждает, что в машине сидели двое мужчин. Марку и номер машины старушка назвать не может.

— Есть еще чудеса с профессором, — продолжал Зудинцев. — Скорее всего, он никакой не профессор.

— Может, он был доктором каких-нибудь непрестижных наук, — предположил я. — Вот у меня был знакомый, который упорно называл себя прапорщиком, хотя на самом деле был только сержантом-сверхсрочником. Когда его спрашивали, зачем он так мелко обманывает окружающих, он отвечал, что, конечно, прапорщик — не Бог весть какое звание, но сержант-сверхсрочник — это что-то еще более неприличное. Самое удивительное, что он не считал, что кого-то обманывает. Вот, говорил он, если бы я называл себя старшим прапорщиком, тогда, наверное, обман имел бы место...

— Не отвлекайся, Алексей, — сказал Зудинцев. — Ладно, проверим все диссертации — докторские и кандидатские.

— А что с его семьей?

— С семьей все хорошо. Он дважды женат. С первой женой жил долго. Потом развелись. И она куда-то уехала. То ли в Иркутск, то ли в Минусинск. От этого брака у него дочь. Она уже большая. Ей двадцать один год. Студентка университета. Недавно вышла замуж. Вторая жена моложе его на двадцать лет. Живет в отдельной квартире в центре. Не работает.

— Что же они, и жили раздельно?

— Вроде да.

Горностаева, поджав губы, тоже выложила мне кучку информации.

— «МиксСу», — сообщила она, — заказал подготовку компромата на «Техлесимпорт» некий Рушан из Петрозаводска. Рушан — это молодой и уже очень состоятельный бизнесмен, занимающийся лесом. Говорят, что одновременно он — один из лидеров карельского преступного сообщества, которое пытается взять под свой контроль весь экспорт леса на Северо-Западе.

— Кроме того, — продолжила Горностаева, — говорят, что через несколько месяцев у «Техлесимпорта» заканчивается лицензия на вырубку леса. И если раньше у Заслонова была рука где-то среди вице-премьеров областного правительства, то теперь и этой руки уже там нет, и самого профессора нет. В общем, кое для кого все очень удачно складывается.

9

Неожиданно меня вызвали в ФСБ. Следователь был очень молод. Я хотел рассказать ему историю о молодом дворнике, у которого украли метлу, но он мне не дал этого сделать.

— Вы были знакомы с Заслоновым?

— Я с ним беседовал один раз.

— О чем?

— Он хотел заказать нам расследование о том, кому выгодно было публиковать в прессе статьи, в которых он подвергался критике.

— Вы выяснили?

— Нам кажется, что это выгодно одному господину в Петрозаводске.

— Говорил ли он с вами о каких-либо химических технологиях?

— Он говорил, что открыл сто четырнадцатый элемент.

— Это какой?

— Еще не знаю.

— Он просил вас еще о чем-нибудь?

— Он говорил, что за ним якобы следят.

— Кто?

— Не знаю.

— Вы рассказали все, что вам известно о Заслонове?

— Да. А какой у вас к нему интерес?

Молодой следователь промолчал. Я подписал протокол и в недоумении поехал к Обнорскому.

Обнорский сказал, что, скорее всего, наш профессор был связан или с террористами, может быть, чеченскими, или с иностранными разведками.

Обнорский задумался:

— Я постараюсь что-нибудь разузнать. А ты пока съезди к его жене.

10

Жена профессора оказалась очень милой девушкой. Стриженая, светленькая, глаза не нахальные. В общем, в моем вкусе.

— Здравствуйте, я имел некоторые дела с вашим мужем, но тут случилась такая трагедия.

— Да, Витя был замечательный человек.

— Извините, а в каком институте он был профессором?

— Я не знаю.

— Как так?

— По-моему, он химик. Но сколько я его знаю, а мы познакомились года полтора назад, все это время он занимался только бизнесом.

— И каким?

— Разным. Но он не любил говорить об этом.

— Но он вас знакомил со своими партнерами?

— Конечно. Мы ходили с ним в клубы. Там он встречал знакомых. Он говорил: «Познакомьтесь, это Инна. Инна, это Иван Иванович».

— То есть адресов их вы не знаете?

— Нет, не знаю.

— А бывшая жена?

— Я ее никогда не видела.

— А дочь?

— Света недавно вышла замуж. Витя купил ей квартиру в Озерках.

— И какие у него были отношения с дочерью?

— Со Светой хорошие. А с ее мужем — Валерой — ужасные.

— Почему?

— Он считал, что Валера должен сам зарабатывать на жизнь, а не просить у него подачки. Кроме того, у них был конфликт из-за какого-то пакета.

— Ваш муж жаловался мне на то, что за ним следят. Вы не замечали слежки?

— Нет. По-моему, все было хорошо.

— Вас не вызывали в ФСБ?

— Нет, зачем?

Наш разговор заходил в тупик. Инна ничего не знала. Но мне не хотелось уходить.

— Знаете что, Леша, — вдруг сказала мне она, — я очень хочу вам помочь. Давайте встретимся, вместе походим по тем клубам, где мы бывали с Витей. Я вам покажу людей, с которыми он меня знакомил.

— Давайте, — радостно согласился я.

11

В кабинете Обнорского курили все, кроме меня. Дышать было невозможно. Надо поставить кондиционер, подумал я. А еще лучше запретить курить.

— Мы выяснили, — говорил Зудинцев, — что докторской диссертации у Заслонова не было. Пошли по кандидатским. Оказалась — была. По химии — о воздействии радиоактивного излучения на химический состав чего-то там еще — монографию нам выслали по почте, так что она еще не скоро придет. А защищал он диссертацию в Киеве, и уже довольно давно. Кстати, сто четырнадцатый элемент таблицы Менделеева действительно открыли совсем недавно, но наш профессор тут абсолютно ни при чем. Хвастал, наверное. В общем, никакой он не профессор.

— А что с пепельницей? — спросил я.

— Эксперты говорят, что его ударили по голове именно ею. Но отпечатков пальцев на пепельнице не нашли. Ее то ли помыли, то ли протерли.

— А мне рассказали нечто любопытное, — сказал Обнорский. — Мне сказали, что нашего профессора подозревали в связях с израильской разведкой. Якобы он то ли передавал, то ли говорил, что передаст, какие-то технологии. Таким образом, у нас образовалось три направления: это разборки вокруг леса, иностранная разведка и убийство на бытовой почве.

— У нас еще псих-священник есть, — подал я голос.

— Да, и священник. Будем все это разрабатывать.

— А что, твоих финнов интересует не только экспорт леса?

— Моих финнов интересует правда о лже-профессоре Заслонове. И я обещал, что мы эту правду в письменном виде им подадим. За соответствующую плату. В общем, пусть Зудинцев сидит на хвосте у милиции, Горностаева постарается выяснить, какими химическими технологиями мог заниматься Заслонов, а Скрипка продолжает общение с родными и близкими покойного.

12

Я узнал телефон дочери профессора. Позвонил. Сказал, что мы встречались с ее отцом незадолго до смерти, хотелось бы довести дела до конца. Она согласилась встретиться.

Я уже знал, что ее зовут Светлана, что ей двадцать один год, она учится на экономическом в университете. Замужем. Детей нет. Фамилию после замужества не меняла.

Квартира у нее была в новом доме. Но — однокомнатная. Дочка профессора внешне совершенно не привлекала — она не красилась, в том смысле, что не пользовалась косметикой, и от этого ее лицо показалось мне однотонно серым.

— Ваш отец обратился в наше агентство, потому что считал, что за ним следят и кто-то сливает компромат на него в прессу. Вы не знаете, кого он опасался?

— Отец не любил рассказывать о своих делах. Так, спросишь его: «Как дела, как фирма?» — «Хорошо, но должно быть лучше». Вот и весь разговор.

— А ваш муж — он был посвящен в дела фирмы?

— По-моему, нет.

— Новая жена вашего отца говорит, что у него был конфликт с вашим мужем.

— Да, они поругались. Но папа был не прав.

— А в чем дело?

— Я это уже рассказывала на Литейном.

— В милиции? — уточнил я.

— Нет, в КГБ, ну, как он сейчас называется, — ФСК.

— ФСБ. Вы знаете, с этими названиями столько всяких забавных историй. Один мой приятель, в прошлом, кстати, кагэбешник (сейчас он торгует мороженым оптом), придумывает аббревиатуры. Ко всему. Жена его еще понимает, а в магазине — уже с трудом. Он, например, собаку свою называет СНП — собака неизвестной породы. А тещу — ЖДМНЖ. Что означает: женщина, доставшаяся мне в нагрузку к жене. При этом он умудряется так лихо произносить эти буквы — на одном дыхании, как китаец какой-то. Особенно трудно его домашним, когда он новое слово в оборот вводит. Так он им завел тетрадочку. Называется: «Словарь незнакомых слов и выражений». И туда он все записывает, чтобы они имели возможность подучить слова, пока он мороженым торгует. Да, значит вы были в ФСБ?

— Да. Они меня тоже об этом спрашивали. А я им сказала, что папа говорил, что спрятал у нас в квартире какой-то пакет или папку. Спрятал — и не сказал нам. А потом этот пакет пропал. И он считал, что его взял Валера.

— Валера — это ваш муж?

— Да.

— И где ваш отец этот пакет спрятал?

— Я не знаю точно. По-моему, в стенном шкафу. Они с Валерой ругались два дня — сначала я думала, что все уже кончилось, потом отец вернулся — и опять пошли.

— А что в пакете было?

— Какие-то важные бумаги.

— Связанные с фирмой вашего отца?

— Не знаю.

— А зачем вашему отцу было прятать пакет в стенном шкафу?

— Не знаю.

— Кстати, ваш папа был профессором?

— Насколько я знаю, нет.

— Но он где-то преподавал?

— Может быть. Он любил заниматься одновременно разными видами деятельности. Он говорил, что если где-то что-то и потонет, то в другом месте обязательно всплывет. А так — по образованию — он, как и мама, химик.

— Извините, еще несколько вопросов. У вашего отца в последнее время были проблемы с деньгами?

— По-моему, не было. Вообще он вел себя довольно скромно. Вот только купил нам квартиру. И себе — на Юго-Западе. У него даже машины не было. Он всегда говорил, что ему гораздо проще поймать такси, чем самому водить машину или нанимать шофера и все время чувствовать себя перед ним виноватым, когда задерживаешься в каком-нибудь месте, а он сидит в кабине и ждет часами.

— Но он деньги вам давал?

— Давал. Немного. Где-то долларов сто в месяц. Он говорил, что Валера должен сам зарабатывать.

— И Валера зарабатывает?

— Старается.

— А что он делает?

— Он в аспирантуре. И еще у одной фирмы ведет бухгалтерию.

— То есть вообще никаких проблем?

— Ну, — она задумалась, — была как-то. Одна. Недели три назад — папа был как раз у меня, в этой квартире, — на него напал какой-то мужчина.

— Как напал?

— Да так, позвонил, мы открыли. Он вошел. Отец его узнал. Что-то ему сказал. Тогда тот вытащил топор из-под пальто и пытался отца ударить.

— И что дальше было?

— Да ничего. Он ударил топором. Попал вот в вешалку — видите, на ней зазубрина. Потом его отец с Валерой схватили.

— И что?

— Я сказала, что надо вызвать милицию. Папа сказал, что не надо. Они отняли у мужчины этого топор и отпустили.

— А кто это был?

— Какой-то старик. Отец сказал, что он его знает, это сумасшедший, и он больше не будет.

Я подумал, что пришла пора поговорить о ее матери и о новой жене ее отца.

— Знаете, Света, — сказал я, — у меня есть знакомый, тоже, кстати, аспирант, так у него две замечательные особенности. Во-первых, он, сколько я его знаю, столько он в этой аспирантуре учится, — и, что удивительно, умнее не становится. Во-вторых, он уже пятый раз женат. Само по себе, это вовсе не интересно. Но он трижды женат на одной и той же женщине. То есть он на ней женился раз. Потом разошелся с ней, женился на другой. Потом опять женился на этой. Опять развелся. И теперь снова на ней женился. При этом она — так себе, ничего особенного, только волосатая сильно. В смысле, волосы у нее длинные. Обычно у них полный цикл составляет три года. Сейчас жду, опять должны разойтись. А ваш отец почему развелся?

— Это было очень неожиданно. Вдруг сказал маме, что для ее и нашего счастья должен развестись. Отнес заявление в суд. Мама уехала сразу же. А он женился.

— Вы поддерживали отношения с новой женой?

— Нет. Я и видела ее раза три всего.

— Я могу поговорить с вашим мужем?

— Попробуйте позвонить поздно вечером, часов в одиннадцать-двенадцать. Он раньше не приходит.

13

В офисе агентства меня ждали два сообщения. Первое было печальным: у компьютера Спозаранника сгорел блок питания. Как таковое, это событие — перегорание чего-то там у компьютера — не было чем-то чрезвычайным. Проблему создавало только то, что сгорел компьютер Спозаранника.

Это означало, что уже с самого утра Спозаранник кричит, что если компьютер особо ответственного лица, каким является Спозаранник, сломался, то нужно немедленно этот компьютер или починить, или заменить (при этом заменить его нужно так, чтобы ни один созданный Спозаранником строго секретный файл не стал добычей врагов). Он кричит, что завхоз Скрипка отсутствует на рабочем месте. Что он (то есть я) сорвал весь процесс расследования как просто важных, так и особо важных дел. И теперь этот факт срывания рабочего процесса Спозаранник будет приводить в качестве аргумента на всех планерках и летучках, объясняя, почему он не может в установленные Обнорским сроки закончить то или иное дело.

Я сказал Спозараннику, что он мог бы и сам позвать компьютерщика и решить с ним вопрос починки блока питания. А если ему нужны деньги на покупку нового блока, то пусть пишет докладную записку на имя Обнорского. И если тот утвердит расходы, я эти деньги Спозараннику выдам, но только при условии предоставления строгой отчетности по их целевому использованию.

Второе сообщение меня удивило. На бумажке кто-то из наших ребят написал: «Алексей, звонил какой-то мужик, отец кого-то, не понял кого. По делу Заслонова. Обещал перезвонить».

Чей отец? У меня ничьих отцов по Заслонову не проходило.

Вечером я позвонил зятю профессора Валере. Разговор был коротким. Валера заявил мне, что я не прокуратура и не спецслужба и давать мне какие-нибудь объяснения он не будет. И Свете со мной встречаться он тоже запретил.

Я ему хотел рассказать историю о том, как один знакомый моего знакомого ни с того ни с сего дал обет молчания и в итоге не только вылетел с работы, но и даже попал на пятнадцать суток, но он повесил трубку.

14

На следующее утро я сидел в своем кабинете в агентстве. Никаких ЧП не было. Туалеты работали, компьютеры не ломались, кресло Обнорского не скрипело. Единственной проблемой было только то, что кончился кофе — и уже три человека зашли ко мне с претензией по этому поводу. Всем им я предложил зажать в кулачок взятые у мамы на обед рублики и сбегать в ближайший магазин, поскольку агентство никому не обещало бесплатно поить их и кормить. Агентство обещало обеспечивать работой и, возможно, зарплатой. А если кто не согласен, пусть идет и пишет служебную записку Обнорскому.

Раздался звонок. Голос в трубке был мужским, довольно приятным и растянуто-певучим.

— Да, я — Алексей Скрипка, — сказал я.

— Меня зовут отец Николай. Я вам вчера звонил.

Тут я догадался, о каком отце шла речь во вчерашней записке. Я предложил ему зайти к нам в агентство. Он согласился.

Отец Николай оказался тем самым мужчиной, который на моих глазах пытался побить профессора в «Невском Паласе». Выглядел он плохо. Лицо в красных пятнах. Старое пальто. Разваливающиеся ботинки. К тому же от него не слишком хорошо пахло.

— Это вы рубили топором профессора в квартире его дочери? — спросил я.

— Вы меня, молодой человек, выслушайте, не перебивая.

— А вы скажите сначала, откуда вы мой телефон взяли?

— Я в газете прочитал про убийство Заслонова. Там было написано, что материал подготовлен вашим агентством. Позвонил в газету, потом в агентство, мне сказали обратиться к вам.

— Ну, слушаю вас.

— Заслонов — это был очень нехороший человек. Очень. Он украл деньги церкви. И теперь я не могу вернуться к себе на подворье, потому что я сам виноват, что доверился ему.

— А на какое подворье?

— В Омске. Там подворье нашего монастыря. Я отвечаю за обеспечение монастыря продуктами, инструментом...

— Завхоз? — обрадовался я.

— Почти. Так вот, когда мы познакомились с Заслоновым, он мне показался очень порядочным и глубоко верующим человеком. И он сказал, что его фирма может помочь монастырю. И он сделает нам все необходимые закупки с большой скидкой. И себе ничего не возьмет — потому что хочет просто помочь. Я обрадовался — у нас денег мало, любая копейка на счету. Мы отдали ему деньги. А потом он исчез. А когда я стал выяснять, что да как, оказалось, что такой фирмы, которую он называл, просто нет.

— Вы в милицию-то ходили?

— Ходил, но там у меня заявление не взяли. Потому что никакого договора у нас с Заслоновым не было.

— И деньги вы давали ему наличными?

— Да, он так просил.

— Ну вы, отцы, даете! И почему за вами налоговая полиция не бегает? Вот у меня был приятель, так он однажды — ни с того ни с сего — стал буддистом. А у него была фирма своя, маленькая. Так вот, у него время сдачи годового отчета, а он в это время погружается в себя и говорит всем, что надо искать бога в себе, а не размениваться на мелочи. В общем, отчет они вовремя в налоговую не сдали. А те закатали им штраф. Бухгалтерша его от греха подальше уволилась. Ну, тут ему стало делать нечего — пришлось выходить из астрала. Так что с налоговой инспекцией-полицией надо уши торчком держать. Тут никакой бог не поможет.

— Потом я узнал, — продолжил священник, — что он в Ленинграде. Я поехал сюда. А он меня как будто не признает. А потом я узнал, что он умер.

— Так вы за ним следили?

— Да, я думал, что если буду ему постоянным укором, его совесть проснется.

— Вы были в день смерти профессора у его дома?

— Я ночевал неподалеку от его дома на скамеечке. Утром проснулся. Подошел к его парадной. Стал ждать, когда он выйдет. А он упал...

— А кто-нибудь входил в подъезд?

— Я не очень внимательно смотрел, но несколько человек заходило. Машина какая-то стояла. Потом уехала. Но я не был очень внимательным. Да и зрение у меня не лучшее.

— А что вы хотите от нас?

— Я просто хотел рассказать вам, какой нехороший человек был этот Заслонов...

15

Обнорский созвал Зудинцева, Горностаеву и меня на очередное совещание по делу выброшенного из окна профессора.

— Докладывайте, — сказал шеф.

— Докладываю, — сказал я. — Дочка говорит, что ничего про дела папы не знает — и, по-моему, не врет. У профессора — который, видимо, никакой не профессор — был конфликт с мужем дочки из-за какого-то пакета, который профессор прятал у них в квартире. Пакет этот кто-то украл, а профессор был расстроен. Кроме того, объявился священник, который говорит, что профессор утащил деньги у его монастыря. Священник в утро убийства находился рядом с домом Заслонова. Кроме того, до этого священник пытался зарубить профессора топориком. А в остальном священник оказался очень даже симпатичным человеком, только от него плохо пахнет, потому что он уже три недели не мылся и ночует где придется.

— Это еще почему? — спросил Обнорский.

— А у него денег нет. Я ему дал пятьдесят рублей из общественных денег, чтобы он чего-нибудь съел. Даже если он убийца, все равно ему есть хочется. В общем, пожалел я его.

Зудинцев был краток. У милиции ничего нового нет. И вообще они, по его мнению, этим делом не слишком усердно занимаются. Зудинцев выяснил, что учредителями «Техлес-импорта» — той фирмы, где директорствовал профессор — были сам Заслонов и некое ТОО «Орбита», зарегистрированное в Новосибирске. Документов этой самой «Орбиты» найти пока не удалось.

— Я тоже вас не утешу, — сказала Горностаева. — Пришла монография Заслонова из Киева. Я отдавала ее на экспертизу специалистам. Получила ответ: ничего там секретного или суперинтересного нет. Да и устарело все давно.

— А что с профессорством Заслонова? — спросил я.

— Наверное, все-таки профессор он липовый, — ответила Горностаева. — Я обзвонила уже все государственные и частные вузы в Питере — не было у них такого. Но городов в России много...

— Негусто, — подытожил Обнорский. — У меня тоже, кстати, ничего нового нет. Про израильскую разведку добавить мне нечего. Итак, какие у нас версии? У нас такие версии. Первая — профессора убили конкуренты, нам неведомые. Вторая — профессора убили агенты израильской разведки, что кажется просто бредом. Третья — профессора убил священник. О его визите, кстати, Алексей,— обратился Обнорский ко мне,— надо сообщить в милицию. Четвертая версия — профессора грохнул его зять. Из-за папки, которую профессор зачем-то прятал в квартире дочери.

Обнорский задумался. Все молчали. Я сказал:

— Один мой знакомый, яхтсмен, поплыл через Атлантический океан на своей яхте. В общем, плыл он, плыл, а берега все нет и нет. «Где Америка?» — кричит он. А в ответ тишина. Плыл он, плыл, а земли опять-таки все нету и нету. И тогда он говорит: «Все, еще два дня плыву, а потом поворачиваю обратно».

— Это кому он говорит? — спросил меня серьезный человек и бывший оперативный работник Зудинцев.

— Это он говорит Атлантическому океану,— обрадовался я тому, что меня так внимательно слушают.— Потому что больше говорить ему некому, это ж одиночное плавание. Ну вот, и что вы думаете, земля тут же появилась на горизонте. В общем, я предлагаю сказать самим себе, что мы уже заканчиваем расследовать дело профессора.

— Да,— сказал Обнорский.— Занимаемся этим делом последнюю неделю. На Зудинцеве — милиция и священник. Выясните, кто он, правду ли говорит? На Горностаевой — это профессорское лесное предприятие. А на Скрипке — родственники. Выясни, где прежняя жена, что делает?

16

Ближе к вечеру мне позвонила вдова профессора по имени Инна и сказала, что она помнит о своем обещании попытаться познакомить меня со знакомыми ее мужа. И приглашает меня в клуб «У дона Педро», в котором они с мужем периодически бывали.

— О, дон Педро, — сказал я, — я оденусь как настоящая обезьяна. Выберу цепь помощнее и причешу свой ежик покруглее.

— Оденьтесь строго, — оборвала она меня, — костюм, галстук.

Инна была в черном брючном костюме. Я сразу же поцеловал ее в щечку. А потом в ушко. Она не стала демонстрировать отвращение.

Мы выпили по «Маргарите», потом еще по две, и я перешел на джин с тоником, а она на кампари с оранжем.

— Ну что, — спросил я, — где знакомые профессора?

— Сегодня никого не видно. А как ваше расследование?

— Наше расследование замечательно. Зачем ваш муж ограбил монастырь?

— Да вы что, Леша, — сказала вдова, — Витя был верующим человеком, он бы никогда такого не сделал.

— А зачем он сотрудничал с евреями?

— С какими евреями?

— Да такими. Шпионы-евреи. Кто не знает, что каждый еврей — шпион, а каждый шпион — еврей?

— У Вити, кажется, были контакты с какими-то израильскими фирмами. Но вряд ли они занимались шпионажем.

— А что он прятал в квартире дочери?

— А что он прятал?

— Не знаю.

— Так кто же все-таки убил моего мужа? Что думает милиция? Вы не знаете, Леша? — спросила она меня.

— Да ничего она не думает. Она даже не знает того, что я вам сейчас рассказал — ни про священника, ни про пакет. Они, по-моему, вообще дело готовы закрыть.

Потом я расплачивался с официантом за наши джины, кампари и «Маргариты». Денег на такси уже не хватило. Но Инна сказала, что у нее есть.

Она отвезла меня домой. А сама поехала дальше — наверное, к себе домой.

17

Утром я был как огурчик. И подумал: а почему я так спокойно отношусь к смерти профессора: флиртую с его женой, то есть вдовой, мучаю расспросами дочку. И хотя профессор погиб почти у меня на глазах, я не вижу его мертвого лица в ночных кошмарах. Наверное, потому, решил я, что я с ним был очень мало знаком и воспринимаю его как некий абстрактный персонаж некой истории с убийством.

Но почему тогда так спокойна его вдова Инночка? Да и дочка вроде бы не очень-то убивается.

То ли они все вместе его укокошили, то ли профессор был настолько дрянным человеком, что жалеть его некому и не за что.

Но они и могли убить его как раз потому, что он был плохим человеком. Собрались все вместе — дочка с мужем, Инночка, бывшая жена, священник — и выкинули из окна, стерев затем все отпечатки пальцев и аккуратно закрыв дверь.

В общем, решил я, пора завязывать с профессором. Еще один такой поход к «Дону Педро», и я сам выброшусь из окна, предварительно объявив себя банкротом.

18

Я спокойно сидел дома и смотрел ток-шоу «Про это», когда позвонил Спозаранник. Я очень удивился, потому что в такое время Спозаранник уже должен был спать, потому что иначе как он тогда встанет спозаранку?

Спозаранник спросил, видел ли я сегодняшнюю телепрограмму «Мгновения» Ивана Петропавловского. Я сказал, что смотрю только приличные каналы, только приличные программы и только приличных ведущих. В общем, не видел я ее.

— Очень жаль, — сказал Спозаранник. — Господин Петропавловский показал в прямом эфире выступление Валерия Колякина, который перед телекамерой признался в том, что он в состоянии аффекта убил Виктора Заслонова, после чего выбросил его тело из окна.

— А кто такой Валерий Колякин? — не понял я.

— Валерий Колякин, — сказал Спозаранник, — это муж дочери Заслонова.

— И что еще он сказал?

— Еще он сказал, что ссора произошла из-за того, что Заслонов считал, что он плохо относится к его дочери. Сделать это признание его заставила совесть или неспокойная душа — не помню точно, как он выразился. Все, больше он ничего не сказал. Выступление было очень коротким.

— А что сказал Петропавловский?

— Петропавловский, предваряя выступление, сказал, что Колякин решил сделать признание в его программе. И он, как настоящий журналист, не мог препятствовать тому, чтобы население знало правду.

— И это все?

— Да, все.

19

Я позвонил утром Петропавловскому и попросил его рассказать, как было дело. Он не был расположен со мною говорить:

— Все, что надо, сказано в передаче. Больше мне добавить нечего. До свидания.

Наконец к обеду пришел Зудинцев.

— Кое-что узнал. Но новости нерадостные, — сказал он. — Валерий Колякин умер.

— Как умер?

— Так умер. Сегодня утром выбросился из того же окна той же квартиры, из которой выкинули профессора.

— И что?

— Я уже был на месте. Со всеми побеседовал. Милиция считает, что это самоубийство. Может, они и правы. Хотя им так удобнее считать: убийца признался, а потом покончил с собой.

— Какие-нибудь подробности?

— Да нет никаких подробностей. Никто не видел, как Колякин вошел в квартиру, но ключ у него был, его нашли в кармане брюк. Никакого беспорядка в квартире. На теле никаких следов борьбы. Конечно, окончательно это должна сказать экспертиза.

— А что с признанием?

— Тут все смешнее. Никакого прямого эфира на самом деле не было. Кто-то привез или подкинул кассету с записью признания Колякина Петропавловскому. И Петропавловский тут же запихнул ее в эфир.

— То есть никто не знает, сделано ли признание добровольно?

— Никто не знает.

— А кто привез кассету?

— Петропавловский молчит. Вернее, он выдал уже три разные версии. Сейчас он говорит, что ему позвонили — неизвестно кто — и сообщили, что на вахту принесут пакет, в пакете будет запись признательных показаний убийцы известного профессора Заслонова. Через десять минут после звонка какой-то подросток принес пакет. Вот, собственно, и все. Да, сейчас кассета на экспертизе.

— А что говорит дочь профессора?

— Дочь говорит, что не видела своего мужа с утра предыдущего дня, но абсолютно не волновалась, потому что такое и раньше бывало.

20

Я позвонил Светлане Заслоновой. Она была дома, плакала, говорить со мной отказалась.

Я позвонил Инне Заслоновой. Она была дома, не плакала, но говорить со мной тоже отказалась.

Кому еще звонить, я не знал.

Обнорский позвал всех занятых в этом деле.

— Тебе, Леша, — выговор, — начал он с меня. — Тебя видели в ресторане с подозреваемой по делу.

— С какой такой подозреваемой?

— С женой профессора.

— А, с его вдовой. Так я проводил оперативную работу.

— Проводя оперативную работу, вы, Алексей Алексеевич, были пьяны и кричали там чего-то про милицию и про агентство.

Я решил, что лучше молчать и не припоминать Обнорскому его прежние подвиги.

— Ладно, — сказал шеф. — Появился еще один труп. Рассказывайте, чего знаете.

Я не знал ничего. Зудинцев рассказал то, что уже излагал мне. А вот Горностаева, оказывается, проявила инициативу.

— Я выяснила, — сказала она, — кое-что любопытное про отношения профессора и его новой жены.

— А чего это вы, госпожа Горностаева, полезли не в свой огород? — возмутился я. — Родные и близкие покойного — это мой профиль. Вам поручили заниматься его коммерческими делами.

— Андрей, — обратилась Горностаева к Обнорскому, — а нельзя ли задвинуть Скрипку обратно в завхозы?

— В главные завхозы, — поправил я ее.

— Продолжай, — сказал Горностаевой шеф.

— Развод и новая женитьба произошли очень неожиданно. Я нашла бывшую жену Заслонова. Она сейчас работает в Хабаровске. Она говорит, что уверена, у ее бывшего мужа не было до развода никаких романтических увлечений.

— На чем основано это утверждение? — спросил я.

— Ни на чем. Она просто уверена. Муж сказал ей, что он делает это ради блага семьи. Кроме того, свадьбы не справляли. Никто никогда не видел, чтобы молодые жили вместе. В общем, по-моему, это был фиктивный брак.

— Ты что, хочешь сказать, что его силой заставили жениться?

— Ну, примерно так.

— И зачем?

— Я думаю, схема примерно такая: фирма Заслонова и год, и даже полгода назад была достаточно мощным конкурентом на рынке импорта леса. У профессора была рука в областном правительстве, хорошие контакты с партнерами в Скандинавии. В общем, кто-то захотел прибрать ее к рукам. И сделал это, не устраняя профессора, а введя в качестве контролирующего фактора жену.

— По-моему, бред это. Есть более простые способы установления контроля над фирмой, — сказал я.

— Может, это новое слово в криминальной практике, — ответила Горностаева.

21

На следующий день Зудинцев принес мне посмотреть видеокассету, на которой было записано признание зятя профессора. Потом сказал:

— Слушай, тут у меня есть новости, которые вообще все запутывают. Я проверил твоего священника.

— Знаешь, — ответил я, — эти священники мне уже по ночам снятся. С топорами в руках. Одному моему приятелю тоже как-то снились священники. Ну, на самом деле не совсем священники, а что-то в рясах и с крыльями. Может, ангелы. Или серафимы. Так вот, он, вместо того чтобы стать еще большим праведником, напился, устроил грандиозную драку в доме архитектора. И в итоге получил год условно за хулиганство. Так что сны — они тоже вещие бывают.

— Проверил я твоего священника, — повторил Зудинцев. — Действительно, есть монастырь. Есть подворье. Есть отец Николай. У них на самом деле была какая-то неприятная история с деньгами. Но денег там было немного, поэтому они очень удивились, что мы из Питера по этому поводу их беспокоим. Так, несколько тысяч рублей. Но самое интересное, что примерно в это же время там из храма пропала икона — она-то и стоит каких-то немереных денег. Конечно, никто ее не оценивал, но это какой-то там мохнатый век и оклад из золота. Хотя золото-то тут особо ни при чем. Главное, что вещь древняя, антикварная.

— А что милиция тамошняя?

— Заведено уголовное дело. Разосланы ориентировки. Но подозрений никаких. Потому что они там, в монастыре, даже не знают, когда она пропала — то ли в сентябре, то ли в ноябре.

— Так они моего священника подозревают?

— Да в общем-то нет. Они всех подозревают. То есть никого.

22

Мы опять собрались у Обнорского. Я сказал:

— Один мой приятель как-то сообщил своим знакомым, в том числе и мне, что не прочь был бы завести кошечку или котика. А дело было перед Новым годом. И вот на Новый год ему подарили двух кошечек. И одного котика. Только я ему кошку не дарил, потому что знал, что до добра это не доведет. Потом эти кошки как-то на удивление быстро выросли. И — что вы думаете — стали плодиться и размножаться. А он человек добрый и не может с ними не по-христиански...

— Алексей, давай по делу, — сказал мне Обнорский.

— Так я исключительно по делу. Убийцы у нас плодятся прямо на глазах. Уже имеется три железные версии. Первая: убийца профессора — его зять, и все, что сказано им на пленке, — правда. Мотив — личные неприязненные отношения, усиленные нехваткой денег и пропажей какого-то пакета.

— Версия вторая, — продолжал я, — профессора убила его новая фиктивная жена, которую подослали к профессору некие криминальные элементы. А убила она его потому, что он стал уже не нужен. К тому же и дела его фирмы стали в последнее время идти хуже. Конечно, убивала, наверное, не она сама, а кто-то другой, но сути дела это не меняет.

— Версия третья, — закончил я. — Священник. Он вместе с профессором стащил из монастыря жутко дорогую икону. Икона, кстати, по размерам небольшая. Затем профессор обманул священника, взял икону и скрылся в Петербурге. Икону он положил в пакет и спрятал в квартире своей дочери. Но священник профессора нашел — и убил. И теперь душа отца Николая попадет в ад. У меня все. Теперь нужны руководящие указания — что делать дальше.

Обнорский задумался.

— Указания, — сказал он через некоторое время, — будут следующие. Мы прекращаем заниматься расследованием этого дела. Два трупа уже есть. Личности по этому делу оказываются все какие-то малоприятные. И я не хочу, чтобы трупы появились среди наших ребят. В общем, дело закрываем. Все пишут отчеты. Скрипка сводит их в один. Потом один экземпляр отдадим следователю, который ведет дело об убийстве профессора. Один экземпляр пошлем финнам, которые интересовались смертью Заслонова. Если отчет их заинтересует, они нам что-нибудь заплатят. Если нет — значит, нет. Да, Зудинцев пусть продолжает контакты с оперативниками, которые работают по этому делу, — чтобы мы просто были в курсе. А всем остальным профессорского дела больше не касаться.

23

Это была сумасшедшая неделя. У Спозаранника из-за какого-то вируса полетела вся информация на компьютере, и он доводил меня до исступления своими криками о том, что потеряно все наработанное им за два года честным непосильным трудом. Горностаева категорически отказывалась курить в положенных местах и мыть за собой чашки после кофе.

Кресло Обнорского окончательно сломалось. Его пришлось отдать в ремонт. Теперь Обнорский сидел на простом деревянном стуле, и, наверное, от этого все его решения несли отрицательную энергию. Он требовал от всех заполнять какие-то бессчетные отчеты, карточки учета, бланки и справки. Ощущение было такое, что мы все — работники образцово-показательного паспортного стола.

В довершение всего Соболин разбил редакционную машину. При этом не как-то по-умному, а как кретин — просто вляпался в стенку. Видимо, пытался изобразить из себя крутого парня, но стенка оказалась круче. Ремонт грозил обойтись в тысячу долларов. Соболин кричал, что все отдаст из зарплаты, и одновременно просил длительной рассрочки.

В общем, поехал отдавать машину в ремонт я, потому что понял, что уже никому и ничего больше доверить не могу.

Именно там и тогда — в ремонтном боксе во время замены левого крыла и переднего бампера нашей шестерки — я и раскрыл дело профессора Заслонова.

Откровение пришло ко мне совершенно неожиданно. Я сказал ремонтникам, что заберу машину завтра, и поехал в Озерки.

Светлана Заслонова была дома.

— Здравствуйте, — сказал я ей. — Помните, меня зовут Скрипка. Но не потому, что я скриплю. Вот у меня был приятель, так у него была фамилия Визг. Совершенно уникальная фамилия. И, что удивительно, он на самом деле имел очень тонкий, визгливый голос. А когда вступал в спор — а он постоянно с кем-то спорил, — так просто визжал как автомобиль при экстренном торможении. Но к моей фамилии это не имеет никакого отношения. Она очень музыкальная.

Дочь профессора была, по-моему, несколько ошарашена и моим визитом, и моим рассказом. Видимо, поэтому она сказала:

— Проходите.

Я прошел.

— А ремонт в квартире вы давно делали, — сказал я.

— Вообще не делали, — удивленно сказала она. — Как въехали сюда, так и живем. А что?

— Да вот я обратил внимание на пятно вон на той стене, возле которой у вас ничего не стоит. Оно такой странной формы, напоминает Южную Америку, в которую уже седьмой год мечтает уехать моя знакомая...

— Да, это мы с Валерой как-то поссорились, и я бросила в него ручку со стола. Попала в стену. Ручка оказалась чернильная. Мы собирались пятно чем-то заклеить, но у нас подходящих обоев не было.

— А почему вы такая напряженная? — спросил я тихо.

— Почему я напряженная?

— Наверное потому, что вы вспомнили, что именно у этой стенки снимали признание вашего мужа в убийстве вашего отца. У вас же есть видеокамера?

— Есть.

— Вот. Вы убили вашего отца. Наверное, это не было запланированное убийство. Просто он уличил вас в краже. И вы ударили его пепельницей. А потом выбросили папу из окна.

— Вы несете чушь.

— Вас видели выходящей из подъезда его дома в утро убийства.

— Кто?

— Свидетельница. Потом о вашем поступке — вернее, проступке — узнал ваш муж. И вы уговорили его взять убийство на себя. Вы записали на пленку его заявление. Наверное, вы хотели передать эту пленку в милицию, но потом решили, что если ее показать по телевизору, будет надежнее. Позвонили Петропавловскому. Попросили мальчишку занести пленку в студию. Мы нашли этого подростка. Он опознал вас.

— Вы сошли с ума. Зачем мне было записывать эту пленку?

— Я не сошел с ума. Я думаю, что вы сказали мужу, что видеозапись нужна только на самый крайний случай, если вас будут подозревать в убийстве. Потом вы договорились с мужем встретиться в квартире отца. Попросили его открыть окно, заглянуть вниз. Под каким предлогом — не знаю. И выбросили его из окна. И вас опять-таки видели. Вас видел священник — тот самый, который порубил вам топором вешалку. Помните?

Светлана молчала. Я подумал, что ее сопротивление уже сломлено. И продолжил:

— Да, забыл сказать, все это произошло из-за того, что вы украли спрятанную отцом икону в золотом окладе. Он сначала заподозрил вашего мужа, потом вас. И оказался прав.

— Уходите.

— Не уйду. Признайтесь, Светлана.

— Я вызову милицию.

— Вызывайте. Им-то вы все и расскажете.

Она не вызывала милицию. И не признавалась. Ситуация становилась тупиковой. Хуже того — она становилась дурацкой. Но закончилось все еще хуже. Светлана Заслонова вдруг сказала:

— Если вы не уходите, уйду я.

И ушла. Я остался. Осмотрел квартиру...

Потом тоже вышел, захлопнув дверь, и поехал к Обнорскому.

24

Обнорский мрачно сидел на простом деревянном стуле и ничего не говорил.

Я ему уже почти все рассказал.

— Понимаешь, это она убила. И я подумал, что смогу ее расколоть. Я понял, что это она, когда вспомнил, что пятно, которое заметно на пленке, я видел в ее квартире.

— Откуда ты взял показания свидетелей? — наконец спросил Обнорский.

— Они были. Почти. Старушка из дома профессора говорила, что видела какую-то женщину в день убийства.

— А священник?

— Священник не говорил. Но он мог видеть. Он же одно время ночевал рядом с этим домом.

— А подросток?

— Подростка я придумал для большей убедительности.

Обнорский замолчал очень надолго. Я думал, навсегда.

— Значит так, Алексей. Ты отстраняешься от всех дел, кроме хозяйственных. Тебе пока строгий выговор. А там посмотрим. И сейчас же вместе с Зудинцевым поезжайте к следователю, который ведет это дело.

25

Самое удивительное, что я был прав. Светлану Заслонову задержали в аэропорту. Через день она созналась.

Вот только в том пакете была не икона, а векселя одного очень известного банка на очень приличную сумму.

Все оказалось, конечно, не так уж и загадочно. У дочери профессора был приятель. Очень близкий. Настолько близкий, что непонятно, почему она вышла замуж не за него, а за Валерия. И этот приятель задолжал каким-то своим приятелям большие деньги. Светлана решила помочь. Просила у отца. Тот отказал. Тогда она стащила векселя. Профессор в конце концов выяснил, кто предъявил векселя к оплате. Прошел по цепочке. И вышел на дочь. Тут произошла сцена, в результате которой профессора не стало.

Что еще рассказать об этой истории?

Отец Николай так больше и не объявился. Ни у нас, ни в милиции.

А практически всю лесозаготовительную отрасль на Северо-Западе контролирует сейчас группировка Рушана.

Горностаева по-прежнему страдает недостатком культуры, выражающимся в демонстративном неисполнении требований к личному составу.

А с меня выговор сняли. Искупил дальнейшей непорочной службой.

ДЕЛО О ПРОПАВШИХ БРЮКАХ

Рассказывает Михаил Модестов

Принят в агентство после увольнения из оркестра Мариинского театра, затем работал в ресторанах. Бесконфликтен. Исполнителен. Вежлив.

...Недостатки: рассеян, физически не развит, близорук. Слишком мягок при общении с источниками.

Рекомендации к использованию: поскольку общественно-значимые криминальные события в области культуры происходят нечасто, предлагается постепенно перепрофилировать, поручить Модестову расследование в другой сфере.

Из служебной характеристики

Еле слышное гудение процессора и полное одиночество (редкое в обычном шатании народа по коридорам и отделам агентства) вызывали вообще-то свойственный мне, но всячески подавляемый мною же прилив вдохновения.

Нынешний приступ был отчасти связан с тем, что, во-первых, герой моих разоблачающих материалов наконец-то перестал быть лишь совокупностью сведений о нем и обрел реальные очертания. А во-вторых, на носу была очередная аттестация, то есть сопоставление всех «за» и «против» моего пребывания в агентстве.

Естественно, я был «за». Мое пребывание в Мариинке и все последующие события, с ней связанные, теперь казались мне небытием. О прошлых временах напоминали лишь многочисленные знакомые, с которыми я предпочел бы сейчас быть незнакомым вовсе. Однако этих встреч было не избежать — в агентстве я считался специалистом-расследователем в области культуры.

В принципе, мое настоящее меня совершенно не смущало. Переквалификация из виолончелиста в журналисты — не самый крутой поворот событий. Другое дело — из пожарных в премьер-министры.

«Придуманная Сухаревым схема очень проста», — писал я. Пальцы, еще не отвыкшие от виолончели, довольно сносно скользили по клавиатуре.

— Доброе утро, коллега. Михаил, ты случайно мою кружку не брал? — спросила рыжеволосая сотрудница нашего отдела Валентина Горностаева. У меня уже давно создалось впечатление, что ежеутренние оперативно-розыскные мероприятия по обнаружению чашки, которые организовывала Горностаева сразу же после прихода на работу, — способ приводить коллег в замешательство.

Я абсолютно точно знал, что горностаевской чашки не касался с того момента, когда впервые был уличен в невольной экспроприации этого сосуда. Однако сейчас, под испытующим взглядом Валентины, стал лихорадочно соображать... Наконец, разозлившись на собственную слабость и горностаевскую напористость, выдавил:

— Здравствуйте, Валентина. Ваша чашка в последний раз была мною замечена в кабинете у шефа. Из нее пил завхоз...

Валентина презрительно фыркнула и отправилась на поиски завхоза, а я, бывший виолончелист, с ужасом понял, что сдал Скрипку — заведующего нашей хозчастью — с потрохами...

— Приветствую, Михаил Михайлович, — начальник нашего отдела, неутомимый Спозаранник, бодро прошагал к рабочему столу. — Хочу вам напомнить о том, что срок сдачи материала истекает через день и три часа. (Мой непосредственный руководитель всегда был предельно точен в формулировках.)

— «Старая газета» уже запланировала под вашу «эпохалку» полосу, — продолжил он. — А вы еще должны дать прочитать материал юристу.

Из коридора потянуло дымком — наши дамы устроили перекур. День в агентстве начался.

* * *

«Нетрудно догадаться, кому именно известный в мире видеобизнеса предприниматель Андрей Сухарев выдал первую лицензию от своей Гильдии авторов и видеопроизводителей (ГАВ), — конечно, себе» Телефонный звонок прервал процесс написания материала. Я снял очки и услышал:

— Господин Модестов, вас беспокоит Гильдия авторов и видеопроизводителей. Мы имеем честь пригласить вас на нашу пресс-конференцию...

Я попытался сосредоточиться. Это мистика какая-то — я тут разоблачаю главное действующее лицо в Гильдии, а они имеют честь пригласить...

Итак, завтра в восемнадцать ноль-ноль, в студии. Будет присутствовать ограниченный круг приглашенных, что само по себе, наскольько мне известно из не слишком богатой журналистской практики, должно восприниматься ими как причисление к лику святых.

В ушах зазвучал марш Мендельсона. Верный признак того, что случится что-то интересное. Дурацкий симптом, преследующий меня на протяжении последних лет семнадцати. Десять лет назад, услышав звуки марша по школьному радио, я пытался пригласить в библиотеку соседку по парте с загадочным именем Ариадна. Первая красавица класса назвала меня идиотом. Одноклассники давились хохотом и принесенными из дома бутербродами, а у меня впервые помутилось в глазах. С тех пор я ношу очки, и ненавистная музыка заменяет мне интуицию, начиная звучать в ушах при малейшем дуновении ветра перемен.

— Глеб Егорович, есть возможность получить эксклюзив по интересующей нас проблеме. Могу я сдать материал через два дня? — без всякой надежды поинтересовался я у начальника.

— Вы можете сдать статью когда угодно, вас это все равно не спасет, — Спозаранник был, как всегда, безукоризнен в проявлении добрых чувств к подчиненным.

Странное дело, мы оба носим очки, но в его стеклах всегда отсвечивает фанатизм трудоголика, а в моих — отражается лишь непонимание сложившейся внутриполитической ситуации.

«Надо предупредить Ковальчука о завтрашней встрече», — вспомнил я своего ангела-информатора из Управления по экономическим преступлениям. Глава Гильдии авторов Сухарев живо интересовал Ковальчука, который с недавних пор стал упражняться в стендовой стрельбе не по безликим мишеням-«бандитам», а по рамочному портрету защитника авторских прав.

Именно Ковальчук, глумливо улыбаясь, подарил мне в День свободной прессы красивую коробочку видеокассеты с загадочной надписью «Любовь по-питерски».

— Сказка на ночь, Михалыч. Рекомендую просмотр в одиночестве или в кругу ну очень близких друзей.

Ковальчук старше меня на каких-то три месяца, но всегда снисходителен к моему житейскому опыту. «Пока я тут постигал тяготы жизни, ты вел три месяца безоблачной внутриутробной жизни», — любит повторять Ковальчук.

Вечером я посмотрел подаренную кассету. Выяснилось, что это была наша отечественная порнуха. По уверениям Ковальчука, порнофильмы производил или, вернее, продюсировал их все тот же Андрей Викторович Сухарев. Впрочем, Ковальчуку доказать причастность Сухарева к порноиндустрии пока не удалось. Более того, даже если бы Ковальчук и уличил в чем-то главу ГАВа, потом пришлось бы долго доказывать, что Сухарев снимал именно порнографию, а не низкопробную эротику (которая у нас не запрещена).

Поэтому опера Ковальчука мучила изжога, а журналиста Модестова — альтруистское желание избавить друга-оперативника от этих неприятных физиологических проявлений.

* * *

Известный в мире видеобизнеса предприниматель Андрей Сухарев пребывал в дурном расположении духа. Сорока в милицейских погонах принесла на хвосте известие, что уэповец Ковальчук пытается разыграть очередную оперативную комбинацию. До сих пор Сухарев морщился при воспоминании о визите сотрудников УЭПа и службы безопасности московского концерна, купившего права на один из американских фильмов, распространением которого «по собственной инициативе» занималась и его Гильдия.

Тогда, правда, в Сухаревской студии поживиться было особо нечем — в руки оперативников попала лишь одна мастер-кассета с «Подледным миром» и одна-единственная «полиграфийка» — коробка от видеокассеты — с реквизитами Гильдии.

«Все-таки хорошо, — подумал Сухарев, засовывая в рот чупа-чупс, к которому имел непреодолимую страсть, — хорошо, что менты наши работать еще не научились». В тот визит коллеги Ковальчука пренебрегли уголовно-процессуальными формальностями, в результате в дело вступила прокуратура. И Сухарев из подозреваемого стал потерпевшим.

С тех пор, стоило правоохранительным органам проявить интерес к деятельности «Сухаря», он гордо поднимал знамя этой истории. И враг бежал...

Но вот опять активизировался Ковальчук. Да еще журналист этот, Паганель местного разлива, который у Ковальчука на побегушках. На прошлой пресс-конференции вон как очками поблескивал. Самые противные вопросы из его угла и звучали.

А факты ему наверняка дружок-оперок сливает.

А что, если журналиста того к себе пригласить, кино устроить?.. «Занятное кино может получиться», — оживился Сухарев, ослабляя ремень на туго сидящих брюках.

— Вероника! — позвал он секретаршу. — Пригласи на завтрашнее мероприятие этого господина. — Сухарев протянул девушке визитку с координатами Модестова. — Вот мы этим щелкоперам перышки пообломаем, — бизнесмен был доволен получившимся каламбуром.

— Самуильыч, ты мне все рассказал? — Ковальчук проявил свойственную ему подозрительность, стоило мне сообщить о приглашении Сухарева. — Можешь считать меня параноиком, но мне эта история не нравится.

— Чего ты, все складывается очень даже любопытно, — ответил я Ковальчуку.

Я совершенно искренне недоумевал, что именно так беспокоит приятеля. У милицейского начальства, между прочим, тоже бывают приступы откровенности с прессой, и тоже — с ограниченным контингентом, так сказать, с проверенными людьми. Им очень грамотно сливается ну просто сенсационная информация. Очевидно, у Сухарева тоже накопилось нечто такое, что неплохо было бы «честно и откровенно» предать гласности. И в знак особенного расположения к некоторым журналистам — в том числе из лагеря явных оппонентов — именно им и подбросить матерьяльчик. Дескать, нет у меня от честных людей секретов, как бы вы плохо ко мне ни относились.

— Ладно, только обозначь мне свое присутствие на местности, — сказал Ковальчук.

«Если не раскручу Сухарева, век славы не видать», — решил я, возвращаясь домой вдоль Фонтанки.

Вообще говоря, кроме двух голодных животных — кошки Ксюши и кота Миши, — дома меня никто не ждал. Любимая девушка, которую пару лет назад привлек мой трогательный (так она говорила) вид и доставшаяся мне по наследству от тетушки, уехавшей в Бразилию, квартира на Колокольной улице, с полгода назад ушла. Наверное, мой вид перестал ее трогать. А квартира требовала серьезных капитальных вложений. Плюс ко всему я решительно не понимал, зачем люди женятся, а потому жениться не хотел. Лиля терпела, потом делала вид, что терпит, потом собрала вещи. Впрочем, она была так искренна во всех своих порывах, что я ее ничуть не осуждаю. Зато у меня появились Ксюша с Мишей — всегда благодарные слушатели. Правда, однажды Ксюша выпрыгнула из окна пятого этажа, и я целый день мучился — может, Лиля в своих упреках была права? Но Ксения вернулась в тот же вечер...

Разработка Сухарева считалась в нашем агентстве перспективной темой. Во-первых, защита авторских прав — дело новое и обещающее большой общественный резонанс. Во-вторых, глава Гильдии авторов и видеопроизводителей вел себя нагло, а потому нажил себе множество врагов — и среди коллег, и в правоохранительных органах.

С помощью ГАВа Андрей Викторович быстро взял под контроль всю пиратскую видеопродукцию в Питере. Компании, занимающиеся распространением «псевдухи», в один прекрасный день получили факсы с текстом следующего содержания:

«Наша Гильдия начинает управление правами на следующие фильмы (перечень). Просим воздержаться от их незаконного распространения».

В качестве альтернативы предлагалось «законное» распространение этих фильмов — путем приобретения соответствующей лицензии у ГАВа. За каждую копию фильма Гильдия требовала — как она утверждала, согласно Постановлению Правительства РФ от 1993-го года — от 5 до 10 процентов ее стоимости.

Тем, кто не понял, что альтернативы ГАВу нет, пришлось вскоре осознать свою ошибку. Не прошло и полгода, как к каждому из них представители Гильдии нагрянули вместе с работниками районных ОЭПов. Вся продукция изымалась. ГАВ же проводил экспертизу изъятого и давал заключения о том, что продукция эта — пиратская. Провинившийся владелец торговой точки попадал в суд. Его ждали штраф и конфискация.

После этого он шел в Гильдию без лишних раздумий.

Таким образом районные отделы по экономическим преступлениям фактически становились — пусть и невольными — подельниками Сухарева. Сам Сухарев гордился сотрудничеством с милицией и прилюдно объявлял благодарность наиболее отзывчивым сотрудникам ОЭПов.

Так все и шло у Сухарева тихо-мирно. Но вот в прошлом году известный режиссер Алексей Сапожкин, автор «Особенностей национальной пахоты», снял новый блокбастер: «Особенности национальной закалки».

— Как получилось, что «Особенности закалки» уже появились в продаже?! — кричал Сергей Емельянов (генеральный директор ООО «Кинокомпания ЧТВ» — эта компания владела правами на новый фильм Сапожкина) на стоящего перед ним навытяжку сотрудника агентства по защите авторских прав «Аванпост».

— Мы чуть-чуть опоздали, — оправдывался представитель агентства. — За день до нашего письма сухаревский ГАВ выдал свою лицензию. На пять тысяч копий.

Одна из таких копий, на которой была наклеена голограмма «Г» (Гильдия), лежала перед Емельяновым на столе.

— Да по какому праву Сухарев занимается беспределом?

— Он нашел лазейку в законе об авторских правах и теперь умудряется выигрывать дела в судах, доказывая, что может защищать права авторов, не спрашивая их согласия, — пытался объяснить представитель агентства. — Не удивлюсь, если он начнет выдавать лицензии на фильмы Спилберга, которые тот еще не снял...

— Что ж, война так война, — Емельянов решительно затушил сигарету и сунул коробку с сухаревским вариантом «Особенностей» в портфель. Он сел в автомобиль и направился к зданию на Исаакиевской — в прокуратуру Петербурга.

Пресс-конференция «для избранных», на которую меня пригласили, должна была состояться на Каменном острове — острове правительственных и прочих резиденций. Выруливая на Каменноостровский проспект на редакционной «четверке», я услышал перезвон колоколов. «Что ж, — подумал я, — все же не марш Мендельсона».

Мендельсон перестал мучить меня еще ночью. Очевидно, моя интуиция сочла нужным прекратить борьбу с видеобизнесменом. Не предупредив меня об этом.

— Здравствуйте, проходите пожалуйста! — девушка на входе в офис Сухарева обрадовалась мне как родному. — Гости уже собираются в Лиловой гостиной.

Признаться, я ничего не знал о цветовой гамме имеющихся в здании гостиных, а потому решил побродить по сухаревскому обиталищу. До начала пресс-конференции оставалась еще куча времени (ко всем прочим недостаткам я имею еще и дурацкую привычку всюду приходить заранее). Мебель красного дерева, мебель кожаная, аквариумы с пираньями, бассейны с живыми дельфинами, на стенах — картины, достойные (по крайней мере, на первый взгляд) Эрмитажа и Третьяковки.

Словом, условия работы сухаревских служащих были вполне приемлемыми и не противоречили трудовому законодательству.

В какой-то момент мне «приспичило». Зайдя в место общественного пользования, я присвистнул. Даже в нашем депутатском дворце, который школьники в рамках обзорных экскурсий посещают, в частности, из-за роскоши оборудованных там уборных, намного меньше зеркал, фарфора и позолоты. Из кабинки, дверь которой была украшена копией петергофского Самсона, вышел Андрей Сухарев. На ходу застегивая брюки, он расплылся в приветствии:

— Светилам отечественной журналистики и борцам за правду и справедливость — виват! Михаил, счастлив вас видеть на нашем маленьком собрании. Присоединяйтесь к нам скорее.

Когда я вошел в Лиловую гостиницу, то сначала подумал, что ошибся дверью. Обстановка в гостиной не располагала к проведению официального мероприятия. Юноши с голыми торсами и бабочками на шее, богемной внешности мужчины средних лет, кто-то из коллег, чья репутация всегда была несколько сомнительной, — таков был контингент собравшихся.

— Мишка, привет. — Я оглянулся на знакомый голос. За моей спиной стояла Жанна, знакомая журналистка из городской газеты. — Тебе не кажется, что мы чужие на этом празднике жизни? Может, пошли отсюда?

— Неудобно как-то, пригласили ведь, — ответил я.

— Ладно. Только будь, пожалуйста, рядом, а то мне как-то не по себе.

Однако стать телохранителем Жанны мне не удалось. Рядом с моей знакомой возник какой-то статный красавец. Жанна, девушка с исключительной тягой к эстетике, мгновенно забыла о только что испытанном чувстве дискомфорта и с готовностью согласилась на предложение молодого человека познакомить его с азами журналистской профессии.

Я остался в одиночестве, но ненадолго. Ко мне подошел сам хозяин дома.

— Михаил, расслабьтесь, вас, ей-богу, никто не укусит. — Легкое прикосновение сухаревской руки к моему плечу и последующее успокаивающее поглаживание по спине, наверное, должны были убедить меня в том.

— А когда же, Андрей Викторович, начнется пресс-конференция? — спросил я.

Бизнесмен улыбнулся:

— Что ж, если вам не терпится — пойдемте.

С этими словами Сухарев, немного покачиваясь, направился вон из гостиной. Мне показалось, что он пьян. А может, немного под кайфом. Но делать было нечего — я двинулся за ним. Зал, в который мы вошли, был больше похож на будуар. Дело принимало необычный оборот. По периметру комнаты были расставлены камеры. Причем — явно не коллег-телевизионщиков. Дверь, через которую я вошел, захлопнулась. Свет погас. Гореть остались только ароматизированные свечи, расставленные на мраморных столиках, подоконниках и просто на полу. Откуда-то появились малоодетые девицы и полуголые парни. Пустая поначалу, комната оказалась заполненной людьми.

Чья-то рука легла мне на место пониже спины. Из разных углов комнаты доносилось прерывистое дыхание и казавшийся мне сладострастным шепот. Все это мешало мне сосредоточиться и как-то отреагировать на то, что пытались сделать со мной.

Из состояния ступора меня вывели горящие красные огоньки — камеры, расставленные в зале, работали. В мерцающем пламени свечи мелькнуло лицо Жанны, плечи ее напарника...

Все та же рука легла мне на ремень и потянула куда-то. В панике я оттолкнул невидимого мне соблазнителя, послышался грохот. Прорываясь к выходу, я отшвыривал от себя все, что попадалось на пути. Очевидно, одна из свечей опрокинулась, потому что шелковые занавеси, закрывавшие окна, занялись огнем. Раздался звон бьющегося стекла и фарфора, шум падающей аппаратуры. Кто-то, спасаясь от пожара, распахнул дверь.

Я выскочил в коридор и, добежав до первой попавшейся двери, юркнул за нее. Судя по размерам и наличию в ней пылесоса, тряпок и освежителей воздуха, это была бытовка. Вряд ли кто-нибудь будет искать меня здесь. Я присел на пылесос и затаился. Шум и топот еще долго не затихали.

Пережитые волнения настолько утомили меня, что я не заметил, как отключился. Очнувшись от дремы, я услышал мужские голоса.

— Андрей Викторович, у нас неприятности. Только что звонили из главного офиса, там были гости из УЭПа. Изъяли несколько сотен кассет с «Особенностями национальной закалки» и штук двадцать «Любить по-питерски».

— По поводу «Особенностей» объяснишь, что ГАВ выдал тебе лицензию, — я узнал голос Сухарева, — а потом ты в Москве купил мастер-кассету с фильмом. Если надо, скажешь, что целый месяц тиражировал фильм у себя дома на пяти видеомагнитофонах. Потребуй, чтобы допросили жену — пусть она покажет, что собственноручно заклеивала целлофановые упаковки горячим утюгом. А с «Любовью» — скажи, что купили кассеты у неизвестного продавца для изучения рынка эротического видео...

То, что я слышал, не имело никакого значения в суде. Однако было интересно.

Я так внимательно слушал этот разговор, что забыл об осторожности. Пылесос, на котором я сидел, вдруг покатился по гладкому полу к двери и широко распахнул дверь. Собеседники умолкли и пристально посмотрели в мою сторону.

Узнав меня, Сухарев широко улыбнулся:

— Михаил, куда же вы пропали! Вы же чуть не пропустили самое интересное.

Сухарев кивком подозвал пару крепких на вид парней. Они мягко взяли меня за руки и повели куда-то по коридору. Почему-то у меня в этот момент не оказалось сил ни кричать, ни сопротивляться. Меня погрузили в тонированный «чероки» и повезли, как мне показалось, в сторону Выборга...

Меня высадили у какого-то большого дома из красного кирпича. Других строений видно не было — кругом лес.

— Пойдемте, — вежливо сказали мне сопровождающие. — Шеф велел накормить вас обедом.

Я подумал, не стоит ли объявить голодовку. Но потом решил: не стоит. На голодный желудок и думается плохо, и далеко не убежишь, если что.

Обед оказался совсем не плох. Но после него меня страшно потянуло в сон. И я провалился в небытие.

Сколько длился мой сон, я не знаю. Иногда я почти просыпался, но голова оставалась тяжелой, а сознание мутным. В один из таких коротких моментов почти ясного восприятия действительности я вдруг обнаружил полное отсутствие на себе брюк. В связи с этим в моей голове стала зарождаться какая-то неприятная мысль, но родиться так и не успела. Я заснул снова. Во сне ко мне приходили коллеги. В основном женщины нашего агентства. Валя Горностаева смотрела на меня немигающим взглядом — такой взгляд бывает у нее в минуты тяжелых душевных переживаний или решения серьезных нравственных проблем. Я видел, как ее длинные пальцы с дрожью вытаскивали сигарету из пачки, как Валя кому-то сказала: «Вот дерьмо-то...» В тот момент я почувствовал такую признательность к коллеге, что решил, как только представится возможность, выпить с Валентиной на брудершафт, не меньше.

Потом Горностаеву заслонила наш главный архивариус Агеева. Марина Борисовна с громким всхлипом уткнулась в нелюбимый ею клетчатый пиджак шефа, сломав при этом оправу своих супермодных очков.

Следующей появилась сотрудница репортерского отдела Светочка Завгородняя. Вела она себя по меньшей мере возмутительно. Склонясь надо мной так, что ее глубокое декольте отрыло моему взору совершенно захватывающее зрелище, она принялась яростно хлестать меня изящной ручкой по щекам, приговаривая:

— Модестов, Паганель хренов, вставай! Очнись, я тебе говорю.

Пощечины были настолько болезненны, что я поморщился и открыл глаза.

Надо мной возвышался Ковальчук, который своей тяжелой и малоизящной рукой приводил меня в чувство.

Контраст между красавицей Завгородней и небритым оперативником был настолько разителен, что я, застонав, снова закрыл глаза. Но очередная пощечина дала понять, что парад звезд нашего агентства закончился.

Ковальчук и еще два человека, лица которых мне были слабо знакомы, подхватили меня и потащили куда-то. Их грубая брань чем-то напоминала мне «Турецкий марш»...

* * *

Позже выяснилось, что своим освобождением я был обязан педантичности Спозаранника, суровости Обнорского и оперативности Ковальчука.

На следующий день после той тусовки для избранных, на которую я ушел, никого в агентстве об этом не предупредив (а чего предупреждать — обычная пресс-конференция), Спозаранник рвал и метал. Московские коллеги из «Старой газеты» ждали мой материал о Сухареве и звонили с периодичностью в пятнадцать минут, заявляя, что расходы на оплату междугородних разговоров отнесут на счет агентства. А от автора, то есть меня, не было ни слуху ни духу. Тогда мой непосредственный начальник настрочил докладную Обнорскому, заявив, что снимает с себя всякую ответственность за такого безответственного подчиненного.

Выяснение должностных обязанностей между начальниками разного ранга переросло в громкую перепалку, на шум которой сбежались почти все сотрудники агентства.

Будь я на месте, я бы тоже прибежал. Поскольку происходившее — уникальная возможность собственными ушами услышать, как интеллигентный Спозаранник с логикой математика и лексикой завязавшего бандита доказывает Обнорскому, что он, Спозаранник, — чист аки дитя перед первым причастием. Это при том, что девиз Обнорского — «Шеф всегда прав, а когда он не прав — см. пункт первый».

Словом, посмотреть было на что. В какой-то момент, разумеется, перешли на личности, в основном на мою. В общем, все складывалось для меня крайне неудачно. Но потом тихая Аня Соболина неуверенно произнесла: «Знаете, а на Мишу Модестова это совсем не похоже». В воздухе повеяло тревогой.

— Чем занимался Модестов в последнее время? — хрипло спросил шеф Спозаранника.

— Сухаревым.

— Это что-то с авторскими правами связанное? — уточнил Обнорский.

— Да. Вчера он отправился добывать какой-то эксклюзив по этому поводу, — сказал Спозаранник.

— Куда отправился?

— Он не сказал.

— И не объявлялся после этого? — спросил Обнорский.

— Не объявлялся, — ответили ему.

— Быстро свяжись с источниками Модестова, — бросил Обнорский Спозараннику, — раздай номера их телефонов сотрудникам. Может, кто из источников чего и знает.

Надо сказать, что база данных об источниках информации — строго секретный проект Спозаранника. Сведения о них он стряс со всех своих подчиненных и закодировал все в своем компьютере. Кроме Спозаранника, к этой базе никто доступа не имеет.

— Я не могу открыть всем источники информации, — ответил Спозаранник. — Я за них расписывался кровью.

Обнорского прорвало. Тяжело надвигаясь на Спозаранника, шеф тихо, с угрозой произнес:

— Если ты, конспиратор-параноик, будешь играть в партизаны, я буду эсэсовцем.

— Хорошо, — побледневший Спозаранник направился к своему компьютеру. — Только пусть все выйдут из кабинета.

Через несколько минут Глеб протянул Обнорскому листок с распечаткой фамилий и телефонов моих информаторов. Среди прочих там была и фамилия Ковальчука.

Не знаю, как уж так получилось, но Ковальчуку позвонил сам Обнорский.

— Это Обнорский вас беспокоит, директор агентства...

— Слышал, знаю,— Ковальчук был не в духе.

— У нас к вам вопросы.

— Вопросы обычно задаю я, — Ковальчук не был знаком со вспыльчивым и самолюбивым характером Обнорского.

Далее произошло то, что, в принципе, и должно было произойти. Шеф в популярных выражениях объяснил оперативнику, что старших нужно уважать, и вообще вежливость — неотъемлемое качество сотрудника органов внутренних дел. Ковальчук неожиданно смягчился:

— Что у вас там?

— Модестов пропал...

Дальнейшие поиски были делом техники. В офис к Сухареву снова нагрянули оперативники. Секретарша Вероника сообщила, что «все начальство на выезде».

Но Ковальчук проявил упорство, рассказал девушке, что милицию обманывать нехорошо, показал ей табельное оружие, пересказал несколько статей уголовного и уголовно-процессуального кодекса. Наконец испуганная секретарша сказала, что вчера вечером все отправились на дачу друга шефа под Выборгом.

Дачу искали довольно долго. Коттеджей со смотровыми вышками и шестиметровыми заборами было много, и на нужный дом наткнулись почти случайно. Штурмовать краснокирпичное сооружение не потребовалось. Обитатели дачи сами открыли Ковальчуку и его ребятам ворота.

* * *

На следующий день Ковальчук зашел ко мне домой (я еще лежал у себя на Колокольной и отходил от приключений) и стал рассказывать мне о том, что они нашли на даче друга Сухарева, кроме меня.

— Я уверен, именно в этом домике Сухарев и снимал свои порнофильмы. Мы обнаружили там кучу всякой аппаратуры — и для съемки, и профессиональные видеомагнитофоны. Изъяли кое-какую продукцию. Теперь будем проводить экспертизы, доказывать, что порнуха изготавливалась именно на этой аппаратуре и ко всему этому имел отношение твой друг Сухарев. Ну и, конечно, дело завели по незаконному лишению тебя свободы.

— А Сухарева задержали?

— Нет, его и на даче в тот момент не было. Но не беспокойся, найдем, предъявим, когда момент настанет.

— Слушай, а что, я там так без штанов и лежал? — спросил я Ковальчука о том, что меня особенно смущало.

— Ну, натурально, без штанов. Мы тебя в одеяло завернули и увезли от греха подальше.

— А штаны мои где?

— Да так и не нашли.

Ковальчук встал. Уже пошел к двери, но потом вернулся и передал мне какой-то сверток.

— Это я подарок для тебя на той даче прихватил. На — посмотри. Ты не думай, я это к делу не приобщал и вообще проверил — это было только в одном экземпляре...

* * *

Дверь за Ковальчуком закрылась. Я распаковал сверток. Внутри была маленькая кассета для видеокамеры. Она подходила и к той модели, что имелась у меня. Я с некоторым трудом подключил все проводки как надо — с техникой у меня всегда сложности, — наконец экран телевизора засветился.

Это была черновая, не монтированная еще запись будущего порно. В общем, ничего интересного, кроме одного обстоятельства — одним из участников происходящего на экране был я. Правда, я был таким пассивным участником. То есть все время лежал. А на меня то и дело заползали какие-то девицы — одна очень даже симпатичная, потом была сцена, в которой, кроме меня, участвовал незнакомый мне обнаженный юноша. В общем, ничего интересного.

Я позвонил Ковальчуку на работу — он уже добрался до места.

— Слушай, Ковальчук, — сказал я, — вот ты меня старше на три месяца и, наверное, на столько же умнее. Объясни мне, зачем Сухарев все это сделал? Зачем меня увозил? Зачем снимал? Он что — идиот? Это же статья.

— Ну, статья — не статья, это еще доказать надо. И тут все будет, я думаю, непросто. А зачем увозил, расскажу. Я как раз над этим размышлял на досуге. Думаю, во-первых, понравился ты ему. У Сухарева же известно какая ориентация. И — по моим представлениям — такие, как ты, должны нравиться таким, как он. Во-вторых, он же был под кайфом. Ну, захотелось тебя увезти, — сказал, — тебя и увезли. А что дальше будет, он и не думал. А потом,

118

наверное, решил, что для того, чтобы ты молчал, нужно поиметь какой-нибудь компромат на тебя. Вот и попытался сделать тебя порногероем. К тому же иметь журналиста на крючке — это же полезно, это, так сказать, вложение в движимое имущество...

* * *

На следующий день я, полностью приведенный в чувство, появился в агентстве.

На стене в приемной шефа висел приказ из трех пунктов. Два пункта касались меня, и оба были неприятными.

1. М. Модестову, корреспонденту отдела расследований, объявить выговор за нарушение трудовой дисциплины (несдача в срок материала о видеопиратстве для «Старой газеты»).

2. М. Модестова, корреспондента отдела расследований, оштрафовать за нарушение Инструкции «О порядке перемещения сотрудников агентства по служебным надобностям» (здесь, видимо, имелось в виду то, что я не сказал Спозараннику, что пошел на встречу с Сухаревым). Направить удержанную с М. Модестова сумму на премирование дружественных агентству сотрудников милиции (здесь, подумал я, наверное, имеется в виду Ковальчук).

3. Поставить на вид Г. Спозараннику, заведующему отделом расследований, необходимость точного следования Инструкции «О порядке перемещения сотрудников агентства по служебным надобностям».

Тут ко мне подошел наш главный репортер Володя Соболин.

— Пошли, — сказал он. — Тебя шеф зовет.

Обнорский с ходу спросил у Соболина:

— Ты ему уже рассказал?

— Нет, — ответил Володя.

— Ну, тогда слушай, — сказал шеф, обращаясь ко мне. — Вчера вечером на Выборгском шоссе в ДТП погиб Сухарев Андрей Викторович.

— Что, — глупо спросил я, — обычная авария?

Обнорский продолжил, не отвечая:

— Михаил, отработай материал о гибели Сухарева как можно скорее. И с максимальными подробностями. «Старая газета» оставила для тебя полосу...

ДЕЛО О ЧЕЧЕНСКОМ ЛЮБОВНИКЕ

Рассказывает Марина Агеева

«*Агеева Марина Борисовна, зав. информационно-аналитическим отделом. Достаточно обеспечена благодаря мужу, имеет двух детей, часто ездит в загранпоездки. Квалифицированный специалист по сбору и обработке информации. Работа для нее — скорее развлечение, но трудится она с полной отдачей и видимым удовольствием. В коллективе к ней в основном относятся с симпатией...*»

Из служебной характеристики

Они зажимали его с двух сторон узкой улицы на Петроградской. Впереди — черная «восьмерка» с тонированными стеклами, сзади подпирал выскочивший из проулка темно-синий «форд». Из парадных один за другим выскакивали запыхавшиеся опера, на ходу отстегивая табельные «пээмы».

«Шестисотый» несся по улице, словно по взлетной полосе, как будто собирался взмыть в небо. Но этого не случилось. Он просто со всего маху врезал хлипкой «Ладе» в поджарый задок, не медля ни секунды, дал задний ход, протаранив висящий на хвосте «форд», потом вальяжно, как будто и не торопясь, принял вправо,

121

протиснулся в образовавшийся просвет и, взвизгнув покрышками, покатил к перекрестку под салютующие вдогонку выстрелы «пээмов».

Отборный, многоголосый мат на несколько секунд повис в воздухе.

— А ведь ушел, падла! — выдохнул кто-то уже в полной тишине.

* * *

Начало дня не предвещало ничего хорошего. Я не очень-то верю в приметы, но так бывало всегда, когда Обнорский надевал этот отвратительный клетчатый пиджак а ля Коровьев. И сегодняшний день не стал исключением.

— Марина Борисовна, зайдите к Обнорскому, — на ходу бросил Глеб Спозаранник, пробегая мимо моих дверей в свой кабинет. При этом, как мне показалось, Глеб был мало похож на ангела, который несет благую весть.

Вот черт, как всегда не вовремя! Придется сворачивать базу данных — в мои обязанности, помимо всего прочего, входит захоронение свежих «заказных» жмуриков в электронных архивах. Вечная компьютерная память героям наших дней! Приостановив процесс на перечислении несомненных достоинств и ответственных постов, которые занимал до встречи со своим киллером расстрелянный в темном подъезде бизнесмен, я закрыла файл, но мысленно пообещала безвременно почившему эксгумировать его в ближайшие полчаса. Подавив тяжелый вздох, я направилась в кабинет к шефу.

Обнорский сидел набычившись. Выставленное на столе содержимое походной аптечки свидетельствовало как минимум о трех поразивших его недугах — мигрени, расстройстве желудочно-кишечного тракта и депрессивном состоянии нервной системы. Едва удостоив меня тяжелым недобрым взглядом, Обнорский порылся в разложенных на столе бумагах и протянул мне черно-белую фотографию.

— Вот, Марина Борисовна, вклейте в альбом этого субчика. Как-никак заслужил... Объявлен в федеральный розыск.

— Фамилия, имя, кличка, группировка? — стараясь придать голосу как можно большую заинтересованность, спросила я.

— Справку по нему к вечеру подготовит отдел Спозаранника. Будет вам и кличка, и группировка...

Обнорский потянулся к скляночкам с пилюлями. Судя по всему, аудиенция была закончена и следовало приступить к выполнению поручения.

Лики и личины представителей криминального мира хранятся у нас в шикарном магнитном альбоме — последнем достижении корейской полиграфии. Уголовники конца двадцатого века, в отличие от своих предшественников, совершенно не вписывались в теорию доктора Ламброзо о преступном человеке. Светские и благообразные, они запечатлевали себя в роскошных интерьерах загородных вилл, за рулем престижных иномарок, в объятиях холеных женщин, в компаниях таких же, как они, — благополучных и преуспевающих.

Чтобы разглядеть новый «экспонат» моего альбома, пришлось достать из сумочки очки. Как говорит моя мама, после сорока в жизни женщины появляется много плюсов. Один из них, в виде двух с половиной диоптрий, я смело могу записать себе в актив. Качество фотографии оставляло желать лучшего. Я ближе придвинула к себе настольную лампу. Серо-черные линии на снимке сложились в более или менее четкое изображение. Глянцевый прямоугольник прогнулся в задрожавших пальцах. О Господи! Этого человека трудно было с кем-то перепутать... Не может быть... Неужели все-таки он?

* * *

Поехать на отдых в Турцию еще зимой собиралась чуть ли не половина нашего агентства. Но к лету наметившаяся было дружная компания неожиданно распалась. Соболины выгодно сняли домик на турбазе под Лугой, Светка Завгородняя предпочла на время отпуска общество немолодого, но пылкого, а главное состоятельного поклонника... В результате под ласковым солнцем Анталии оказалась я одна.

Познакомились мы на пляже. Сосредоточенность моя на брошюре с кроссвордами была в мгновение ока вытеснена его довольно нахальным вторжением. Но по-восточному витиеватые комплименты, которые достались всем без исключения частям моего тела, возлежащего на махровом полотенце «Адидас», вполне укладывались в рамки приличий, и повода остановить вторжение и восстановить сосредоточенность у меня не нашлось. Скорее всего, я просто не захотела его искать. Особенно после того, как узнала, что он бизнесмен, часто бывает наездами в Петербурге, где под его началом действуют несколько успешных коммерческих структур, что имеет он в этой жизни, казалось бы, все что угодно, а вот человека, вернее, женщины, с которой хотелось бы провести вместе отпуск, у него нет.

Серые глаза пляжного знакомца смотрели на меня с неподдельной тоской и робкой надеждой. Мое двадцатилетие праздновалось слишком давно, и наивно было бы предполагать, что с тех пор я не научилась делить на десять мужское восхищение, отрезвлять робкие надежды и определять поддельность «неподдельной тоски». Я пыталась преподать эту науку своей беспутной Машке, но ей, видимо, больше нравилось заблуждаться. Иногда, вспоминая о своих заблуждениях, я думаю, что моя дочь не так уж и не права.

Так или иначе, но в день знакомства с Асланом я повела себя ничуть не умнее своей девятнадцатилетней дочери. Вечером мы уже целовались, тесно прижавшись друг к другу, под сенью мандариновых деревьев. Ближе к ночи я оттолкнула от себя его руки, одернула подол сарафана и упорхнула ночевать в свой отель. Уж не знаю, как это выглядело со стороны, но я очень старалась порхать, несмотря на некоторый избыток веса и стертую новыми босоножками пятку.

Уже на следующий день целомудрие и благопристойность были утоплены в теплых волнах Средиземного моря, коварно подтолкнувших меня на его атлетическую грудь. Сомнения и страхи вытеснили веселые пузырьки «Дон Периньона», заказанного Асланом в ночном ресторане Кемера, а осознать сказочное блаженство происходящего помогли тонкие самокрутки с анашой, после недолгого перешептывания с официантом доставленные им к нашему столику в пачке «Кэмела». Ночь мы провели в номере его пятизвездочного отеля «Жемчужина Востока»...

* * *

Свет настольной лампы над моим рабочим столом рассеял воспоминания о сумерках турецкой ночи. Я поправила на носу очки, клейменные славным именем Джорджо Армани, и снова принялась разглядывать фотографию. Чем дольше длился этот процесс, тем меньше оставалось сомнений, и все заметнее становилась противная дрожь во всем теле.

Кому как не мне не знать, что шеф нашего агентства Андрей Обнорский всеведущ и вездесущ. Его начальственная голова функционирует в недоступном простым смертным режиме, перерабатывая и анализируя необъятное количество самой разной информации — от подробностей интимной жизни его многочисленных жен и пассий до кадровых перестановок в правительстве. Оперативность, достоверность и эксклюзивность получаемых Обнорским сведений свидетельствуют о его непростом прошлом, солидном настоящем и многообещающем будущем. Осведомленность шефа о самых потаенных сторонах жизни окружающих по достоинству оценена коллективом агентства — за глаза его называют «Великим и Ужасным».

При мысли о том, что Андрей Викторович может быть в курсе курортного романа своей сотрудницы с чеченским бандитом, щеки мои восстановили утраченную с годами способность и окрасились стыдливым девичьим румянцем.

Пятиминутное погружение в воспоминания о наших с Асланом беседах «по душам» повергло меня в еще большее уныние. Я о любовнике не узнала почти ничего, ему же выболтала о себе слишком много. И местом работы похвасталась и должностью — ну, как же, начальник архивно-аналитического отдела агентства журналистских расследований! Ублажая интеллектуальной беседой, вплела в свои россказни полковников РУБОПа и зампрокурора, пару вице-губернаторов и беспринципных, но дружественных агентству депутатов Законодательного собрания. Короче, устроила возлюбленному Аслану тысячу и одну ночь, за что теперь рискую не сносить головы.

Мою болтовню Обнорский с полным правом может квалифицировать как должностное преступление и указать мне на дверь. При приеме на работу и в дальнейшем он постоянно напоминает своим подчиненным о необходимости «держать язык за зубами» и без особой надобности не трепать первым встречным и поперечным о характере нашей деятельности. И надо же, чтобы прокололась именно я...

На столе зазвонил телефон, запараллеленный с репортерским отделом. Я рассеянно поднесла трубку к уху и услышала предназначенное явно не мне приветствие:

— Мышка-мышка, моя мышка! — елей и патока сочились сквозь мембрану.

Вот черт, опять этот Соболин воркует со своей следачкой. Если Нюська в ближайшее время не сменит турецкую кофточку на что-нибудь поприличнее — плохи ее дела.

Я вновь обратилась к воспоминаниям о беседах «по душам», которые вела с Асланом.

— Чечены, Марина, они там, где деньги. Ты уж извини, но в твоем городе этих денег очень мало. Вот в Москве — другое дело, — он лежал рядом со мной на раскаленном пляже и просеивал сквозь смуглые пальцы желтые песчинки. — Или в той же Чечне. У нас по дорогам ездят одни «шестисотые», особняки стоимостью в сотни тысяч долларов как грибы растут, — он вдруг рассмеялся.

Я удивленно посмотрела на него поверх солнечных очков. Неожиданный приступ веселья

Аслан объяснил пришедшим на память воспоминанием.

— Родных последний раз приезжал навестить в Грозный, смотрю — в соседнем дворе танк стоит, а на стволе объявление болтается: «Меняю на ВАЗ-2109 или на три тысячи долларов». Истинная правда, Аллахом клянусь, — заверил он, прочитав в моих глазах смешливое недоверие.

— Что же ты покинул свою сказочно богатую Родину или не осел в Москве? — ехидным прокурорским тоном поинтересовалась я.

Аслан оказался пацифистом.

— Я не хочу воевать и не буду, — заявил он и отполз в кружевную тень соломенного зонта. — А семью содержать надо. И не одну. Каждый чеченский бизнесмен, который живет вне родины, содержит две-три семьи.

— А на что тратят эти семьи твою помощь, ты знаешь? Может быть, на вооружение боевиков? — Сам Спозаранник мог бы позавидовать моей атакующей способности.

— На что они потратят эти деньги — на хлеб детям или на оружие, — меня не касается, — ответил Аслан, сосредоточенно вытряхивая из густой шерстяной поросли, покрывающей его грудь, застрявшие песчинки. — Я несу ответственность за поведение и процветание родственников нашего тейпа. Наш тейп был в оппозиции правительству Дудаева — он вынужден был посылать своих сыновей за пределы Чечни, — сказал он и насупился.

— Бедняжка, — вздохнула я, скрывая за темными стеклами обидную для всякого горца иронию.

«Прямо-таки чеченский диссидент» — это я сказала уже про себя, как оказалось, очень предусмотрительно, потому что дальше речь пошла о чеченской воинственности и обычае кровной мести, соблюдать который предписывает Адат. Но прежде чем погрузиться в спор относительно безобидности пребывания чеченцев в городе Петербурге, мы, помнится, погрузились в ласковые волны Средиземного моря. И хотя это к делу не относится, забывать подробности этого погружения мне не хочется.

За время отпуска на побережье Анталии к моей убежденности в том, что чечены — хорошие воины, добавилась еще и уверенность в том, что они хорошие любовники. Хотя вполне возможно, что мне просто повезло — попался исключительный экземпляр.

В Турции я с легкостью избавилась от колючей проволоки условностей, которой положено оплетать себя перед подобными поездками в полном одиночестве. Пугающе быстро я лишилась и всех признаков здравомыслия. В свое время я сознательно его в себе культивировала, а потом оказалось, что оно прижилось, окрепло и подмяло меня под себя. Но желания чеченца меня до такой степени опьяняли, что я с трудом себя узнавала. Мне кажется, я даже не вспоминала о своем семилетнем сыне Сереже — маленьком Зайчике, Солнышке и единственной безусловной Радости жизни.

* * *

К шести часам вечера отдел Спозаранника, как и обещал, подготовил досье на Алавердыева Аслана Амирановича, по кличке «Койот», 1960 года рождения, чеченца, генерального директора акционерного общества «Султан», объявленного в федеральный розыск по подозрению в совершении тяжких преступлений.

Пробежав глазами биографию Аслана, я, не скрою, испытала некоторое облегчение оттого, что судьба связала меня не с простым уголовником, а с личностью незаурядной и даже романтической.

Выходец из известной чеченской семьи, выпускник престижной школы, лауреат детских и юношеских музыкальных конкурсов, обладатель черного пояса по каратэ...

Следующий абзац перечислял криминальные заслуги моего возлюбленного. Один из основоположников чеченской организованной преступной группы, заслуженный работник торговли наркотиками, ветеран-вымогатель, дважды герой принудительного труда в колониях особого режима... Въедливый Спозаранник постарался на славу и проявил такую осведомленность о прегрешениях моего возлюбленного, как будто лично его исповедывал.

— Что-то вы, Марина Борисовна, сегодня заработались, домой не торопитесь? — в дверях моего кабинета, прислонившись к косяку, стоял Обнорский. — Занимательное чтиво?

Я отбросила от себя листы досье, как будто это был крамольный Солженицын, за чтением которого меня много лет назад застал стукач из «девятки».

— Что-то я не припомню, Андрей Викторович, чтобы вас когда-либо удивлял трудовой энтузиазм ваших подчиненных. Обычно вы воспринимаете его как должное, — от смущения и неожиданности я начала дерзить.

Обнорский ухмыльнулся и вышел. Он почел за благо не связываться со мной, наверное, просто хотел проверить меня, а я так бездарно выдала себя глупой растерянностью...

130

Муж вернулся домой за полночь. Не снимая плаща, он прошел в спальню и уставился на меня безумным взглядом.

— По какому вопросу? — поинтересовалась я.

Наши отношения уже давно не отличались порывистостью, которую Константин демонстрировал в этот вечер. Широкие плечи, властный голос, манера держать голову внушали трепет и почтение кому угодно, но только не мне. Чем успешнее складывалась его карьера в бизнесе, тем прохладнее становились наши отношения. Пять лет назад Костя выкупил контрольный пакет акций завода, на котором когда-то начинал простым инженером. Он модернизировал производство и вошел в число лелеемых властью промышленников местного масштаба. Все поддавалось Костиной хозяйской хватке, кроме собственной жены и детей. Я вышла из подчинения, возможно, из чувства протеста против его разрастающегося эгоизма и властолюбия.

— Сегодня меня заставили выбросить на ветер десять тысяч долларов...

— Ни одна женщина, кроме меня, не способна на такой поступок, — уверенно заявила я.

— Женщины тут ни при чем, — довольно злобно буркнул Костя.

Ну конечно, только проблемы и неприятности могли заставить его переступить порог моей спальни. Не станет же он делиться ими со своей тупой толстозадой секретаршей, удовлетворяющей нечастые и скудные позывы его мужской плоти. Костя тяжело опустился на плюшевый пуфик, подмяв под себя белоснежный французский лифчик.

— Вчера похитили Эдика — моего охранника. Похитители потребовали десять тысяч долларов. Жена Эдика обратилась в РУОП. Якобы для гарантированного успеха операции по задержанию вымогателей, так сказать, для создания «правды жизни», этим идиотам понадобились настоящие «живые» деньги. Обратились ко мне, и я отсчитал. А что я мог сделать?

— Операция провалилась? — догадалась я.

— С треском. С бездарной погоней и беспорядочной стрельбой. Они переполошили всю Петроградскую, небо в решето превратили. В квартире Эдика было установлено прослушивающее устройство. Похититель звонил несколько раз, но место «стрелки» не назначал, как будто время тянул. В очередной раз позвонил с мобильного и велел жене Эдика в течение пяти секунд выкинуть деньги в окно. Она, дура, и выкинула, а он тут как тут. Подобрал пакет и был таков. Пока эти менты безмозглые с седьмого этажа вниз мчались, он успел протаранить обе их машины и смылся. С моими денежками. Слушай...

Костя вдруг вскочил с пуфика и, засунув руки в карманы плаща, забегал взад-вперед.

— Ну конечно, как же я сразу не догадался, — он звонко хлопнул себя ладонью по лбу. — Это же наверняка все подстроено. И чеченец этот с руоповцами в доле, и Эдик, возможно, тоже...

— Чеченец?.. Какой чеченец? — спросила я сдавленным шепотом.

— Какой?— Костя недоуменно пожал плечами.— Бандит. Кличка «Койот». Он мне еще в 94-м...— Костя запнулся, поняв, что сболтнул лишнее.

— Ты знал его раньше?! — Мне показалось, что в комнате стало нестерпимо душно, видимо, количество сделанных мною сегодня открытий достигло критической отметки.

— Нет, то есть... это было давно. Я платил ему. Он был начинающим рэкетиром, я — начинающим бизнесменом. Потом он уехал в Чечню, может быть, еще куда-нибудь, я не знаю. Недавно он вернулся, явился ко мне в кабинет, как к себе домой, и похвалил за достигнутые успехи. И что ты думаешь?! Он возомнил себя творцом этих успехов и, как в старые времена, захотел получать процент!

— Ты отказался, и они похитили Эдика?

— Да. События развивались именно в такой последовательности.

— Но зачем ему твой охранник?

— Разве он не добился своего? На деньги-то в результате попал я. И это еще не все... — Костя поежился и виновато исподлобья посмотрел на меня. — Сегодня вечером мне позвонили и сказали, что, несмотря на то что этот Аслан ибн Койот временно в отъезде, недостатка в деловых партнерах у меня не будет. А срыв деловых соглашений чреват неприятными последствиями для моих близких — для тебя и детей. Они так и сказали. Извини...

Я выбралась из-под одеяла, краем глаза успев заметить в зеркале, что в этот эпохальный вечер я удивительно похожу на собственную бабушку с фотографии на ее пенсионном удостоверении.

— И что мы теперь будем делать? — спросила я Костю, с помощью местоимения «мы» добровольно возложив на себя часть ответственности за происходящее.

— Вот я и хотел с тобой посоветоваться. Руоповцам я больше не доверяю...

— Зря, — компетентно заявила я. — Вот им радость из-за твоих десяти тысячи баксов свои машины уродовать.

133

Костя пожал широкими плечами — его, похоже, мой аргумент не убедил.

— Я прошу тебя помочь, — он перевел дыхание. — Горы макулатуры уже исписала своими криминальными новостями, а семье помочь не в состоянии...

Просьба Кости закономерно переросла в упрек, еще бы, обращение за помощью к жене и так, наверное, потребовало от него героического усилия.

— А что, по-твоему, я могу сделать?

— Ну не знаю, переговори со своим любимчиком... Спозасранником, или как его там, с Обнорским, наконец.

— С Обнорским ты и сам можешь переговорить, а я, как тебе известно, с личными просьбами к нему не обращаюсь.

Дело в том, что как-то по весне случился у Обнорского роман с нашей Машкой. Роман был бурным, но непродолжительным. Обнорский быстро смекнул, что Машка — девка гонористая, отвязанная и хлопот с ней не оберешься. А вот ее перебесившаяся мамаша, имеющая к тому же за плечами многолетний опыт работы в сфере информации, вполне может сгодиться ему в его новом начинании. Обнорский давно вынашивал идею создания собственного независимого информационного агентства. Хотя говорить в наше время о независимости средств массовой информации — по меньшей мере некорректно. Так или иначе, я приняла предложение Андрея. Судьба на этот раз оказалась ко мне благосклонна: из двух зол она выбрала для меня меньшее — я стала сотрудницей Обнорского, избавившись от незавидной перспективы быть его тещей.

Из прихожей позвал телефон вялым, еле слышным дребезжанием.

— Твой? — удивленно спросил Костя и посмотрел на часы: было уже около часа ночи.

Действительно, это был мой мобильный, зарытый в недрах сумочки. Спеша на его нетерпеливые трели, я успела подумать, что в любом случае это не Северо-Западный GSM предупреждает меня в столь неурочный час о приближении порога отключения.

— Здравствуй, Марина. Извини, если разбудил. Это Аслан, надеюсь, ты меня еще помнишь, — вкрадчиво сказала трубка, прильнув к моему уху.

Я прислонилась к платяному шкафу, предчувствуя, что порог отключения мое сознание может перейти и без предупреждения — под воздействием форс-мажорных обстоятельств.

— Добрый вечер, — бесцветным голосом ответила я.

— Я хочу встретиться, мне нужен твой совет. Как насчет завтрашнего дня?

— Да, — сказала я...

— Кто звонил? — спросил Костя.

— Да Валюшка Горностаева, — я беспечно махнула рукой, — совсем заработалась, на часы не смотрит.

Костя промолчал, хотя наверняка его посетила мысль — почему это Горностаевой вздумалось звонить мне на трубку, если она наизусть знает мой домашний телефон.

* * *

— Ну ты, блин, даешь, Агеева!

Валька — натура эмоциональная и импульсивная. Мой рассказ о поездке в Турцию она без конца перебивала возмущенными возгласами.

С Горностаевой мы познакомились в агентстве. С тех пор прошли уже два года, невероятно сдруживших нас. Мне всегда нравились рыжие, а Валька — прямо огненная, каких я давно не встречала в нашем сером дождливом городе. Глупость ее состоит в том, что яркие краски, которыми ее щедро одарила природа, она старается замаскировать унылыми, бесформенными одеждами. Во рту у нее неизменно дымится сигарета, а на наших коллективных сабантуях, которые частенько устраиваются в холостяцкой квартире Паганеля, она запросто может «перепить» любого мужика. По большому счету, кроме нее нет у меня близких подруг, которым могла бы я поплакаться на последствия случайной связи.

«Плач» мой Вальке довелось выслушать на следующее же утро после звонка Аслана.

— Что же тебя заставило, Агеева, с первым встречным... басурманом? — охала Валька, ревностная поборница православия.

— Не знаю, — кротко отвечала я, смущенная ее бурной реакцией, — наверное, тоска по трансцедентальному.

— Естественно, ты же о нем ни хрена не знала. Может, он наркотой приторговывал или девок в бордели поставлял.

— Ну, насчет девок — это вряд ли. Стал бы он в таком случае с теткой на пятом десятке шашни заводить.

— А может, и его тоже тоска по трансцедентальному замучила, — съязвила Валька.

— Может. Но не в этом суть. Вся штука в том, что сегодня в шесть я встречаюсь с ним на Казанской в ресторане «Европа». Мне нужна твоя помощь.

И я посвятила Горностаеву в подробности моего плана.

* * *

— Что, если нам отведать стерлядки? — спросил Аслан, не удостоив вниманием предложенное официантом меню.

— Ну давай... — разочарованно протянула я.

Про стерлядь я знала только то, что это рыба, а в меню ресторана успела разглядеть, на мой взгляд, гораздо более соблазнительные блюда.

— Она вареная? — с тоской спросила я у официанта.

— Очень вкусно, — шепнул он, прогнувшись в почтительном поклоне, — вы не пожалеете, царская рыба.

— Ты пока закусочки нам сообрази, — хозяйским тоном распоряжался Аслан, — всего по чуть-чуть, овощи, грибочки и водки двести пятьдесят для аппетита, да, Марина?

Официант ушел, унося с собой красные папки меню. Других посетителей, кроме нас, в зале не было.

— Ты очень хорошо выглядишь, — сказал Аслан. Фраза неизбежная и дежурная, сопровождающая любую встречу.

— Спасибо, — ответила я, хотя прекрасно знала, что это не так. В моем возрасте бессонные ночи не проходят бесследно.

Чеченец тоже не блистал красотой. Усталый какой-то, помятый, и глаза смотрят затравленно, как у хищников в зоопарке.

— Ты можешь начинать без предисловий, — ободряюще улыбнулась я ему. — Честно говоря, не думала, что ты когда-нибудь позвонишь.

— Что ты, Марина, — он схватил мою руку и пылко сжал ее смуглыми пальцами. — Как я мог забыть... Такую женщину.

Я отняла руку и кашлянула. К нам приближался официант с закуской и водкой на подносе.

— Почему ты отняла руку? — спросил Аслан, укоряя взглядом.

Я промолчала, решив, что ответ очевиден, и потянулась к маринованным огурцам. Мы выпили «за встречу», несколько минут сосредоточенно жевали.

— Овощи пробуй, грибочки пробуй, — Аслан заботливо подкладывал закуску мне на тарелку.

Отведав всего не по одному разу, он откинулся на спинку стула и закурил.

— Вот какое дело, Марина. Сын моих родственников попал в нехорошую историю, и теперь его разыскивает милиция. Родственники очень просили меня узнать, что ему грозит, если он сдастся сам или его поймают. Ну ты меня понимаешь. Может быть, разумнее ему будет уехать из Питера.

Аслан подцепил на вилку маринованный беленький и отправил его в рот. Я с нетерпением ждала продолжения.

— Может быть, ты могла бы уточнить, по какой конкретно статье его обвиняют, а заодно и фамилию следователя узнать. Мои родственники и я в долгу не останемся.

— А как зовут сына твоих родственников, ты не скажешь? — спросила я.

— Конечно. Его зовут Аслан Алавердыев, — не задумываясь ответил чеченец.

Я не смогла скрыть злорадной усмешки.

— Выходит, он твой полный тезка? И родился с тобой в один день и час, и, судя по фотографии на ориентировке, похож на тебя, как брат-близнец?

Ориентировку на объявленного в федеральный розыск Аслана я в глаза не видела, но ведь он об этом не знал. Выпалив все это, я поняла, какую сделала глупость. Чеченец напрягся и зло посмотрел на меня. Надо было срочно спасать положение.

— Ты можешь прямо сейчас встать и уйти, — сказала я, — если боишься или не доверяешь мне.

— Я никому не доверяю, Мариночка, и никого не боюсь. Я сам себе чеченец. Волк-одиночка. Мне нет нужды с кем-то объединяться, хотя бы и с Джапаром, значит, нет нужды кому-то доверять.

Похоже, он все-таки убедился, что опасности нет, расслабился, даже отпустил узел галстука, на шелковой глади которого желтоглазые волки выли на луну.

— Пробуй стерлядку, Мариночка, пробуй, — приговаривал он, смакуя ароматную мякоть царской рыбы.

— Все, что говорят о тебе — наркотики, вымогательство, похищения, — это правда?

— У каждого из нас своя правда, — ответил он, — я просто навожу порядок там, где его нет. Понимай как хочешь, а лучше вообще не бери в голову.

— Но мне ты бы мог сказать хотя бы часть правды о том, кто ты есть на самом деле...

Он тщательно вытер салфеткой рот, облокотился на стол и долго смотрел перед собой не мигая.

— А почему я должен исповедоваться перед первой встречной русской шлюхой? — холодный презрительный взгляд полоснул меня, как бритва.

Кровь бросилась мне в лицо, дыхание на несколько мгновений перехватило от пережитого унижения.

— У меня таких, как ты, раком до Москвы не переставить, — казалось, он наслаждается звуком собственного голоса — хриплыми плевками оскорблений. — Русские бабы — все шлюхи. Мы отрезаем вашим солдатам яйца, а вы вылизываете наши. Это тоже правда, Марина. Скажешь, нет?

— Если бы я знала, какой ты сукин сын, я бы тебе их откусила...

— Желающих было много, не ты одна, — он оскалился в злобной ухмылке. — Зубами клацали, а дотянуться не смогли.

В какой-то момент я перестала его слышать. Теперь нужно было сосредоточиться и сделать все непринужденно и быстро. Еле сдержалась, чтобы по-бабьи не разреветься, не схватить со стола оставшийся на блюде кусок рыбины и не размазать его по морде этого подонка. Я даже подняла глаза и посмотрела на него, чтобы достовернее представить себе, как будет скользить по его розовой харе и падать в пасти воющим волкам жирное стерляжье мясо. Остановила мысль о том, что я еще успею это сделать, если ничего другого, более эффектного, не произойдет. А он заслужил, чтобы произошло. Он сам подписал себе приговор. Окунув пальцы в фарфоровую пиалу с плавающей в ней лимоном, я тщательно вытерла их накрахмаленной льняной салфеткой и достала из сумочки радиотелефон.

— Я хочу выпить кофе, — тусклым голосом сказала я, надо было что-то говорить, чтобы отвлечь его. — Иначе я не доеду до дома. Голова закружилась от твоих комплиментов.

Я говорила, а пальцы мои тем временем одну за другой нажимали клавиши радиотелефона: «ВХОД В МЕНЮ», «ПОСЛАТЬ СООБЩЕНИЕ»....

— Ты — сукин сын, каких я еще не встречала. Я буду радоваться каждому свежему чеченскому трупу, как если бы это был мой личный враг. В этом виноват ты. И я буду ненавидеть нацию, вскармливающую таких ублюдков, как ты.

«СООБЩЕНИЕ ОТПРАВЛЕНО»...

Я подняла голову и смотрела, как темнеют от ярости его серые глаза. Переборщила. Аслан начал приподниматься из-за стола, по-моему, он собирался ударить меня. Ударит и уйдет. А мне надо было продержаться еще как минимум двадцать минут. Положение спас официант, устремившийся к нашему столику с полотенцем наперевес.

— Что-нибудь еще желаете? Десерт, кофе, чай?

— Два капуччино, — прошипел Аслан.

— А что у вас на десерт? — поинтересовалась я.

Официант принялся перечислять названия пирожных и мороженого. Ему пришлось сделать это один раз, и другой, и третий. Я путалась, передумывала, сомневалась. Официант помог скоротать мне минут пять. Когда он, приняв наконец заказ, уже готов был скрыться за дверями кухни, я вновь окликнула его.

— Подождите-подождите, я забыла сигареты. — Оказалось, что мне страшно оставаться наедине с чеченцем.

Но Аслан сунул мне под нос свою пачку «Парламента», и официант, затормозивший было на пороге кухни, скрылся с глаз моих.

Мы курили молча. Кофе принесли в бессовестно крохотных чашечках. Его должно было хватить всего на пару минут, тем более что Аслан хлебал кофе, как воду — хлюпая и причмокивая. Меня даже стало подташнивать от этих звуков.

— Счет неси!

Когда он произнес это, махнув рукой выглянувшему из дверей кухни официанту, я решила, что все пропало. Или сообщение не дошло по назначению, или дороги забиты пробками, или... В зал заглянул молодой человек. Я вытянулась на стуле, но молодой человек даже не взглянул в нашу сторону, вышел, как будто его что-то не устроило. Купюры уже шелестели в проворных пальцах официанта. Я не пью кофе как воду, я пью его маленькими глотками и в промежутках пускаю в потолок струйки чеченского «Парламента». Поэтому у меня остается в крохотной чашечке достаточно въедливой коричневой жидкости, способной еще больше очернить чеченца в моих глазах. «Я не струшу, — говорю я себе, — я смогу». Моя рука описывает дугу, и, парализованная ужасом, я смотрю на мокрое пятно, расплывающееся на белоснежной рубашке Аслана. Он смешно моргает и вдруг соскальзывает со стула и во весь рост растягивается на полу. Над ним возвышаются сразу два гориллоподобных парня, материализовавшихся не иначе как из воздуха. На запястьях поверженного чеченца щелкают наручники. Ко мне приближается пролетарский кулак, на подступах к кончику носа он раскрывается красным удостоверением.

— Вам придется пройти с нами...

Я поднимаюсь из-за стола и иду к выходу. Сзади что-то гнусавит чеченец. Похоже, ему уже обеспечили проблемы с дикцией. Я не торжествую, я просто ничего не чувствую. Мне плевать, что он оглядывается, шепчет проклятия и обзывает сукой. Обмен любезностями мне тоже уже наскучил. Нас привезли на Чайковского и развели по разным кабинетам. У меня попросили документы, удостоверились, что я — это действительно я, и отпустили.

* * *

В агентство я приехала около полуночи. Валька Горностаева уже порядком поднабралась, дожидаясь меня, — на столе стояла початая бутылка кизлярского коньяка.

— Ну как ты? — дохнула она на меня ароматом дагестанских виноградников.

— У нас с тобой все получилось, — устало сказала я и достала из сумочки бутылку «Смирновской».

Горностаева почему-то насупилась и отошла к окну.

— Что с тобой, Валентина, разливай, — окликнула я ее.

— Получилось не у нас с тобой, — замогильным голосом заговорила Горностаева, — ты меня сейчас убьешь, но я все рассказала Обнорскому. Мы с тобой две наивные дуры. Когда ты уехала, я поняла, что план твой ни к черту не годится.

Наш с Валькой план, и правда, вряд ли мог рассчитывать на место в анналах передовой детективной мысли. Собираясь на свидание с Асланом, я вовсе не собиралась сдавать его милиции. Я наивно полагала, что чеченец раскается, узнав, что покушался на мой семейный бизнес. Я шла на встречу с ним с искренним желанием помочь. Валентине о предстоящем рандеву я рассказала, следуя инструкции Обнорского. Инструкция предписывала журналистам агентства, направляющимся на сомнительную или опасную встречу, ставить о ней в известность доверенное лицо.

Выслушав меня, Горностаева загорелась желанием собственноручно поймать басурмана и заслужить звезду героя. Мы с ней немного поспорили о взаимоотношениях полов и всепобеждающей силе курортного секса. В итоге сошлись на том, что на звезду героя она может рассчитывать, если я пришлю ей на отдельский радиотелефон сигнал тревоги — три «шестерки». Получив его, она должна была звонить в РУОП и сообщить о местонахождении чеченского террориста, объявленного в федеральный розыск.

— Вот и прикинь, — оправдывалась Валентина, — получаю я от тебя это «число зверя», звоню в РУОП. Может быть, там мне и поверили бы после получасовых расспросов, а может быть, и нет. Или телефон был бы занят. На прошлой неделе я в дежурную часть ГУВД два дня не могла пробиться. А я как чувствовала, что ты наберешь эти злосчастные цифры, вот и пошла к Обнорскому...

— Ну и что?

— Ругался, — честно призналась Горностаева. — Минут пять одними матюгами крыл. Потом отобрал у меня радиотелефон, выставил за дверь и стал названивать.

— Лучше бы меня пристрелил чеченский террорист, — мрачно сказала я, свинчивая с бутылки «красную шапочку».

* * *

Все последующие дни я, как могла, избегала встреч с Обнорским, ограничиваясь легковесными приветствиями издалека. Неумолимо приближался срок сдачи аналитической справки по охранному бизнесу. Я струсила, и, сославшись на головную боль, попросила сдать работу и отчитаться по ней Нюсю Соболину. Анюта недоумевающе посмотрела на меня своими зелеными русалочьими глазами и отправилась на «ковер» к шефу — ей было не чуждо чувство женской солидарности.

Ближе к вечеру Обнорский заглянул в мой кабинет.

— Марина Борисовна, я, конечно, понимаю, что отдел ваш работал с диким, просто-таки зверским рвением, но справочка-то далека от совершенства. Зайдите ко мне на пару слов, придется внести кое-какие изменения.

Оттягивать разговор не имело никакого смысла. На мое несчастье шеф был один. Все уже разошлись по домам, и рассчитывать на то, что чье-нибудь внезапное вторжение избавит меня от необходимости оправдываться и объясняться, не приходилось.

— Заходите, Марина Борисовна, присаживайтесь, что у дверей-то топтаться, — радушно пригласил шеф, — расскажите про свои подвиги...

— Если ты имеешь в виду справку...

— Эх, Марина Борисовна, Марина Борисовна, что зарделись-то, как маков цвет? Я же все понимаю, с кем не бывает, дело-то, как говорится, житейское...

Обнорский откинулся на спинку высокого кожаного кресла и закурил, картинно пуская в потолок колечки сизого дыма.

— Вот, помнится, и я как-то раз переспал с арабской террористкой, знойная, скажу я вам, была штучка. А заливала мне, что агент дружественной разведки. Ну а вы впечатлениями не поделитесь?

— Андрей, прекрати, в конце концов, это немилосердно, — чуть не плача сказала я.

— Все, все. Больше не буду. — Обнорский встал из-за стола и слегка приобнял меня за плечи. — Ну, мир, дружба, балалайка?

Я благодарно улыбнулась ему. Что ни говори, но иногда и в нашем начальнике просыпается нечто человеческое.

* * *

Прошло почти полгода, и этот печальный факт моей биографии полностью стерся в памяти, не оставив в ней никакого следа.

Как-то уютным домашним вечером я сидела с Сережей на диване и читала ему умную и добрую книжку про короля Матиуша Первого. В гостиной негромко бубнил телевизор. Я бросила взгляд на экран и увидела его. В торжественной обстановке, в присутствии журналистов и высоких милицейских чинов, заключенного тюрьмы «Кресты» Аслана Алавердыева обменивали на русского солдата, девятнадцатилетнего Алешу Переверзева, шесть месяцев прожившего в чеченском плену. Я подумала, что поступила тогда правильно. Мой Бог меня давно уже простил, а до его Аллаха мне нет никакого дела. И потом этот мальчик, Алеша, был так похож на моего маленького ангела. Я крепко прижала сына к себе нежно и поцеловала в русую голову.

ДЕЛО О ПРОКУРОРШЕ
В ПОСТЕЛИ

Рассказывает Анна Соболина

«Исполнительна, но недостаточно инициативна. Четко выполняет указания руководства, но редко выходит за их рамки.

Бесконфликтна. Во всем ориентируется на мнение мужа — начальника репортерского отдела агентства В. Соболина (который и привел ее в агентство). На летучках высказывается редко. ...Очень хозяйственна и домовита. Просит не загружать ее работой в нерабочее время, поскольку занята воспитанием двухлетнего сына».

Из служебной характеристики

Проходя в очередной раз мимо зеркала, висящего возле холодильника, замечаю — радость в глазах тает с каждым днем, талия растет без повода, а желания измениться все меньше...

Рабочее утро. «Ах, эти утренние женщины, не то что женщины вечерние, — они добры, они застенчивы, они делами не заверчены» — нет, классик не прав.

Приготовив яичницу с помидорами и сыром, накрываю на стол. Это мое — приготовить, поставить, подать. Как и неизменные пакеты с тушками куриц, свиными котлетами и прочими

147

мясопродуктами, которыми я ежедневно затариваю общественную морозилку.

Существует мнение, что семейную жизнь можно считать конченой, если за завтраком не о чем говорить. Это опять ошибка, потому что уже четыре года изо дня в день с десяти до десяти тридцати повторяется одно и то же: сервировка стола с небогатым выбором, малоразговорчивый и порой не в тему улыбающийся муж, а потом: дите в ясли, руки в ноги, и — вперед, арбайтен.

Но работа, она и обезьяну облагородила, не только замученную бытом тетку. В агентстве собрались приличные люди, главное — умные. Это я о мужиках. Остальные — ну, разные. Люблю умных, даже благоговею перед ними, могу простить многое. Может, и с Соболиным роман начался только оттого, что с умными парнями давно не общалась.

Тогда, в мои двадцать с хвостиком, уже два года отработав школьной учительницей (добавим к этому вечерний истфак, куда парней заносило только убогих и калек), я отчетливо поняла, что без умного — пропаду. Ну конечно, рисовать картинку с Герасимом, приютившим Муму, не надо, но что-то от этой мелодии в песне моего замужества все-таки есть. Он — коммуникабельный брюнет с набором донжуанских замашек, имеет приличную, мало того — любимую работу. Да, он поздно приходит домой, но «работа того требует», «труба зовет» и так далее.

Я пришла на службу и, включив электронную почту на скачивание информации, налила себе дежурную чашку кофе. Здесь-то, в общественной кухне, и произошел разговор, смысл которого открылся мне несколько позже.

Марина Борисовна, моя начальница (она глава великого отдела под названием архивно-аналитический), решила перекурить со мной, хотя обычно компанию ей составляли шеф или наши «мальчики», не экономившие на комплиментах и анекдотах в присутствии этой стильной дамы бальзаковского возраста.

Странно, ранее наши отношения не были столь доверительными, но в тот день в ответ на банальный вопрос-утверждение: «Ты что-то устало выглядишь» — я рассказала ей все как есть: красавец-муж постоянно занят работой, и не только на меня — даже на любимого сына внимания не обращает. Вчера пришел в двенадцатом часу, какие-то бабы ему весь вечер названивали (что, в принципе, уже стало привычным). А в прошлые выходные были у знакомых, так он на все расспросы о сыне с честным лицом заявлял, что «нет, наш Антошка так не делал, и спокойный он по ночам». Хотелось ему при всех сказать: «Родной, это тебе спокойно по ночам спалось, потому что я по шесть, по восемь раз к ребенку за ночь вставала. Ты же за два года и пеленки-то ни единой не прополоскал».

Ему ничего не сказала, конечно, а вот Марине Борисовне все взяла и выложила. Та, из сочувствия, наверное, если оно у женщин еще не совсем атрофировалось, и говорит:

— Ой, Анна, мне тебя жаль. Молодая ты, и мужиками крутить не умеешь. Вот мой муж, когда дочка маленькая была, да и сын тоже, он их с рук не спускал, все время занимался с детьми. И домой спешил, и мне помогал, даже по ночам вставать к ребенку плачущему не давал, спи, говорит, а то еще молоко пропадет. И чтоб налево — ни-ни... Ты подумай-ка. А так, рядом работая, и не скажешь, — покачала она головой и затянулась.

— Чего не скажешь? — спросила я растерянно.

— Да ты понимаешь... Конечно, все это вроде бы видят...

Тут мысли мои стали путаться, потому что я почувствовала, что за сбивчивыми репликами начальницы кроется нечто серьезное, о чем она то ли боится, то ли стесняется сказать.

Я посмотрела на нее вызывающе тупым взглядом, но на козе начальницу мою не объедешь, она выкрутилась:

— Он у тебя работает как сумасшедший, а то, что тетки без устали названивают, так среди журналистов две трети — дамы. И сама, милочка, виновата! Охмурила такого красавца, вот и расхлебывай, — со смехом закончила она.

* * *

Разговор этот запал в душу. Легче оттого, что рассказала наболевшее, мне не стало. С испорченным настроением пошла работать. Ничего не ясно, но мутить воду в семейной луже пока тоже вроде бы незачем.

Муж привел меня сюда, в агентство, после декретного отпуска. Поначалу я думала, что рабочее место специально для меня создали, для того чтобы хорошего журналиста (то есть моего мужа) не обидеть. Посадили за компьютер. Тем более что в компьютерах я была не специалист, да и к журналистике отношение имела косвенное...

Я должна была выуживать из электронных недр все, что имеет хоть какое-нибудь отношение к криминалу города. Потом появилось внимание сотрудников ко мне как к штатной единице — новости все-таки первая узнаю. Работа с архивом, опять же, любому может в расследовании пригодиться.

Первым это сообразил замначальника Повзло. Жалко, заходит лишь по необходимости, да и держится на расстоянии. В отличие от Спозаранника, который входит в кабинет с видом неприступного чинуши, а увидев, что кроме меня никого нет, может и за ушком пощекотать. Такое несоответствие между внешним видом и внутренним миром редко встречается. Глядя на него, рука тянется к перу, перо к бумаге.

Не удержусь, опишу полностью: очки в тонкой оправе под золото, деловой пиджак, рубашка (неизменно белая, в полоску), цветастый галстук (пожар в джунглях), брюки черные, само собой, и — да-да, чуть коротковатые. Речь его размеренна и многозначительна, а когда он читает нотации, то раскачивается вперед-назад, приподнимаясь на носках и опускаясь на пятки.

Рабочий день начался с полуделового визита Светы Завгородней, нашей звезды и секс-дивы (впрочем, насколько мне известно, никому из наших на этом полигоне ничего не обломилось).

— Чего такая мрачная? — вместо приветствия услышала я. Она уселась на стол напротив, поправляя прическу.

— Все мужики козлы, — попыталась я замять тему и одновременно объясниться.

— Да ты не страдай, они ведь не трамваи — скоро другой подойдет...

Раскрывать свои жизненные принципы в отношении мужиков я больше не собиралась, но опять кольнуло в сердце — сегодня все со мной говорили с каким-то собачьим пониманием в глазах.

— Тебе что, у меня другой случай был, — продолжала дива, не обращая внимания на мое усердное стучание по клавишам, — я с одним уродом три года встречалась, залетела (он хотел ребенка), а когда ему сказала, так он так разорался, словом, картина маслом. Мало того, когда я на аборт пошла, у меня еще и «букет» нашли — от хламидий до гонореи. Прикинь!

После такой жуткой истории я вынуждена была выразить явное неодобрение по адресу Светочкиного урода.

— Ты знаешь Лерку, она ко мне часто заходит, так вот ей муженек тоже говорил, что с «источником беседовал», а когда я его увидела, я все поняла сразу — от поздних бесед с источниками глаза так не блестят. А она-то, глупая, почти два года в эти басни верила... Факир был пьян, и фокус не удался, — словно уже о чем-то другом, сказала Света. — Ладно, ты там ничего про сайентологический центр не встречала?

Получив отрицательный ответ, она удалилась, с явным трудом переставляя ноги. Видно, кому-то сегодня долго не спалось, то ли с сожалением, то ли с завистью усмехнулась я. Про особенности взаимоотношений Светланы с ее многочисленными поклонниками она и сама не раз рассказывала. И тут же пришло в голову вроде бы давно забытое воспоминание о том, как ноет тело после многочасового занятия сексом. Да, что говорить, было время... Но эти мысли я всегда поспешно гнала прочь.

* * *

Однако когда супруг явился на работу и утомленным взором обвел присутствовавших, я почувствовала — вот оно, то, чего я подсознательно ждала и к чему, в принципе, была внутренне даже готова: и этот, словно спящий, взгляд, и некоторая бледность лица были мне слишком знакомы (как-никак, четыре года за ним замужем). Он всегда так выглядит после упражнений в постели, если не выспался. Словно не заметив моего присутствия, кивнул всем и вышел.

Мне сразу захотелось подышать свежим воздухом. Пошла на кухню, налила кофе, закурила у открытой форточки. Не может быть, вот так, запросто. Но вдруг ошиблась? Иду к нему, захожу сзади к склонившейся над клавиатурой родной спине. И вижу следы помады на воротничке. Вопросов нет. Эта известная бабская выходка называется «привет жене» — оставить на видном месте свои следы, причем обязательно незаметно для него. Оглянувшись, он увидел мое лицо и понял все моментально, сказал жестким голосом:

— Только без нотаций.

Хотелось поплакать в одиночестве, но дверь осторожно открылась, и появилась моя начальница.

— Анюся, ты что?..

— Да, Марина Борисовна, достало все!.. Антошка заболел, не высыпаюсь какую ночь уже, — начала я плести хоть сколько-нибудь вразумительное объяснение.

После слов утешения выяснилось, что надо срочно сходить в журнальный фонд Публичной библиотеки, чтобы подобрать материал для справки Повзло.

С радостью! Но, когда вышла из офиса, поняла, что ни в какую библиотеку идти не могу, и единственное, чего хочется, — это укрыться где-нибудь, а то разревусь прямо на улице. Как робот, глядя только под ноги, пошла по Садовой, потом по Гороховой. Очнулась перед Мойкой, и почему-то потянуло в родной тараканник (так мы называли буфет в двадцатом корпусе истфака родного пединститута).

Там, в буфете, за мой столик подсел Майк. Боже мой! Встретить любовника пятилетней давности в день разрыва с мужем — это слишком!

Я невольно вспомнила старый неприличный анекдот (вообще-то я не люблю нецензурных выражений, но у меня есть два любимых анекдота с ненормативной лексикой). Женщина вызвала к себе по объявлению о сексуальных услугах мужчину. Приготовила легкий ужин, ждет. Элегантный тип пришел, и сразу за стол — анекдоты травит, байки рассказывает. А к делу не переходит, только ест и треплется. Ей это надоело, и дама говорит: «Ну давайте же...» Тут он грустнеет лицом: «Ах, эта диспетчер опять все перепутала, я ведь бухарь-собеседник, а вам нужен ебарь-надомник!»

Так вот, этот Майк — как раз из второй категории. Атлет, красавец, породистый жеребец с импульсивностью подростка. Факультет физвоспитания и образ жизни сделали свое: я слышала, он записался в телохранители, не куда-нибудь, а в известную охранную фирму «Ягуар». Сейчас он выглядел как настоящий бандит, хотя на лице и сохранились последствия кровосмешения носительницы голубой крови и отставного военного.

Майк сказал, что в тараканник забрел случайно, — осталась привычка со студенческих времен, когда его первая жена училась на одном со мной факультете.

Я рассказала ему о своей проблеме (а почему не рассказать — точек пересечения в обществе у нас нет и не будет). После скучных предложений обсудить это в другой обстановке Майк вдруг изложил показавшуюся поначалу интересной идею:

— Если хочешь, я проверю, с кем твой муж трахается. Проверю качественно, он ничего не узнает.

Но мысль о всезнании, которое отравит все, что может остаться от четырех совместно прожитых с Соболиным лет, отрезвила. Я отказалась.

— Ну а если помада — случайность, а усталость — натурального происхождения, что ты тогда будешь делать? — Майк посерьезнел.

Я допила кофе и согласилась на его предложение. Майк спросил имя мужа и домашний адрес. В ответ на мои заверения, что я оплачу работу, он покрутил пальцем у виска.

Придя домой, я завалилась спать, предварительно предупредив супруга о необходимости забрать ребенка из яслей. Сутки прошли без разговоров и объяснений.

* * *

Следующие дни зловеще начинались с моих необычно ранних уходов на работу. Соболин к разговору не стремился, я не решалась его начать.

Неожиданно появившийся Майк решительно изменил настроение. Причем в худшую сторону. Я ловила тачку, чтобы успеть забрать ребенка из яслей, когда он вырос у меня перед носом.

— Крепись, Анька, — произнес он и с неловкостью соучастника протянул мне две небольшие кассеты. — Только ты смотри, осторожней с тем, что увидишь...

— Зачем же две? — почувствовав себя плохо, пробормотала я.

— Короче, разберись сама. А так, если что надо, обращайся...

— Спасибо, я пойду, — прошептала я.

Забрала Антошку из группы, дома попробовала поиграть с ним — ничего не выходило, мысли были только о полученных от Майка записях. Наконец, уложив сына спать, я достала из холодильника давно уже стоявшую там початую бутылку «Абсолюта».

«Ну что ж, приступим», — сказала себе я, подключая видеокамеру для просмотра кассет этого формата. В принципе, я уже поняла, что на них, но мазохизм — штука тонкая и не всегда понятная...

Съемка была сделана через окно. По интерьеру я узнала место действия — квартиру «друга нашей семьи» (точнее было сказать, подруги нашей семьи — с Ларисой Смирновой меня познакомил муж. Она работала следователем по особо важным делам в прокуратуре).

...Черное нижнее белье, фигура — ничего особенного. Боже, да она старуха! Лет на десять старше меня...

«Ну-ну, ножку выше, — ах, мы так не умеем», — с необычной для себя злобой комментировала я, потягивая из бокала отвратительный напиток и пьянея с каждым глотком.

Потом это зрелище мне надоело. И я решила посмотреть вторую кассету, но подойти к аппаратуре по прямой уже не получилось.

«Быстро же ты, Аня, назюзюкалась», — сказала я себе и все-таки включила вторую запись. Героиней второй кассеты была та же шикарная брюнетка с жестким взглядом — но уже в форме подполковника. Она садилась в какой-то «форд». В следующем кадре Лариса уже стояла на улице — по-моему, это была автостоянка или парковка, потому что кругом было много машин, — с каким-то седовласым мужиком. Слышно было не очень хорошо. Но кое-что я разобрала. Речь шла о судебном процессе. Лариса просила седовласого мужика изменить меру пресечения какому-то сидящему уже шестой месяц в «Крестах» Егорову.

Седовласый говорил, что сделать это будет непросто. Лариса отвечала, что в случае положительного решения вопроса ребята Егорова помогут седовласому в решении его финансовых проблем. В конце концов седовласый сказал: «Хорошо».

На этом запись заканчивалась.

Я подошла к стеллажу, на котором Соболин хранил свои папки с досье на бандитов и сотрудников правоохранительных органов. Алексей Егоров сидел в «Крестах» и подозревался в организации покушения на депутата ЗакСа и организации убийств еще двух человек. Районный суд недавно отказал адвокатам Егорова, которые ходатайствовали об изменении меры пресечения своему подзащитному. Они просили выпустить его на свободу под подписку о невыезде. Теперь адвокаты обратились с кассационной жалобой в городской суд.

Фотографию седовласого я нашла в папке «Суд». Мужчина с кассеты оказался судьей Василием Яковлевичем Горячевым...

Неожиданно прозвучал телефонный звонок. Пошатываясь от выпитого, я дошла до телефона:

— Да...

— Владимира Александровича, — потребовал женский голос из трубки.

— Кто его спрашивает? — не менее наглым тоном спросила я.

— Лариса Смирнова.

Такого ответа я не ожидала. Возможно, будь я трезвой, я не повела бы себя так даже после просмотра кассет. Однако в тот момент я не нашла ничего более оригинального, как, хмыкнув: «Передай привет Василию Яковлевичу», бросить трубку.

Потом я завалилась спать и проснулась лишь за полчаса до начала работы.

* * *

Около десяти на рабочем столе зазвонил телефон. В ответ на стандартные призывы откликнуться в трубке раздался незнакомый мужской голос.

— Соболина?

— Да.

— Через полтора часа в «Садко» на Невском. Надо поговорить, сука. Только не приди!.. Я не только зеленый беретик надену, я ему башку сверну...

Отбой я расслышала с опозданием. Про зеленый беретик я сегодня утром напоминала Антошкиной воспитательнице в яслях, чтобы на прогулку не забыла ему надеть, ушки продуть может...

Ватные руки положили трубку, ватные ноги подняли со стула. «За что? За что мне такое?» —

спрашивала я себя, пока шла к кабинету мужа, — хотелось срочно поделиться.

Никого. В приемной перепуганная моим видом секретарша подтвердила, что Соболин пока не появлялся.

Стала лихорадочно набирать телефон заведующей садиком, чтобы выяснить, где сын. На десятом гудке трубку взяли.

Все оказалось в порядке, сын лепил из пластилина кота, который ходит по цепи кругом. Медсестра не поленилась и сходила проверить. Уже легче.

Периодически, сидя где-нибудь в гостях за дружеским столом, приходилось отвечать на вопросы: «А вам не угрожали, в вашем агентстве, наверное, такие материалы?», «А вы за ребенка не боитесь, сейчас иногда пишут о таких случаях?»

Всегда отшучивалась, потому что казалось, что невозможно это...

Переговорить бы с кем-нибудь, но не с бабой.

С сигаретой в дрожащих пальцах, со струящимися по щекам слезами, я стояла у окна в коридоре.

Надо бежать за сыном. Решено.

В этот момент за спиной раздались шаги Повзло. Чтобы понять, что со мной непорядок, ему хватило увидеть мою физиономию.

Выслушав мой сбивчивый рассказ, он стал усердно тереть лоб:

— Почему звонили тебе, ведь ты не только не светилась ни с кем, ты же... или нет?

— Тихо сидела за компьютером, дежурила, — подтвердила я. — Слушай, я за Антошкой сейчас сбегаю, тут рядом...

— Нет, сиди. Вспоминай.

Плюхнулась без сопротивления в кресло, попробовала шевелить мозгами. Ничего не помню, ничего не знаю. А потом вспомнила все, что произошло накануне вечером. Вспомнила и поняла, что звонок может быть связан только со Смирновой, точнее, с просмотренной накануне кассетой. Больше не с чем.

— Я пойду, — опять попыталась подняться я.

— Одну секунду, я уже... Алло, Андрей? Это Повзло. Срочно приезжай на работу... Что, совсем никак?.. Здесь...

Тут мне пришло в голову, что я могу опоздать. Обнорский, конечно, поможет, но пока они болтают, с сыном может случиться все что угодно. Я выскочила из кабинета, на бегу вдевая в рукава непослушные, словно бревна, руки. Еще эта сумка... Вылетев на лестничную площадку, спотыкаюсь и, уже в полете, чувствую, что меня вдруг кто-то хватает за плечи.

Оказалось, это на работу спешил «бывший бандит» или — если короче — «ББ», так мы за глаза называли Витю Шаховского. Я попыталась освободиться, однако он, не отпуская меня, спокойно улыбнулся:

— Пойдем, поговорим.

— Я спешу.

— Подвезу, если надо.

Я уже залезала на заднее сиденье его «Нивы», когда в последний момент к машине подлетел Повзло. Поздоровавшись с ББ, он протянул мне платок и сам стал все объяснять Шаховскому. Еще не остывший автомобиль спокойно развернулся и, набрав скорость, вылетел на Садовую.

— Ясли-то напротив цирка, на углу Фонтанки? — словно не услышав ничего особенного, спокойно спросил Шаховский, одновременно набирая на мобильном номер.

— Михалыч, — сказал кому-то в телефон ББ, — ты на тачке? Можешь через три минуты быть на Фонтанке, напротив цирка?

В салоне было слышно, как некий Михалыч матерится.

— Ну лады. Встань напротив, не светись. Из машины выйди, но улицу не переходи... — ББ положил трубу.

— Все под контролем, — сообщил он мне, — Михалыч рядом, повезло... Он, кстати, опер... Тебя я высажу чуть раньше, сам подъеду прямо к входу. Ты идешь внутрь, берешь сына. Не торопясь, слышишь? Потом стоишь внутри и ждешь. Если что не так, не ори, сразу беги в группу или на кухню, в общем, к людям. Все поняла?

Я кивнула.

ББ высадил меня на мосту, я на дубовых ногах попыталась бежать.

Когда я влетела в группу, там никого не было. В коридоре, пахнувшем детской больницей, на меня наткнулась медсестра.

— Что с вами, вам помочь?

— Где? где? — рычала я сквозь сопли, тыча пальцем в сторону пустой раздевалки.

— Гуляют они, — растерянно пробормотала она.

Но, выбежав во двор, я никого не увидела.

— Они в Михайловский сад пошли, — в форточку крикнула медсестра.

Боже, как далеко. Я не дойду...

В парке царила идиллия — старики в спортивных костюмах, разминаясь, размахивали руками, а за ними, в песочнице, ковырялась группа.

— Антошка!

На мой вопль обернулись все. Сына среди детей не было.

* * *

Я сидела на диване в кабинете Обнорского и не знала, что делать. Вокруг ходили, курили, спорили. У меня же в голове было два вопроса: сообщать в милицию или идти в прокуратуру и говорить со Смирновой?

ББ рассказывал, что Михалыч, тот опер, которому он звонил с дороги, времени зря не терял. Он разговорил молоденькую воспитательницу, ошалевшую от моего вопля, когда я обнаружила отсутствие сына.

Светлана Ивановна, воспитательница моего сына, рассказала Михалычу — благообразному и немолодому дядечке, — что женщина, забравшая моего сына, была такая интеллигентная, представилась моей тетей. Михалыч сообщил ББ и номера старой иномарки, запомнившиеся девушке только потому, что 28—74 — это день и год ее рождения. Но по базе ГИБДД пробить ничего не удалось, машина, наверное, была не местная.

В общем, все мы зашли в тупик.

Наконец Обнорский не выдержал и встряхнул меня:

— Рассказывай.

— Я не могу. Пусть все выйдут.

В опустевшем кабинете я выложила Обнорскому все. И про слежку за мужем, и про содержание второй кассеты. От неожиданности он сидел совсем обалдевший.

— Понял, — наконец произнес он. — С ребенком, я уверен, пока все в порядке. Бери Шаховского, поезжай домой за кассетой. А мы придумаем что-нибудь.

С этой минуты репутация Соболина мне стала абсолютно безразлична, я только боялась опоздать на назначенную встречу.

* * *

То, что встретиться с теми уродами придется, я уже поняла. Единственное, чего я боялась, что одна предстоящего разговора могу и не выдержать.

Решили, что ББ отвезет нас с Обнорским к «Садко», а сам посидит в машине с кассетой.

— В центре города, на Невском ничего не произойдет, слышишь. Разговаривать будем только там, ни в какие машины не садиться. Отъехать, поговорить — этого нам не надо... Разговаривать буду я. Держись! — говорил мне Обнорский как можно теплее. И верно, я в принципе была невменяема.

Уже виден пятизвездочный отель, где и расположен ресторан под названием «Садко».

— Еще немного, и разберемся, — спокойно произнес Андрей.

* * *

Только когда я встретилась со взглядами сидевших за столиком возле дверей, я поняла, что радоваться нечему.

К нам повернулись два молодых типа: черные кожаные куртки, волосатые запястья и маслянистые взгляды, одинаковая мимика. Третий сидел спиной. Я растерялась, но Обнорский подтолкнул меня в центр зала, к свободному столику.

— Во-первых, там есть где сесть, во-вторых, они подойдут, — объяснил он, заметив панику в моих глазах.

И действительно, к нашему столику подошел тот, что сидел спиной — дорого одетый, в очках с тонкой золотой оправой. «Если бы не обстоятельства нашей встречи, поверила бы, что интеллигент», — подумала я, пока он присаживался за наш столик.

С минуту он молча нас рассматривал, а потом, обратившись ко мне, изрек:

— Мне нужна кассета. Ты мне вот сюда ее принесешь, — и ткнул пальцем в стол.

— При чем здесь ребенок? — прикурив, взмахнул зажигалкой Обнорский.

Дальше разговаривал с ним Обнорский, а я просто сидела как кукла, у которой лились слезы.

— Ребенка менять будем не здесь, — для того чтобы я поняла, что Андрей обращается ко мне, ему пришлось тронуть меня за плечо.

* * *

Через два с лишним часа ожидания на железнодорожной платформе Лисьего Носа из прибывшей из города электрички вышли те, что были в ресторане. Сына с ними не было.

Рядом со мной стояли Обнорский и Повзло.

Обнорский отдал им кассету. Они тут же проверили ее на принесенной с собой видеокамере. Затем сказали: «Если вы сделали с этой кассеты копию и попытаетесь что-нибудь с ней сделать, ребенка больше не увидите...»

Потом мы все вместе отправились в ближайший парк. Там на скамейке сидела какая-то девушка, возле нее, спиной к нам, стоял Антошка и радостно о чем-то говорил.

* * *

Домой я ехать категорически отказалась, поэтому все отправились на радостях к Повзло выпить и обсудить сегодняшние события. По моей просьбе Соболина с собой не взяли. Ему вообще никто ничего не рассказывал, в суть происходившего были посвящены лишь два человека, еще трое помогали, ни о чем не спрашивая.

Я все время говорила о том, что сына, на всякий случай, надо увезти подальше. Меня охватила такая паника, что мужики решили: лучше сделать по-моему, чем потом расхлебывать то, что я наворочаю. К родителям в Ленобласть везти нельзя, слишком просто, да у мамы и так больное сердце, ей вообще ничего нельзя говорить.

Я решила, не откладывая, уж если мужа у меня теперь нет, к Соболину на квартиру не возвращаться ни за что.

В Металлострое, где я когда-то работала учительницей в сельской школе, у меня остался человек, на которого можно было рассчитывать. Это Инна, которая после моего замужества и разрыва с двести семьдесят третьей школой, где мы работали вместе, осталась моей подругой. Созванивались мы редко, еще реже виделись, но я заранее была уверена, что она приютит сына. Я уже набирала номер, когда чья-то рука нажала на рычаг.

— Этого делать не надо, — сказал Повзло, стоявший у меня за спиной.

— Мне пока нянька не нужна.

— Я знаю, кому нужна, кому нет, — спокойно сообщил он, — договорим на улице, одевай сына.

Я молча подчинилась. Последнее время замечаю за собой резкие перепады настроения — от дикой злобы до овечьего послушания.

* * *

Было решено ехать в Металлострой на общественном транспорте, не предупреждая Инну о приезде. В практически пустом вагоне метро Антошка увлекся купленным в ларьке «Киндер-сюрпризом», а я спросила Повзло, помня об угрозах похитителей:

— Мы ведь не будем эту информацию о Смирновой использовать? А то ведь они Антошку...

— Ни о чем не беспокойся, — ответил Николай. — Мы просто будем иметь это в виду.

...Инка приняла нас радостно. Антошка мирно заснул в кровати ее дочери. Было решено на какое-то время отдать его в садик к знакомой воспитательнице. Инна пообещала за сыном смотреть и на улице лишний раз с ним не показываться.

— Инка, — наконец выдохнула я, когда Повзло вышел покурить на балкон, — я с Соболиным больше жить не буду...

* * *

Примерно через пару недель после разговора в «Садко» меня вызвал к себе в кабинет Обнорский. Шеф нередко откровенничал за закрытыми дверями своего недавно отремонтированного кабинета, но я, как правило, не присутствовала при этих мужских разговорах, и потому удивилась тону, с которым он заговорил со мной.

Оказалось, гуру (так мы Обнорского называем за глаза) накануне был на пресс-конференции в Доме журналистов, где госпожа Смирнова рассказывала представителям СМИ о борьбе, которую ведет прокуратура и она лично с организованной преступностью в городе.

* * *

Труп Майка нашли через некоторое время в придорожных кустах по дороге на Репино. Две пули — в голову и в грудь, на руках — следы от веревок. Он лежал в кабине ржавого грузовика, брошенного в кустах несколько лет назад.

В сводке ГУВД значилось просто: обнаружен труп мужчины с двумя слепыми огнестрельными ранениями, на вид 25—30 лет. При досмотре обнаружено удостоверение сотрудника частной охранной фирмы «Ягуар» на имя Михаила Зверева.

ДЕЛО О ГЛИНЯНЫХ БУДДАХ

Рассказывает Владимир Соболин

«...Инициативен. Не ленив. На рабочем месте бывает редко. Выполняет большой объем работы.

...Существуют претензии к точности и достоверности поставляемой им информации. Однако изменить стиль и методы работы Соболина пока не удалось. Считает, что главное достоинство настоящего репортера (к каковым он себя относит) — оперативность, а достоверность должна достигаться в результате проверки принесенных им фактов. Кто будет осуществлять эту проверку, не уточняет.

Под предлогом большой загруженности постоянно опаздывает на совещания, планерки и летучки, проводимые в агентстве.

...Как профессиональный — в прошлом — актер, является основным организатором всех культурных мероприятий агентства. По мнению сотрудников, особенно ему удается роль Деда Мороза (видимо, сказывается многолетняя практика).

Любит цитировать Шекспира, хотя, по нашим данным, в его пьесах никогда не играл.

...Женат. Жена Соболина также работает в агентстве».

Из служебной характеристики

Из сонного кошмара меня рывком выбросило в серое петербургское утро. Анюта шевельнулась рядом, но не проснулась. На письменном столе пищал пейджер. Я нажал кнопку. Пищать перестало, на экране высветилось:

«Срочно позвони мне на трубу. Повзло. 7.10».

С кухни я набирал номер второго по значимости руководителя нашего агентства — Николая Повзло.

— Это Соболин, — сказал я, когда он снял трубку. — Что там случилось: арестовали кого или грохнули?

— Ты у нас человек искусства — слышал что-нибудь про такую художницу: Лану Вересовскую?

Какие художницы в семь утра? Никого я в это время суток не помню...

— Ну, она дочь Вересовского, — продолжал Повзло. — Да ты спишь, что ли?

Тут до меня дошло, какого именно Вересовского имеет в виду Николай. Того самого, московского — Виктора Семеновича, который был простым младшим научным сотрудником советского НИИ и за восемь лет сделался одним из богатейших людей России. Мало того, поговаривали, что он фактически заправляет теперешней кремлевской политикой. В Москве его зовут в соответствии с модой на сокращения просто: ВСВ. Но про то, что у него есть дочь и эта дочь — художница, я не знал.

— Коля, я же театральный актер, а не маляр, — сказал я Повзло, — это же совершенно разные тусовки, да я, собственно, и не был никогда вхож в бомонд. А чего с ней случилось, с этой Ланой?

— Она прилетает сегодня в Питер, привозит сюда свою инсталляцию. Будет выставлять ее в «Дыре».

— В какой дыре? — спросонья я бываю не слишком сообразительным.

Повзло это уже успел узнать за три года нашего с ним знакомства, а потому не стал обзывать меня идиотом, а объяснил, что «Дыра» — это такая галерея современного искусства, где периодически проходят всякие инсталляции, перфомансы и прочие выставки.

Место это пользуется популярностью у петербургских художников, куаферов, модельеров и музыкантов, и — дурной славой у питерской милиции: то наркотики, то драки, то скандал с битьем посуды. А что поделаешь: люди искусства — народ горячий, с тонкой нервной организацией. Это я знаю по собственному опыту.

Когда Повзло закончил свои пояснения, я вяло поинтересовался, чего он — в связи с приездом Вересовской — от меня хочет.

Выяснилось, что зачем-то мне следовало с ней встретиться и сделать интервью: об искусстве и о папе Вересовском.

— Она прилетает в тринадцать двадцать. Постарайся встретиться с нею сегодня, — сказал мне на прощание Повзло.

* * *

Пассажиры рейса «Москва—Петербург» — вылет из аэропорта «Шереметьево» в 12.20 — толпились у стойки регистрации рейса. На летное поле вырулил грузовик и подкатил к распахнутому багажному люку самолета. Из грузовика в самолет начали перегружать громоздкие продолговатые ящики с пометками «Не кантовать», «Не переворачивать», «Осторожно, стекло». Бригада грузчиков, возившихся с этими ящиками, отличалась от обычных шереметьевских не только чистыми спецовками, — ящики не швырялись с матерком в самолетное нутро. В багажном отсеке их размещали с предосторожностями, достойными фарфора коронованных особ. Наконец хлопоты вокруг VIP-груза подошли к концу. Культурные грузчики укатили на трейлере.

— Похоже, Петр Сергеевич, все прошло удачно, — обратился к своему собеседнику шатен лет тридцати пяти, наблюдавший сквозь стекло из кресла шереметьевского кафетерия за погрузкой ящиков на борт самолета Москва—Петербург.

— Не судите поспешно, — ответил его собеседник, плотный господин лет пятидесяти с крупным носом, пронизанным склеротическими сосудами, — груз даже до Пулково не долетел, не то что до получателя.

Мужчины, прихлебывая кофе, продолжали смотреть на летное поле. К самолету неторопливо двигались автобусы с пассажирами. Затем к трапу самолета подъехал бежевый «мерседес». Из него вышла женщина в светлом пальто.

— Вот она, — более молодой мужчина отставил чашку с кофе, — как думаете, Петр Сергеевич, не залезет художница в посылку?

— Ну а залезет? Увидит глиняных болванчиков. И все. А в Питере о посылке позаботятся.

* * *

Молодую женщину, которую везли от зала VIP к самолету на «мерседесе», обсуждали не только в аэропортовском кафе. Еще двое мужчин вели в то же время беседу в одном из кабинетов на Лубянке. Окно кабинета выходило не на опустевшую после свержения железного Феликса площадь, а в зеленый внутренний дворик.

— Решение о назначении ВВС секретарем Совета Безопасности принято вчера вечером, — сказал хозяин кабинета.

— Да, просчитать реакцию Хозяина становится все сложнее, — констатировал гость. — Нет смысла что-то делать, когда результат невозможно спрогнозировать.

— Попытаться все же стоит, — заметил хозяин. — Пора нашему выскочке сделать маленький окорот.

— Попробовать можно. Дочка вот его в Ленинград собралась с выставкой. Художники — они ведь народ ненадежный, увлечения всякие нездоровые: нетрадиционный секс, алкоголь, наркотики...

* * *

К тому моменту, когда самолет с Вересовской еще только готовился оторваться от взлетной полосы столичного аэропорта, я уже успел подготовиться к предстоящей встрече с «надеждой московской школы неоакадемизма» (так писали о Лане на страницах «МК»).

Оставив Анюту досматривать сладкие утренние сны — ей до начала рабочего дня еще предстояло отвести сына Антона в ясли, — я на клочке бумаги накорябал записку, мол, «срочное задание от шефов, требуют меня на расправу». Антошка пошевелился в своей кроватке, когда я уже одетый стоял на пороге. Вернулся и уделил крохе дозу отцовской любви.

В контору я пришел необычно рано. Но не мне было суждено оказаться в то утро первым — за стальной дверью кабинета расследователей уже бубнили голоса. Я заглянул в щелочку. Это Глеб Спозаранник заступил на боевой пост. Его посетитель сидел ко мне спиной, но по тому, как он часто промокал платком плотную шею над обрезом темно-синего пиджака, чувствовалось, что беседа принимает малоприятный для него оборот.

— Так говорите, Владимир Сергеевич, что не представляете, каким образом были подписаны эти документы? Придется освежить вашу память... — И Глеб принялся выкладывать из верхнего ящика своего стола самые действенные инструменты своего журналистского мастерства: паяльник, щипцы для колки сахара, плоскогубцы...

Я на цыпочках отошел от двери расследователей. Не стоит влезать в творческую кухню коллег.

Предстояло решить, кто поможет мне подобраться к недосягаемой мадемуазель Вересовской. К ее сердцу и кошельку... Впрочем, это шутка. Вряд ли помогут в этом начальники пресс-служб расплодившихся правоохранительных органов. Да и оперативники РУОПа или УУРа не отправятся по собственной воле созерцать неоакадемизм в действии...

А вот этот человек, наверное, способен помочь. Я вытянул из записной книжки одну из визиток. «Бек Антон Михайлович, адвокат Санкт-Петербургской городской коллегии адвокатов».

Адвокат оказался дома. Мало того, мой звонок вытащил его из постели, где он, как я понял, пребывал не в одиночестве, поскольку короткая наша беседа протекала под аккомпанемент дамских смешков.

— О, Владимир! — Бек сразу вспомнил меня. — Какие проблемы? Звезды журналистики жаждут адвокатской или судейской крови? Или личная консультация потребовалась?

Пришлось пояснить, что звоню я по делу, мало связанному с юриспруденцией, да и с криминалом вообще.

— Тут, Антон Михайлович, вопрос искусства...

Собеседник оживился. Среди юристов Антон Михайлович слыл личностью экстравагантной и был настоящим эстетом, — автор двух поэтических сборников, приятель многих городских художников, непременный участник скандальных выставок и концертов. Он занимался адвокатурой, по его словам, для обеспечения финансовой независимости и совершенно искренне считал себя поэтом и любимцем женщин. Достаточно хорошим адвокатом это ему быть, впрочем, не мешало.

Конечно, он слышал о приезде Ланы Вересовской.

— Господи, Владимир! Да в чем проблемы? Не знаю пока, где Лана остановится, но вечером она обязательно будет на Пушкинской десять. Хотите, познакомлю?

— Конечно, хочу.

— Кстати, Владимир, — продолжил Бек, — вы знаете о новых назначениях в Москве?

— Не понял...

— Да включите телевизор! Вересовский указом президента назначен секретарем Совета Безопасности.

Мы договорились с Беком встретиться в пять вечера в кафе на Лиговском, а оттуда уже двигаться в сторону Пушкинской.

Я включил телевизор. НТВ подтвердило новость о назначении Вересовского. Усатый Киселев уже обсуждал тему с аналитиками-политологами. Затем показали кадры кремлевской церемонии: дряхлеющий президент жал руку назначенцу. Виктор Семенович (нос с горбинкой, легкая сутулость, кучерявые прядки на лысеющем темени) напоминал хорька, наконец-то допущенного в курятник. Если Лана удалась внешностью в папашу, я ей не завидую.

Скрипнула дверь кабинета. На пороге стоял Спозаранник.

— В городе спокойно? — спросил он.

Я выдержал паузу, как учили меня в театральном, и ответил:

— Телефон дежурной части ГУВД, Глеб Егорович, — ноль два.

— Вольдемар, вам когда-нибудь говорили, что вы похожи на Алена Делона? — главный расследователь конторы потер переносицу.

Я отрицательно помотал головой.

— И правильно, вы на него совсем не похожи, — Спозаранник скрылся за дверями.

Затем в дверь просунулась круглая, как шар, голова нашего хозяйственного гения Леши Скрипки (если бы я встретил его где-нибудь на Апрашке, решил бы — чистый рэкетир). Скрипка оглядел наш кабинет.

— Володя, ну что у вас за бардак вечно? Неужели трудно помыть за собой чашки? — Он кивнул на расставленные по столам грязные кружки, оставшиеся после вчерашнего чае- и кофепития.

Я обреченно пожал плечами — ну кто виноват, что все агентство пьет чай именно в нашем кабинете? Во-первых, он самый большой. А во-вторых, когда Света Завгородняя на рабочем месте, сюда тут же стекается все мужское поголовье нашей конторы. А в-третьих, кружку за собой один Спозаранник убирает — есть все-таки в нем что-то положительное.

Бросив печальный взгляд на немытые кружки, я отправился в архивно-аналитический отдел к Марине Борисовне Агеевой.

— Просьба у меня к вам, Марина Борисовна, — сказал я. — Не могли бы вы мне за пару часов найти все, что у нас есть по Вересовскому и по его дочери Лане.

— Часа за три попробую, — ответила Агеева, и я расцеловал ей ручки.

В коридоре появился Повзло.

— Ты что, Коля, со звонком своим утренним не мог подождать часа полтора? Горело, что ли? — накинулся на него я.

— Расслабься, Володя. Как любит повторять шеф, никто не говорил, что будет легко.

* * *

Опять запищал пейджер: «Срочно позвонить по телефону...». Это был сигнал от знакомого опера — борца с наркотиками Максима Мальцева. Мы познакомились с ним еще в мои дожурналистские времена — одно время я даже подумывал податься под его начало, но кривая вывезла в журналистику.

— Есть новость, — сказал Мальцев, когда я до него дозвонился, — пару часов назад на Гашека притон накрыли: взяли кучу всякого добра.

— Погоди, я ручку найду записать, — я потянулся через стол к блокноту.

— Ты чего, Вован! Давай подкатывай к нам на Расстанную, — с тех пор как Макс стал начальником районного отдела по борьбе с незаконным оборотом наркотиков, он начал выказывать несвойственную ему прежде осторожность.

Районный ОБНОН (то есть отдел по борьбе с незаконным оборотом наркотиков) занимал два крохотных кабинета на третьем этаже здания РУВД на Расстанной. В одном, за закрытыми дверями, кого-то допрашивали. Максим, пригорюнившись, сидел за столом во второй комнате. Рядом седоватый мужик в кожаном пиджаке одним пальцем что-то выстукивал на стареньком компьютере.

— Не сходится, Максим, на троих больше получается, — посетовал он.

— Фиг с ними, перенесем на следующий месяц... Здорово, Володя, — Мальцев протянул мне ладонь. — Падай куда-нибудь.

Я огляделся в поисках свободного места. Все три стула были заняты: на одном сидел Макс, на втором — седоватый мужик, на третьем были навалены папки. Я выкроил себе место на продавленном и заваленном каким-то барахлом диване.

— Рассказывай, — я приготовился делать пометки в блокноте.

Притон на Гашека у купчинских наркоманов пользовался давней и доброй славой. Дело начинала еще бабуля нынешнего хозяина квартиры — двадцатитрехлетнего молодого человека без определенных, как пишут в протоколах, занятий. В семидесятые старушка гнала самогон и на «водочных» деньгах неплохо поднялась — ее мечтой было дать сыну приличное образование. Поначалу тот оправдывал надежды — поступил на философский факультет ЛГУ. Затем он стал завсегдатаем «Сайгона». Когда его задержали милиционеры, в кармане у него оказалась доза маковой соломки. Впрочем, судья в районном суде оказался незлобным (а может, мамины деньги сыграли свою роль) — «философу» дали два года условно. Из института исключили. Он начал приторговывать водкой. Сам, впрочем, ее не пил — предпочитал наркотики, а когда денег на них перестало хватать,

177

пошел в «пушеры» — с клиентурой проблем не возникло. В квартиру на Гашека помимо любителей выпивки вскоре стали заглядывать и любители «кайфа».

«Философа» взяли года через два. На этот раз судья уже не был снисходительным — недоучившегося студента отправили на несколько лет валить лес. К тому моменту «философ», правда, успел привести в квартиру на Гашека подружку и зачать с ней сына. После ареста невестка отправилась в путешествие по дорогам Союза, на которых и затерялась, а внук остался на руках у бабушки. Ее сын то выходил на свободу, то вновь отправлялся за решетку, пока, наконец, не был найден пару лет назад мертвым на автобусной остановке. Бабушка спилась окончательно, и внук подхватил упавшее было знамя. С водкой внучок уже не заморачивался, а торговлю «дурью» поставил на широкую ногу. Теперь клиенты могли у него разжиться не только марихуаной, анашой или маковой соломкой, но и героином, кокаином и даже «экстази» и ЛСД. Держал юный пушер запас псилобицинов и для любителей «поганок».

Мальцев со своими операми давно пытался прикрыть «наркотический рай» на территории отдельно взятого района, но только сегодня им удалось взять всю компанию с поличным.

— Вон, гляди, — Мальцев показал в угол кабинета, где были свалены опечатанные мешочки, пакеты и бумажные свертки.

— А где наркобарон? — спросил я.

— Сейчас пацаны его колют в соседнем кабинете. Хочешь, можешь послушать...

В соседнем кабинете два оперативника обрабатывали задержанного держателя притона. Я пристроился в уголке.

Вскоре я понял, что клиент, поначалу шедший в полную несознанку, уже дал слабину и потихоньку начал сдавать клиентов и поставщиков товара. Однако если тех, кто продавал ему марихуану, маковую соломку и поганки, пушер, хоть и нехотя, но называл, то на вопрос об источнике героина и кокаина либо отмалчивался, либо впадал в несвойственные для его возраста провалы памяти.

— Слышь ты, урод, я тебе память-то живо вылечу. Правда, оставшиеся тебе месяцы жизни будешь работать на одни лекарства, — один из оперативников, опершись на свои очень крупные кулаки, возвышался над задержанным.

— Толя, не горячись, — вступил в разговор Макс. — У нас в милиции никого не бьют, мы же не звери. Вот только полы в ИВСе скользкие, можно и поскользнуться... Да это и ни к чему, правда, Сергей Алексеевич? (Это он к притонодержателю так обратился.) Ведь и следствие можно по-разному повернуть: либо на полный срок, либо смягчающие обстоятельства применить. Да и за решеткой люди неодинаково живут...

Повисла пауза. Оперативники кровожадно сопели. Мальцев постукивал сигаретой по спичечному коробку. Задержанный наконец вздохнул.

— Не обманете?

— Мы же серьезные, государственные люди...

— Ладно... — и наркоторговец стал рассказывать.

Я приготовился услышать достаточно стандартную версию: героин получает от таджиков, кокаиновую цепочку всю не знает (слишком длинная), но скорее всего, через цыган или арабов...

В принципе все это в рассказе владельца притона присутствовало. Кроме того, он сказал, что в последнее время ходят слухи о скором поступлении в город крупной партии кокаина. О том, откуда, каким образом и кому именно поступит эта партия, Сергей не знал. Говорил о каких-то восточных людях.

— Нет, не азеры, не таджики,— он отрицательно помотал головой на вопрос Мальцева,— какие-то узкоглазые...

В это время у меня на поясе опять запищал пейджер.

— Он в постели тебе не мешает? — поинтересовался Максим. — Так и до импотенции недалеко...

Пейджер сообщал, что жена — Анюта — просила срочно позвонить в контору. Позвонил. Жена сказала, что в агентстве меня ждет куриная лапка с салатом.

* * *

До конторы я добрался на трамвае, но быстро, за полчаса. Заскочил в архивный отдел к Марине Борисовне и получил папку — досье на Вересовских. У дверей в свой отдел столкнулся с Обнорским. Шеф строго оглядел меня и поинтересовался, нет ли у меня каких-либо новостей. Я бодро отрапортовал, что почти готов репортаж о пресечении деятельности наркоманского притона. Упомянул также и о предстоящем знакомстве с Ланой Вересовской. Обнорский кивнул.

— Ботинки, Володя, почисти. И постригись. Ты же все-таки начальник отдела — лицо, можно сказать, агентства, а получается задница какая-то.

До встречи с Беком оставалось полтора часа. Я разложил бумаги из папки о семье Вересовских.

Надежде российского «неоакадемизма» было двадцать шесть лет. Замужем не была. Старшая дочь ВСВ от первого брака (в настоящий момент Виктор Семенович Вересовский пребывал в третьем браке с какой-то юной моделью), Лана получала финансовую поддержку от папы-олигарха. Окончив Кембридж, девушка вернулась в Москву, получила в подарок от родителя рекламную фирму. Ведение бизнеса Лана доверила менеджерам. Доход от фирмы давал ей возможность заниматься творчеством.

Мне было сложно судить, что именно позволило ей так стремительно войти в круг московской арт-богемы: наверное, прежде всего весомость фамилии. К сожалению, ни одной репродукции ее работ к досье не прилагалось. А вот фото Ланы имелось — красотой девушка, мягко говоря, не блистала — пошла в отца.

Особых скандалов, связанных с ее именем, наше досье не отмечало, чего не скажешь об обилии грязи, вылитой средствами массовой информации на ВСВ. Глухо упоминался еще какой-то племянник Вересовского, якобы сидящий на игле и не желающий с нее слезть.

Изучение биографий Вересовских было прервано появлением Светы Завгородней. Она была тяжелой артиллерией репортерского отдела, да, наверное, и всего агентства — по мощи сексапильности она равнялась примерно трем-четырем Хиросимам.

Анюта тихонько фыркнула в сторону Светочки и защелкала пальцами по клавиатуре компьютера.

— Представляешь, Володя, — обратилась Света ко мне, — была сейчас в суде, на приговоре. Слушала про «заказуху-бытовуху». Тетка одна из столовой заказала двум ханурикам своего мужа: расплатиться пообещала кормежкой и любовью. Они мужика ухайдокали: сперва — гантелей по голове, а затем проводом от настольной лампы задушили. Надо куда-то труп девать... Разделывать они его не решились, чтобы кровью все не залить, дождались темноты, раздели покойника, в газеты завернули, вытащили на помойку и в контейнер сунули. Сверху посыпали горчицей, чтобы у собак, говорят, нюх отбить, а потом подожгли... Такой вот хотдог получился. Весело?

— Безумно, — ответил я. Любовь Светы к «чернухе» контрастировала с ее ангельской внешностью. — Садись, отписывай все это. Только, прошу, без физиологических подробностей. Читателей пожалей.

До встречи с Беком оставалось совсем ничего. Я чмокнул Анюту в затылок и вылетел из конторы.

* * *

Я допивал вторую чашку чая (на кофе уже смотреть не мог), нервно поглядывая на часы, когда в подвальчике наконец появился Антон Михайлович Бек. Адвокат в извиняющемся жесте развел руки и направился ко мне.

— Тысяча извинений, Володя, но, надеюсь, этот маленький презент, — он протянул мне небольшую книжку, — загладит мою вину.

Пока Бек брал себе кофе, я разглядывал подарок. «Магистры ордена Морфея», автор Анатолий Бек, вступительное слово Анатолия Белкина. Дарственная надпись на первой странице: «Владимиру Соболину, коллеге по перу, с надеждой на ответное слово». Бек знал, что я и сам балуюсь стихами и подумываю о выпуске своих опусов.

Обменявшись новостями культурной и криминальной жизни северной столицы, мы с Беком перешли на «ты» и отправились на Пушкинскую. До начала мероприятия, во время которого мне предстояло познакомиться со старшей дочерью новоиспеченного секретаря Совета Безопасности, оставалось минут десять.

Дом на Пушкинской, прибежище для андерграундных художников и музыкантов, знаменит не меньше, чем в свое время «Сайгон». Здесь одновременно проходили выставки и пьянки питерской нонконформистской богемы. Правда, богему не раз пытались выставить из этого здания, но до сих пор атаки на островок независимого искусства успешно отбивались. Наконец городские власти пошли на крайние меры — здание обнесли строительными заборами, отключили от воды, электричества и тепла. Но и это не принудило жильцов дома к капитуляции.

Мы с Беком протиснулись через дыру в заборе и, пробираясь по грудам мусора, стали продвигаться к подъезду. В общем, название галереи, где собиралась выставляться Вересовская, — «Дыра» — соответствовало действительности.

Мы не были единственными участниками сегодняшнего вечернего мероприятия. Сквозь щели в заборах во двор стекались и другие жаждущие высокого искусства. Одеты они были весьма разнообразно: от демократических джинсов и свитеров до вечерних туалетов и смокингов.

На лестнице неприятно попахивало — сказывалось отключение здания от благ цивилизации. Мы вскарабкались на четвертый этаж. Возле рассохшихся дверей нужной квартиры гостей встречала пара: девушка неопределенного возраста в длиной джинсовой юбке и растянутом чуть не до колен свитере и бородатый мужик лет сорока в двубортном коричневом костюме — на голове у него почему-то была вязаная шапка (такие в стокгольмском метро я видел на неграх с Ямайки — торговцах наркотиками). В руках странный мужик держал поднос с пластиковыми стаканчиками, на дне которых плескалась какая-то прозрачная жидкость. Кроме стаканчиков, на подносе была тарелка с сушками и сухариками. Все входящие могли причаститься к угощению.

Бек облобызался со встречающими, представил меня — «звезду криминального репортажа». Угостились и мы. Жидкость оказалась обычной водкой, к тому же, похоже, «паленой». Приняв по стаканчику и похрустев сухариками, мы вошли в квартиру.

Раньше здесь была обыкновенная коммуналка. Теперь комнаты превращены в выставочные залы. Несмотря на отключение от электричества, сияли лампы и прожектора подсветки — в бывшей кухне урчал переносной генератор, периодически отравляя воздух выхлопами отработанного бензина. На стенах, задрапированных черной материей, были развешаны фотографии: на них полуголая брутальная блондинка в разных головных уборах и с различными орудиями преступления в руках разделывалась с некими изнеженными мужичками.

— Это и есть инсталляция Вересовской? — шепотом поинтересовался я у своего спутника.

— Володя, да ты просто дикарь, — Бек слегка скривился от моей непросвещенности, — это выставка фоторабот Амалии Гнедышевой «Феминизм — это молодость мира». Ланина инсталляция еще не распакована, а открытие ее выставки намечено на субботу. Сегодня отмечают только ее приезд.

Хаотичное, на первый взгляд, перетекание публики из комнаты в комнату влекло нас в дальний от входа зал, где рядом с облаченным в джинсовый костюм седым, бородатым и лохматым мужчиной стояла в неброском лазоревом костюме она — Лана. Фотография довольно верно передавала ее внешность: ширококостное лицо (впрочем, вся ее фигура была сбита достаточно крепко и не отличалась изяществом линий, — не то что у Светочки Завгородней или даже моей Анюты), темно-каштановые волосы, короткая стрижка...

Бек приступил к процессу знакомства. Он заключил руку лохматого седого бородача в свою ладонь и потряс ее.

— Рад видеть тебя, Фарух, представь меня своей гостье...

— А, это ты, Толик, — взгляд Фаруха был устремлен куда-то мимо моего спутника, и тут я сообразил, что он слеп, — Ланочка, позволь представить тебе хорошего поэта и утонченного джентльмена, Анатолия Бека.

Адвокат изящно поклонился Вересовской. Та протянула ему руку. Бек указал на меня.

— Владимир Соболин. Мой друг. Журналист.

Слава Богу, что Анатолий Михайлович не стал уточнять мою специализацию. Даже сказанного хватило для того, чтобы Лана сморщила свой крупный носик. Однако пожатие ее руки было крепким и горячим, а взгляд... Он раздевал меня догола.

— Очень приятно... — я вложил в голос максимум сексуальности, пожал ее руку и скроил улыбку в ответ.

Как же, подумал я, так я и поверю, что Вересовской приятно знакомство со мной, — поди, чертыхается про себя, что занесло сюда журналиста. Думает, сейчас начну приставать с дурацкими вопросами про папу. Ну и начну, но чуть погодя. Сперва надо освоиться, а там — поглядим.

Я отметил, что глаза у художницы цепкие и злые. И точно, вся в папу.

Мы с Беком отошли в сторону. Я старался держаться так, чтобы не упускать Лану из виду.

— Анатолий Михайлович... — я тронул адвоката за рукав.

— Володя, мы же — на «ты»!

— Анатолий, а кто это с Ланой рядом? — я кивнул в сторону слепого бородача.

— Это Фарух Ахметов, известный художник, основатель неоакадемизма.

— Слепой художник?!

— Ну, ослеп-то Фарух всего пару лет назад. То ли после менингита, то ли после гепатита, хотя поначалу думали, что у него СПИД. Но до этого он успел стать известным и даже именитым.

Гостей обнесли очередной порцией алкоголя. Хотя среди спиртного наличествовали и не очень крепкие напитки, все же предпочтение отдавалось водке.

Неожиданно я почувствовал на своем локте захват чьих-то пальчиков. Обернувшись, я нос к носу оказался с Вересовской.

— А вы, Владимир, о культуре пишете?.. — ее низкий грудной голос чуть вибрировал.

— Ну, в общем, да...

— Живопись, театр, литература?

Пропадать, так с музыкой. Раз уж удача сама идет в руки... Я подхватил художницу под руку и повлек ее в сторону, где нам никто не мог бы помешать. По пути я молол всякий вздор, стараясь убедить Лану, что пишу исключительно о событиях в культурной жизни.

— А скажите, Лана, э-э-э, Викто...

— Можно без отчества, Володя, — то ли девушка споткнулась, то ли сделала вид, что споткнулась, но ее ощутимо качнуло ко мне — сквозь ткань костюма я почувствовал касание ее груди.

— Я, Лана, пишу обо всем, о чем мне скажет редактор... — я ухватил с оказавшегося поблизости подноса стаканчик водки и лихо опрокинул его, приобнял свою спутницу за плотную талию (она не отстранилась), — Вот сейчас меня крайне интересует вопрос, что же это за зверь такой — неоакадемизм, с чем его едят?

Ладонь моя, обнимавшая талию художницы, вспотела — Лана оказалась очень жаркой художницей.

Вересовская начала просвещать меня на предмет неоакадемизма. При этом мы неуклонно двигались к двери, но не к выходу, а к той, что вела в глубь квартиры.

— Знаете, Володя, а хотите, я вам на практике покажу, что такое «неоакадемизм»?

Я кивнул. Мы были уже в коридоре. Лана, взяв меня за руку, устремилась в ту комнату, где до завтрашнего утра были складированы ящики с ее работами.

Мягко щелкнул язычок замка. В комнате стоял полумрак.

— Может, зажжем свет? — спросил я. — А то в темноте как-то неловко картины рассматривать...

В ответ Вересовская издала хрипловатый смешок, и ее сильные губы впечатались в мои.

— Ты что, действительно никогда не видел моих работ? Это совсем не картины... — Лана колдовала над пуговицами моей рубашки.

Ну и темперамент! Если она и инсталляции свои с таким же напором создает, то скоро все выставочные залы будут завалены ее работами. Художница тем временем атаковала мои штаны. Как женщина Вересовская меня не привлекала, но инстинкты оказались сильнее. Я не слишком верю в собственную брутальность, и объяснить Ланину страсть можно было либо тем, что уж очень она по мужику истосковалась, либо тем, что девушка, напротив, привыкла ублажать себя с каждым встречным. Загадку эту, впрочем, я так и не разгадал.

Вересовская крутила меня то так, то этак. Минут через десять я взял над наездницей верх — пускай теперь побудет кобылкой. Моя инициатива, по-моему, пришлась ей по вкусу, хотя, честно говоря, вел я свою партию довольно механически.

В самый напряженный момент в комнату кто-то начал ломиться. Ненавижу коммунальный секс — никакого удовольствия. Слава Богу, дверь с петель сносить не стали — хорош бы я был: звезда криминальной журналистики со спущенными штанами, подмявший под себя дочурку свежеиспеченного секретаря Совета Безопасности.

Лана взвыла, дернулась. Пришлось наподдать — против организма не попрешь. Ящик под нами крякнул, с него слетела крышка. Вместе с ней с грохотом слетели и мы — прямо на пыльный пол.

— А ты ничего, — отдышавшись, Вересовская потрепала меня по щеке.

— Тебе что, обычных трахачей мало? — зачем-то спросил ее я.

В полумраке неожиданно раздались всхлипывания. Вот уж не ожидал от этой сумасшедшей.

— Лана... Лана Викторовна... Господи, да чего ты ревешь? — я присел рядом с Вересовской на корточки и протянул ей свой отнюдь не свежий платок.

Да, в сущности, все женщины одинаковы. Хотя на что еще она могла рассчитывать с такой внешностью? Да и я — такая же свинья, как остальные. Правда, мне от нее не деньги нужны, а интервью...

Я повернул Лану к себе и принялся вытирать платком ее зареванное лицо. Что-то говорил, чтобы успокоить ее, а ладонью легонько похлопывал по спине — так в детстве успокаивал меня дед. Постепенно девушка стала всхлипывать все реже, колени мои затекли. Я пошарил в темноте рукой, надеясь найти опору. Пальцы наткнулись на какой-то твердый предмет.

Я поднес находку к окну, — это была керамическая фигурка. Наверное, она выпала из того самого ящика, крышку с которого мы так неаккуратно своротили.

— Это что, и есть часть твоей инсталляции? — я показал находку Лане.

— Н-нет... — сказала она, близоруко щурясь (у нее еще и со зрением проблемы!) на вещицу, лежащую на моей ладони.

Я протянул руку к выключателю. Лана пыталась протестовать.

— Не волнуйся, я не собираюсь рассматривать твой макияж.

Когда под потолком загорелась неяркая лампочка, она снова всхлипнула. Ящик, не выдержавший нашей страсти, был полон одинаковых коричневых статуэток, изображающих Будду — каждая размером с мой кулак.

— Что это? — спросил я.

— Друзья в Москве просили отвезти местной буддийской общине. А мои работы — в этих ящиках, — она показала на составленные в углу короба. — Надо как-то крышку на место пристроить.

Я потянулся за отлетевшей в сторону крышкой. Лана хихикнула.

— Так и будешь со спущенными штанами ходить?

Я отвернулся от художницы, чтобы застегнуть ширинку. Затем занялся ящиком. Кое-как выпрямил погнутые гвозди и вставил их в старые гнезда.

— Что-нибудь тяжелое в этой «Дыре» есть?

Молотка не оказалось. Лана протянула мне плоскогубцы. Я стал забивать ими гвозди. Когда ящик был приведен в прежний вид, я заметил выпавшую фигурку Будды, на которую наткнулся в темноте.

— Вот черт... Неужели все обратно отдирать?.. — еще раз повторять процедуру распаковывания и обратного запаковывания ящика мне не хотелось. — Надеюсь, твои друзья не обидятся?

Лана пожала плечами. Я сунул статуэтку в карман — поставлю дома на полку, как память об этом дурацком вечере.

Вересовская сидела на подоконнике и смотрела на печальный пейзаж за окном. Показывать мне инсталляцию у нее желания больше не было. Раздраженным движением плеча она отбросила мою руку.

Чертовы бабы. Тут уж не до интервью теперь. Эх, прости меня, Анюта. Я взял Лану за плечи и повернул к себе. Теперь уже мои губы доминировали в немом диалоге. Однако доводить ситуацию до повторения «скачек» на ящиках с Буддами или инсталляцией мне не хотелось. Прогулка по ночному Питеру, что может быть романтичнее?

С заговорщическим лицом я сделал Лане знак молчать и, потушив свет, подобрался к двери. В коридоре было тихо — звуки гульбы неслись из главного зала. Шепотом я поинтересовался у художницы, бывала ли она в «Дыре» раньше. Лана ответила утвердительно.

— Здесь есть черный ход?

— Зачем?

— Хочу украсть тебя у папы и взять богатый выкуп.

— Думаешь, даст? Показывай дорогу.

В коридоре никого не было. Лана снова вела меня сквозь лабиринт галерейных помещений. Так и не встретив никого по пути, я откинул заржавленный крючок, удерживавший дверь на черную лестницу. Мы оказались почти в кромешной тьме. Под ногами нащупывались истертые и выщербленные ступени. Вересовская спускалась, вцепившись в мое плечо...

Я купил в киоске пачку сигарет и дешевую зажигалку. Мы шли по улицам и дымили, что-то рассказывал я, о чем-то говорила Лана (из словесного мусора я цепко выуживал необходимую информацию — что поделаешь, работа).

На поясе запищал пейджер. «Володя, позвони домой, мы с Тошкой волнуемся. Аня. 0.17». А позвонить у меня и не получится. Ладно, объясняться с супругой будем пюзже. Не могу я сейчас ничего изменить. Улицы пустели, лишь сзади маячила коренастая мужская фигура.

* * *

Первым отсутствие Ланы обнаружил вовсе не хозяин «Дыры», а крепыш в джинсе с колючим взглядом, однако он не стал никому сообщать о своем открытии. И сам как можно незаметнее покинул тусовку. Он обошел галерею, как бы ненароком толкаясь во все двери. Лишь одна из них оказалась заперта. Крепыш припал ухом к деревянной панели, отсекавшей комнату от коридора. Ухо уловило вздохи и сопение. Сопоставив отсутствие Ланы в зале и известные ему детали жизни художницы, он удовлетворенно хмыкнул и занял позицию в темном углу коридора, чтобы держать дверь под наблюдением, но не быть замеченным самому.

Долго ждать не пришлось. Лана со своим спутником — патлатым молодым хиляком — выскользнула из комнаты и направилась в сторону кухни. Потом послышались скрип двери и осторожные шаги на лестнице.

Крепыш, выскочив на улицу и стараясь держаться в тени, двинулся вслед за парочкой. Слава Богу, он успел заранее позаботиться о содержимом сумочки Вересовской. Теперь оставалось только отследить, где приземлятся влюбленные голубки, чтобы успеть дать отмашку.

Исчезновение именитой столичной гостьи тем временем обнаружили и остальные посетители «Дыры». В кругах собравшегося бомонда возникла легкая паника. Но больше почему-то проявляли беспокойство двое молодых, широкоскулых и узкоглазых мужчин, облаченных в желтые одеяния буддийских монахов. Они не были ни художниками, ни музыкантами, ни тусовщиками без определенных занятий. На первый взгляд, они были теми, кем хотели казаться — служками из петербургского дацана. Убедившись, что Ланы нет нигде, они, крайне взволнованные, покинули бывшую коммуналку.

Один из них перед уходом отозвал в сторону девицу с бусинами в косичках.

— Станет что-то известно про нее, немедленно звони. Поняла?

Та понимающе закивала, уверяя своего экзотического собеседника, что оправдает его высокое доверие. Впрочем, на этом вечере каждый второй выглядел не менее экзотично.

* * *

Приземлиться нам с Ланой довелось у стойки бара в клубе «Три семерки», заведении, оформленном под забегаловку времен застоя. Гвоздем заведения был настоящий портвейн советских времен и похабные шутки бармена о присутствующих. Только цены в заведении были совсем не советские.

Мы сидели всего четверть часа, а содержимое моего кошелька стремительно приближалось к нулю. С той же стремительностью Лана, накачивавшаяся портвейном, приближалась к состоянию абсолютной невменяемости. Жаль, что ни папа, ни Кембридж не приучили девушку платить за свои удовольствия из собственного кармана. Вот она и использовала мой. Сам я не слишком налегал на портвейн (да я его и не люблю), предпочел пиво. Правда, денег у меня хватило лишь на одну кружку. Народу в «Трех семерках» было не густо. Человек пять сидело там на момент нашего прихода, да еще какой-то невысокий парень появился через пару минут после нас и увлеченно ковырялся в сосисках за угловым столиком.

Я повернулся на скрип входной двери. В зал неторопливо вошли трое милиционеров. Направлялись они прямо к нам. Вернее, к моей спутнице.

— Документы, — тот, что носил на плечах старшинские погоны, тронул Лану за плечо.

— Чего? — повернулась Вересовская к представителю закона, и в ее голосе послышались истерические нотки.

Не стоит спорить с раздраженными людьми с милицейскими дубинками в руках. Папочка, похоже, это Лане не объяснял. Нет, ее не стали бить лицом о полированное дерево стойки — просто старший взял девушку за плечо, и от боли Вересовская зашипела.

Секунда, и ее острый ноготок пропахал щеку старшины. Я было дернулся, но ладони двух других защитников порядка припечатали меня к стулу. Лана прижимала к груди правую руку, на которой отпечатался белый след от милицейской дубинки. Не прошло и минуты, как содержимое ее небольшой сумочки посыпалось на стойку и на пол: сигареты, зажигалка, две пачки презервативов, ключи, скомканный платочек в разноцветных разводах макияжа, что-то из косметики, пара каких-то крохотных полиэтиленовых пакетиков, паспорт.

Старшина перелистал паспортину несуществующей уже почти десять лет страны.

— Вересовская Лана Викторовна, 1971 года рождения, уроженка Москвы... Это ваше, Лана Викторовна? — он кивнул на пакетики.

Ответом Лана его не удостоила, только пожала плечами.

— Может быть, твое, парень? — Он обратился ко мне.

— Первый раз вижу, товарищ старшина... — Я старался улыбаться как можно более обаятельно.

Нас повлекли в ближайшее отделение милиции. В ипостаси задержанного я еще ни разу не оказывался. Что ж, как говорили у нас в театре: все в пользу, все — в актерскую копилку.

Нас досмотрели и опросили. Меня выручила то ли фортуна, то ли мое журналистское удостоверение и фамилия Обнорского, которую я не преминул ввернуть. Глиняный Будда, извлеченный из моего кармана, не вызвал у милиционеров ни вопросов, ни подозрений. Подозрительные пакетики-то нашли не у меня, а у Ланы, да и сопротивление властям она оказала (старшина то и дело прикладывал платок к кровоточащей царапине).

Все изъятое у девушки описали в присутствии понятых (привели уборщицу и какого-то мужика с улицы). В журнале КП так и записали: сопротивление работникам милиции, подозрение на незаконное приобретение наркотиков. То, что в пакетиках какая-то дурь, никто из присутствующих не сомневался — предстоящая экспертиза должна была только подтвердить, какая именно.

— Надо же,— пробурчал помощник оперативного дежурного, внося фамилию Ланы в КП,— однофамилица Вересовского.

— Не однофамилица, а дочь,— пробурчала Лана.

Тут все немного всполошились. Одно дело — прихватить с наркотой какую-то профурсетку, хоть и из Москвы, а совсем другое — дочку человека, максимально приближенного к верхам. Ситуация становилась непредсказуемой: за такое задержание можно было с одинаковым успехом огрести и медаль на грудь, и огурец в...

Обо мне как-то забыли, зато вокруг Ланы засуетились.

Старшина растерянно погладил подсохшую царапину на щеке, хотел что-то сказать, но махнул рукой и ушел курить на крыльцо. Зато оперативный дежурный с майорскими погонами принес дочери олигарха стакан с чаем и бутерброды (похоже, пожертвовал собственной заначкой). Отпускать ее, правда, не собирались. А вот со мной парой слов перекинуться дали.

— Володя, — Вересовская протянула мне визитку, — позвони отцу. Я понятия не имею, что это за пакетики, откуда они взялись...

— Хорошо, позвоню, — сказал я. Лану завели за барьер, лязгнула дверь «обезьянника».

Из отделения мне позвонить не дали. Спасибо, за решетку не угодил, а могли легко вместе с Вересовской к наркотикам пристегнуть. Сидел бы с ней в «обезьяннике», брал интервью: «Роль легких и тяжелых наркотиков в процессе художественного творчества»...

Следом за мной на крыльцо вышел майор.

— Эй, парень, как там тебя, журналист... Закурить не найдется?

Я протянул ему измявшуюся в вечерних приключениях пачку. Мы задымили. К нашей компании присоединился и пострадавший старшина.

— Черт бы побрал этих шишек! Распустили своих пащенков, творят что хотят.

— Кто ж знал, Степаныч, что это она?.. В Управе тоже хороши: мол, проверьте немедленно «Три семерки», есть оперативные данные, что там у парочки — героин, — майор осекся и досадливо махнул рукой.

Я почувствовал себя лишним. Продолжать отсвечивать на крыльце было ни к чему. К тому же требовалось срочно отыскать телефон-автомат. Предстояло позвонить не одному только Виктору Семеновичу Вересовскому.

Ближайшая телефонная будка обнаружилась лишь через пару кварталов. Я выудил из кармана визитку Ланы, сунул пластиковый прямоугольник в щель аппарата. Даже успел нажать первые три кнопки.

Чья-то сильная рука легла на мое плечо. Я обернулся. Что-то тяжелое припечатало меня прямо между глаз. Последнее, что я успел разглядеть краем угасающего сознания, — крепкую фигуру, зеленые холодные глаза...

* * *

Голова раскалывалась. Особенно затылок. На темечке набухала добрая шишка — в том месте, которым я соприкоснулся с таксофоном. Лоб саднил — ему тоже пришлось не сладко. Желудок тянуло расстаться со скудным содержимым. Было тошно. И в буквальном, и в переносном смысле.

Наконец удалось сфокусировать взгляд. Кабинка с таксофоном проплывала где-то над головой. Справа, слева и снизу — холодный сухой асфальт. Рядом я нащупал стену дома. Попытался встать — и новый приступ боли расколол череп. Вот так и получают сотрясение... Если мозги в голове есть.

Принять вертикальное положение с трудом, но удалось.

Я ощупал карманы — кошелек, ключи, документы — все на месте. Не пострадал и пейджер на поясе. А вот таксофонной карточке на четыреста единиц (между прочим, казенной) не повезло. Как, впрочем, и визитке с номером Вересовского. Стало быть, кто-то не хотел, чтобы Вересовский узнал раньше времени о дочкином залете? Что там майор говорил на крыльце о звонке из Главка с требованием проверить парочку в «Трех семерках»?

Выходит, проверяли именно нас с Ланой. Точнее, Лану, ведь у меня наркоты не было. Припомнив реакцию в отделении, когда выяснилось, что задержанная — «та самая Вересовская», я сообразил, что наколку на «парочку» давали без имен, иначе начались бы вопросы, согласования. О назначении Вересовского к тому моменту знали уже все.

Но и предугадать, что мы с художницей окажемся именно в «Трех семерках», было невозможно. Значит, нас вели от самой «Дыры». Или из «Дыры», если учесть, что выбрались мы оттуда через черный ход. Крепыш с сосисками в «Трех семерках» — он вошел туда через пару минут после нас. Крепыш...

Обо всем этом стоило поразмыслить. Но позже, позже... Надо как-то добраться до телефона. Я ведь собирался звонить не одному Вересовскому.

Я отыскал круглосуточный магазин. Продавщица странно посмотрела на мою разукрашенную физиономию, но журналистские корочки немного сгладили недоверие. После десятка гудков на том конце провода сняли трубку.

— Да... Какого черта... Три часа ночи... — Ну вот и пришлось сквитаться с Повзло за его утренний звонок.

— Коля, это Соболин, прости Христа ради, но у меня умопомрачительные новости...

— Вовка, ты охренел совсем. Ты куда пропал? Анюта дома с ума сходит.

— Ты можешь меня выслушать? Вересовскую задержали только что в «Трех семерках» с двумя дозами героина.

На том конце трубки повисла пауза. Пока Николай приходил в себя, я в двух словах описал ему наши с художницей приключения, опустив наиболее интимные подробности.

— Что мне теперь делать? — спросил я.

После некоторой паузы Повзло посоветовал вернуться в милицию и не выпускать Вересовскую из виду.

— Да она же в камере сидит...

— Утром ее выпустят, если не раньше. На Литейном, поди, уже шорох стоит.

— А как мне сообщить папаше? Карточку-то у меня уперли.

— Думаю, что Вересовскому сообщат и без тебя. В Главке доброхотов-лизоблюдов хватает.

— Ладно, пойду заступать на пост. Коля, ты Анюте позвони сам, обрисуй ситуацию, а то мне второй раз позвонить уже не дадут.

Повзло пообещал позвонить.

* * *

Примерно в то же время телефонный звонок раздался в квартире на Петроградской стороне. Трубку взял облаченный в желтую хламиду, наголо обритый молодой парень.

— Да...

— Намгандорж, это я, Татьяна.

— Я узнал. Есть новости о вашей гостье?

— Ее задержали в каком-то баре с наркотиками...

— Где она сейчас?

— В милиции. Больше я ничего не знаю.

— Спасибо, Таня.

Монах повесил трубку и повернулся к напарнику:

— Надо срочно изымать товар. Пошли людей.

Тот молча кивнул.

* * *

Подворотня напротив милицейского отделения — не лучшее место из тех, где мне приходилось проводить ночи. Я притаился в тени, чтобы не мозолить глаза постовому с автоматом у дверей. Хорошо еще удалось отыскать какой-то ящик, на нем я и пристроился, скорчившись и пытаясь хоть как-то не растерять тепло под своей легкой курткой. В боковом кармане что-то брякнуло. Я сунул руку внутрь.

Глиняная фигурка раскололась, когда крепыш отправил меня в нокаут и я поддался действию земного притяжения. Среди темных осколков белел какой-то порошок — высыпался из Будды, когда статуэтка разбилась. Порошка набралась почти полная пригоршня. Я осторожно лизнул его кончиком языка. Я не эксперт и не наркоман, но привкус кокаина сложно перепутать с чем-нибудь еще: очень резкий кисло-горький привкус. Из листка блокнота я сделал кулек и аккуратно ссыпал в него порошок. Вместе с осколками Будды сунул сверток в карман куртки.

В сумочке у Ланы — героин, а в Будде — кокаин. Интересная картина. Начнем с сумочки: откуда он там? Сама Вересовская положила? Но тогда каким образом про эти пакетики узнали в милиции? Была ли художница наркоманкой? Судя по тому, что я про нее успел узнать — нет. Да и в сумочке не было ни шприца, ни других необходимых для приема героина приспособлений.

Несмотря на сотрясение, голова работала хорошо. Поверим Вересовской на слово — она не наркоманка. Значит, героин ей кто-то подложил. Учитывая последние политические события и взлет карьеры ее папаши, версия не лишена правдоподобия. Дочь-наркоманка — что может лучше скомпрометировать новоиспеченного секретаря Совета Безопасности? Неизвестный и драчливый крепыш, которого я не собирался сбрасывать со счетов, подтверждал эту версию. Даже если наркоту подкинул не он, то, по крайней мере, ему было о ней известно.

Кокаиновый Будда. Хороша задумка: послать местной буддийской общине ящик с фигурками Будды. Такие в каждом дацане (и наш, питерский, не исключение) продаются по десять-двадцать рублей за штуку всем желающим. И ведь никто не подумает, что внутри может быть кокаин — на несколько тысяч долларов! Знала ли Лана о начинке в этой посылке? Неизвестно.

В подворотне посерело. Наступало утро. С улицы донесся шум подъехавшего автомобиля. Я выглянул из своего укрытия. От джипа к отделу милиции спешили несколько человек с камерой, треногой, осветительными приборами и микрофонами. Во главе вышагивал скандальный телерепортер, краса и слава питерского телевидения, временно переместившийся в кресло депутата Государственной Думы.

Следом с перекрестка выворачивала целая кавалькада машин, на этот раз милицейских «фордов» и «вольво» с мигалками. Процессия остановилась возле милиции. Из «вольво» высунулись генеральские лампасы, увенчанные фуражкой. Я узнал народного генерала, нынешнего главу ГУВД. Теперь мне уже было не пробиться в помещение. Но поближе ко входу в отделение я просочился.

Минут через семь вся компания вывалила обратно на улицу, первыми — телевизионщики с нацеленными на крыльцо камерами. В дверях появился генерал с Вересовской. За ними тянулось милицейское начальство рангом поменьше, лампасами поуже.

— Мы, Лана Викторовна, пошли вам навстречу, — генерал распахнул перед художницей дверцу машины, — помните, вы теперь обязаны явиться по первому вызову следователя.

— Лана, — я отчаянно помахал ей, уже ныряющей в нутро генеральской «вольво».

Она нашла меня взглядом. Что-то шепнула генералу. Тот нахмурился, но дал знак пропустить меня к машине. Я плюхнулся на сиденье рядом с Вересовской.

— Это Володя... мой знакомый, мы вместе были вчера вечером, — пояснила девушка главному милиционеру города.

— Куда вас отвезти, Лана Викторовна? — поинтересовался генерал (меня он ни взглядом, ни тем более словом не удостоил).

— На Пушкинскую, — ответила Вересовская.

— Может, лучше в гостиницу?

— На Пушкинскую.

Процессия медленно ехала по направлению к «Дыре». Нас высадили рядом с небольшим сквериком. На прощание генерал еще раз предупредил Лану о необходимости явиться по первому слову следователя для дачи показаний.

Второй раз за последние двадцать четыре часа я поднимался по этой лестнице. Вот и нужный этаж. Лана потянулась к кнопке звонка.

— Не трезвонь, открыто, — я толкнул старую деревянную дверь, и она со скрипом подалась в сторону.

В галерее было темно. Лана нашарила на стене выключатель. Под потолком вспыхнула лампочка.

— Что ты теперь собираешься делать? — поинтересовался я.

— Залезть под душ, а потом в постель... Фарух!.. — позвала Лана хозяина.

Но про постель тут же пришлось забыть. Фарух лежал на полу в той комнате, где были составлены ящики с инсталляцией. Кровь, натекшая из располосованного от уха до уха горла, уже успела свернуться. С момента убийства прошло часа четыре, не меньше.

Мне пришлось зажать Лане рот. Она билась в моих руках и кусалась, но я держал крепко. Несколько пощечин наконец привели ее в чувство.

— Только не надо кричать, ладно? — твердо попросил я.

Девушка кивнула.

— Посмотри, что-нибудь пропало? Но ничего не трогай.

Лана обошла комнату, стараясь не ступать в лужу крови.

— Ящик. Ящик с Буддами. Все остальное на месте.

Теперь я и сам видел, что раскуроченного, а потом на живую нитку заколоченного мной ящика в комнате не было.

— Пойдем отсюда, — я потянул свою спутницу за руку.

Мы сидели на кухне и курили.

— Надо вызвать милицию... — Лану трясла нервная дрожь — кончики пальцев так и ходили ходуном, да и голос дрожал.

— Вызовем... Только скажи мне, зачем убийцам какие-то глиняные фигурки? — я знал ответ, но мне хотелось услышать, что скажет Лана.

— Не знаю, не знаю... — она согнулась в три погибели и уткнулась лицом в коленки.

Кухня была уставлена водочными бутылками. Почти все они были пусты. Но полстакана водки я все же нацедил. Лана поперхнулась, когда я силой влил ей в рот обжигающую жидкость. На щеках ее проступил румянец, глаза приобрели осмысленное выражение.

— Лана, вся проблема именно в этих Буддах. Кому нужен слепой художник? Кому он мог перейти дорогу? Вероятнее всего, он помешал тем, кто пришел за этим твоим ящиком. Кто же про него знал, кроме тебя?

— Только те, кому я его должна была передать. Люди из буддийской общины.

— Кто они такие?

Лана толком не знала. Эти два молодых монаха прибыли в Россию из Внутренней Монголии всего месяца три назад, чтобы нести свет веры и искать новых адептов древнего вероучения. Одного звали Намгандорж, второго — Юржагин. Ей поручили им позвонить по приезде и сообщить, что привезла посылку. Забрать ящик должны были они сами. В лицо она их не знает, но какие-то два желторясника были на тусовке. Может быть, это были они.

— В ящике было что-то еще, кроме Будд? — спросил я.

— Я его даже не открывала.

Я думал: стоит говорить ей про кокаин или нет?

Пожалуй, стоило рискнуть — я и так уже вляпался по самые уши в эту дурацкую историю.

Я отсыпал Лане щепотку порошка из своего свертка.

— Ты знаешь, что это такое?

Она осторожно принюхалась, затем лизнула его кончиком языка.

— Кокаин?

— Ответ верный, — я протянул ей осколки Будды. — Это было внутри.

— Не может быть...

— Здесь кокаина на несколько тысяч долларов. Сколько фигурок было в ящике? Считай сама. За это могли прирезать не только Фаруха.

— Господи... я ничего не знала. Какие сволочи! — Лану опять начало трясти.

Я обнял ее и прижал к себе. Рубашка там, где она соприкасалась с лицом Вересовской, промокла. Я чувствовал, что и мои силы на исходе.

— Где здесь телефон?

— В комнате Фаруха, — Лана махнула рукой по коридору, — нет, не там, где он лежит... Погоди, я — с тобой.

Она вцепилась в мой локоть. Я взглянул на пейджер. Девятый час утра. Какой длинный день... Хорошо быть криминальным репортером, всегда знаешь, куда и кому звонить.

Мне повезло. Начальник «убойного» отдела Центрального РУВД был уже на месте.

— А, Володя! Рановато ты сегодня звонишь — у нас все тихо.

— Не хотелось бы вас огорчать, Анатолий Александрович, но на Пушкинской убийство. В «Дыре».

— Погоди, я об этом ничего не знаю... — в голосе «убойщика» слышалось удивление.

— Вот я и звоню сообщить, только... приезжайте сами, Анатолий Александрович.

— Хорошо, Володя. Будем там через десять минут.

Я снова стал крутить телефонный диск. Мне повезло и на этот раз — Максим Мальцев оказался на месте.

— Макс, помнишь хозяина притона на Гашека?

— Ну...

— Он говорил про партию кокаина, которая должна прийти в город. Так вот, эта партия уже здесь. Проверь буддийский дацан. Там в глиняных статуэтках Будды — героин. Ящик должны были доставить сегодня ночью. И проверь квартиру с этим телефоном, — я назвал номер на Петроградской, который мне сказала Лана. — Там двое постояльцев: Намгандорж и Юржагин. Если их задержишь, коли не только на кокаин, но и на убийство в «Дыре».

Мальцев присвистнул:

— Ну ты, старик, даешь...

Теперь можно было спокойно ждать приезда Анатолия Александровича с его «убойщиками».

— Пойдем, Лана Викторовна, встретим их на пороге.

Дочь олигарха послушно вышла за мной на лестницу. Мы сели на подоконник. Снизу послышались шаги и знакомый голос Анатолия Александровича.

* * *

Домой я попал только под вечер. Сперва была долгая — очень долгая — беседа с «убойщиками». Мы выложили им все, что знали. Рассказ поначалу не вызвал особого доверия, но когда около полудня Мальцев сбросил мне на пейджер информацию, что обоих буддистов взяли с чудовищным количеством кокаина (только по приблизительным подсчетам в ящике оказалось под тридцать килограммов чистого наркотика), сомнения развеялись.

Лану я отвез в гостиницу. Там ее уже ждали малоприятные посланцы от папаши. Вещи были собраны. Нам даже не дали толком попрощаться.

— А как же твоя инсталляция? — поинтересовался я.

Лана только махнула рукой. Девушку, не слишком церемонясь, усадили в «мерседес» и повезли в аэропорт.

* * *

И Анатолий Александрович, и Мальцев настоятельно не советовали мне описывать подноготную обоих происшествий. Я и не стал сводить их воедино в информационной ленте нашего агентства. Описал по отдельности, без особых подробностей. Ни к чему кому-то, кроме оперативников, знать, что я знаком с такими эксклюзивными подробностями... Отписал я и информацию о задержании дочери олигарха с наркотиками в «Трех семерках». Тот абзац, где я писал, что это была чистой воды подстава с целью скомпрометировать Вересовского-старшего, Повзло вычеркнул. Я хлопнул дверью.

* * *

Приносить и распивать спиртное в кафе «Лениздата» категорически запрещено. Впрочем, чихать я хотел на эти запреты. Когда я уже приканчивал «чекушку», ко мне за стол подсел Толик Мартов, коллега по цеху криминальных репортеров. Темные круглые очки, которые он не снимал и в помещении, скрывали свежий фингал под глазом литературного собрата.

— С утра выпил, весь день свободен? — Толик с вожделением уставился на «чекушку». — Слыхал, Володя, новость?

Я вопросительно взглянул на алчущего Мартова.

— Дочку Вересовского вчера вечером прихватили с килограммом наркоты в «Ренегат баре», мне сегодня в РУВД слили.

Господи, ну что с тебя, убогого, возьмешь. Я поставил перед Мартовым стакан с остатками водки. Пусть хоть этим голову немного поправит, если сможет.

— Бедный Йорик, я знал его... — Я похлопал коллегу по плечу. — Все было не так, Толик, совсем не так...

— Какой Юрик?.. — как всегда, ничего не понял Мартов, но я уже был на лестнице.

Анюта со мной упорно не разговаривала. Хоть накормила, и за то спасибо. Постелила она мне на кресле-кровати, мы его обычно для гостей держим. «Она его за муки полюбила, а он ее за состраданье к ним...»

ДЕЛО О ДВУХ РАСПИСКАХ

Рассказывает Николай Повзло

«...*В агентстве отвечает за политическую часть расследований. Обладает хорошими и давними связями в политических кругах города (во время учебы на философском факультете университета увлекся политикой: был „зеленым“, членом „народного фронта“, безуспешно баллотировался в народные депутаты СССР. В начале девяностых разочаровался в политике. Создал рекламное агентство, которое обанкротилось. Занялся журналистикой).*

Немногословен. Задумчив. По национальности украинец. От украинского во внешнем облике — только усы. Одевается строго.

Как руководитель излишне мягок по отношению к подчиненным. Философское образование сказывается в том, что, критикуя действия сотрудников, любит вспоминать Гегеля, Юнга и Платона, чем приводит сотрудников агентства в состояние легкого недоумения».

Из служебной характеристики

Я собирался сходить перекусить, когда в дверях появился какой-то парнишка.

— Вы — Николай Повзло, заместитель директора «Золотой пули»? — он, похоже, был уверен, что не ошибся. — Вам просили передать.

Незнакомец — я даже не успел его толком запомнить — протянул большой конверт, который я машинально взял.

— Простите, а кто...

Но он уже быстро спускался вниз. Еще через несколько секунд хлопнула дверь в подъезд.

Пришлось вернуться — интересно ведь, что это за таинственное послание. Конверт как конверт, чуть больше обычного. Ни — кому, ни — от кого.

Я на всякий случай поднес конверт к лампе, но ничего подозрительного на просвет не обнаружил. Что ж, вскрытие покажет.

Я оторвал край и вытащил три сложенных вдвое листа. На всякий случай заглянул внутрь. Нет, это все.

На двух страницах были копии расписок, написанных от руки.

«Я, Аксененко С. М., служебное удостоверение 435/281 Главного управления охраны, получил от президента ООО „Геракл" Подкопаева 25 000 (двадцать пять тысяч) долларов США (во второй расписке — 14 тысяч). Обязуюсь вернуть деньги до 30.12. В противном случае рассчитаюсь выполнением обязанностей, связанных с моей профессиональной деятельностью». Число, подпись.

Еще на одном листе в нескольких строках сообщалось, что майор Аксененко работает в системе госбезопасности с 1981 года, в начале девяностых в связи с реорганизацией КГБ перешел на работу в Главное управление охраны и с недавних пор совмещает госслужбу с выполнением деликатных услуг для коммерческих структур.

Если все действительно так, как написано, то товарищ Аксененко совсем страх потерял. Стоит проверить, может получиться неплохой материальчик. Впрочем, сейчас московские газеты то и дело пишут о том, как крышуют господа офицеры.

О подарке надо бы рассказать шефу. Я сунулся к нему в кабинет, но меня упредила Любочка, наш секретарь и администратор.

— Обнорский будет после трех. У него сегодня лекция в университете.

А! Я и забыл, что он передает опыт подрастающему поколению. Говорят, студентки от него в восторге.

* * *

В конторе было почти пусто — все в разъездах. За столом у входа, уткнувшись в очередное произведение Обнорского, сидел наш новый охранник. Только дверь в кабинет нашего главного сыщика Спозаранника была открыта, и Глеб, как всегда в белой рубашке и при галстуке, с кем-то строго говорил по телефону.

— Николай, ты мне нужен. — крикнул он мне, когда я проходил мимо. Войдя, я услышал только последнюю фразу:

— Нет, это я не вам. А вы, если хотите что-нибудь сказать в свое оправдание, — заходите, мы вас выслушаем, — и Глеб положил трубку.

— С кем это ты так?

— Понимаешь, помощник прокурора районного с подследственных деньги вымогал за прекращение дел. Мне в РУБОПе эту тему слили. Вот собираюсь написать, а товарищ сопротивляется.

— Странный он какой-то. Что еще новенького?

— Новенькое — это у репортеров. А мы, ты же знаешь, пишем большие полотна.

— Да кто ж не знает. По полгода над каждым работаете.

— А ты как думал? Вон в прокуратуре по три года дела висят. Расследования не терпят суеты. Кстати, насчет новенького. Хочешь, кое-что покажу? — Глеб извлек из стола и протянул мне страничку текста. — Прикинь, как круто! Прокурор получил на халяву квартиру от директора завода.

Что-то в этой справке показалось мне подозрительно знакомым. Только я не сразу смог вспомнить, что именно.

— Подожди... — наконец вспомнил я. — Так ведь я тебе сам эту справку еще год назад передал.

— Да? — он выхватил у меня документ и стремительно спрятал в стол. — Ну ладно, тогда можешь идти.

И на том спасибо. Глеб со своей таинственностью когда-нибудь перехитрит сам себя.

— Я тебе тоже могу кое-что показать, — сказал я.

— Давай, — оживился Спозаранник.

— Нет, пожалуй, не буду.

* * *

Я перебрался к себе в кабинет и, устроившись в кресле, вновь перечитал содержимое конверта. Все это, конечно, надо проверять. Но как? Звонить в Управление охраны и спрашивать, служит ли у них имярек такой-то? Бессмысленно. В лучшем случае ничего не скажут, а скорее всего, просто пошлют.

С другой стороны, можно «пробить» телефончик этого самого «Геракла» и напрямую спросить товарища Подкопаева — чем ему так обязан господин офицер. Тем более что других вариантов вроде бы нет. Правда, колоть людей, как наш Глеб, я не могу — не получается. Наверное, не мой стиль. А сам Подкопаев ведь может и не сказать. И что, если об этом сразу же станет известно Аксененко?

Нет, такой футбол нам не нужен... Хотя есть идея. Нормальные герои всегда идут в обход. Есть же Степа. Степан — хороший парень, вдобавок — помощник депутата из комитета по делам безопасности городского собрания. Пускай пнет своего народного избранника. Что тому стоит сделать пару звонков и доложить: существует ли в природе такой товарищ майор или нет. Если существует — будем думать дальше.

Я набрал номер телефона. Степа, последний резерв ставки, как всегда, был на месте.

— Старик, ты слышал, только что подписано распоряжение о досрочных выборах? — пошутил я для начала.

— Ты что! — он все принял всерьез. — Кто подписал? Когда?

— Можешь расслабиться. Шутка.

— Ну у тебя и шутки с утра пораньше. Так и кондратий может схватить. Выборы — это же опять деньги искать, к банкирам идти, а они после кризиса знаешь как жмутся.

— Ничего, работа у тебя такая. А что, взяток нынче не дают?

— Какие взятки? Обижаешь. Никто даже и не предлагал.

— Оправдываться будешь в милиции. — Пора сменить тему, решил я. — Дело есть. Ты никуда не убегаешь? Тогда я подъеду.

У Мариинского дворца — обители депутатов — полукругом стояла стайка бабушек под предводительством мужика с мегафоном, взывающих выпустить на волю их избранника, арестованного за развратные действия с несовершеннолетней прямо в своем депутатском кабинете. Время от времени, по команде мужика, они принимались нестройно голосить: «Топоров — лучший друг детей», но всякий раз заканчивали лозунгом «Президента — в отставку».

Особенно мне понравилась надпись на картонке в руках одной сердобольной старушки: «Свободу узнику совести».

В дворцовых коридорах царила обычная, никого ни к чему не обязывающая суета. В перерыве заседания депутаты толпились у стойки в столовой, но их лица не покидала печать заботы о благе народонаселения.

Я вспомнил, как в советские времена здесь висел маленький плакатик с запретом выносить еду в прозрачных пакетах. Очевидно, чтобы не дразнить измученного дефицитом обывателя...

В отсутствие босса Степа восседал в кресле за его массивным, старой работы столом, покрытым зеленым сукном. Рядом на тумбочке стояли четыре телефона, один из них даже с гербом.

— А ты заматерел, — приветствовал я Степана и, не дожидаясь приглашения, сел на стул у стола. На столе были аккуратно разложены какие-то документы, а с краю возвышалась толстая пачка свежих газет.

— Заматереешь тут, — Степа откинулся в кресле. — Пишу речь для начальника — будет выступать на комиссии по борьбе с преступностью. Вот, послушай, — он повернулся к монитору компьютера:

«На сегодняшний день организованная преступность уже имеет своих представителей во всех эшелонах городской власти. Она контролирует ряд ключевых сфер бизнеса и пытается оказывать влияние на кадровые назначения...»

— Ну как? — он вопросительно посмотрел на меня.

— Сильно сказано. Только нынче это вроде бы уже не новость. — По-моему, он расстроился. — Ладно, не обижайся. Когда напишешь — покажи, может, подкину тебе что-нибудь любопытное из нашей базы. Не за просто так, конечно. Баш на баш. Тут такое дело. Твой хозяин может ведь поинтересоваться, работает ли в Управлении охраны один человек...

— А тебе-то зачем? Собираешь секретные сведения?

— Да, по заданию ЦРУ, — пришлось показать ему расписки.

— О, я как раз сейчас делаю доклад по нарушениям законности работниками правоохранительных органов. Можно это включить туда.

— Погоди, пока еще нечего включать. Сперва надо все проверить.

— Ладно, пиши, как там фамилия твоего майора. Начальник скоро будет, озадачу его.

Я чиркнул на листочке фамилию, инициалы, звание Аксененко и, пожав Степе руку, отправился пить заслуженную чашку кофе с булочкой. Булочки в Мариинском очень аппетитные. Можно считать, что полдела сделано.

В буфете рядом со столовой было почти пусто. Только за дальним столом несколько акул пера из числа постоянно освещающих перипетии тяжелой депутатской жизни внимательно слушали Жоржа. Жорж, круглолицый упитанный пацан, недавно заделался пресс-секретарем одного из депутатов и, без сомнения, был очень горд этим назначением. Но вообще-то он был прирожденным «бутербродным» журналистом. Несколько лет назад Жорик, которому не было тогда еще и пятнадцати, стал появляться на презентациях и пресс-конференциях. Он не пропускал ни одного мероприятия, заканчивающегося фуршетом или подарками для пишущей и снимающей братии. Запихивая за обе щеки бутерброды и тарталетки, он успевал между делом собирать угощения в большую сумку, прямо с тарелок вперемешку ссыпая в нее остатки со столов.

Взяв кофе, я пристроился рядом с ним и, выждав паузу, невзначай поинтересовался, когда наверху начинается презентация.

— Презентация? — встрепенулся Жорик. — Почему я не знаю? Надо посмотреть, — он выскочил из-за стола и убежал. Остальные тоже было засобирались, но мне пришлось их разочаровать: это была спецшутка для Жорика.

* * *

Судя по припаркованной у нашего офиса навороченной «Ниве», Обнорский уже был в конторе. Когда я заглянул к нему в кабинет, он полулежал на диване, а на краешке его кресла примостилась длинноногая рыжая девица в коротенькой юбочке.

Знакомая картина. Поклонницы шастали к Андрею чуть ли не каждый день — как же, модный писатель, известный журналист, в ореоле таинственности, — и, лежа на диване, шеф позволял себе пофилософствовать перед посетительницами или вспомнить, как выполнял интернациональный долг на Ближнем Востоке. Но эта, по-моему, была не в его вкусе.

— Здорово, проходи, — увидев, что я собрался ретироваться, Обнорский привстал и представил меня гостье:

— А это, Валя, мой заместитель, Коля Повзло. Очень хороший журналист.

Приятно, черт побери, что начальство тебя ценит, но Валя на меня даже не взглянула. Полуоткрыв рот, она завороженно смотрела на Андрея.

— А это, Николай, — Валентина Горностаева, студентка журфака, — я у них лекции читаю. Просится к нам на работу.

Обнорский повернулся к гостье:

— Валя, вы должны понять, что это очень тяжелая и ответственная работа. Может быть, совсем не такая, как вы себе представляете.

— А пистолеты у вас выдают? — вдруг перебила Горностаева, закидывая ногу на ногу и поправляя юбку.

Шеф осекся и даже несколько секунд собирался с мыслями. Мне, честно говоря, показалось, что девица малость того, и вроде бы он посмотрел на нее с сожалением.

— Я должен вас разочаровать. Здесь нет никакой романтики. Ни погонь по ночному городу, ни часов ожидания в засадах. Вместо этого вам днями придется сидеть в библиотеках, читая подшивки газет, и еще многому учиться.

Девица закурила сигарету и сказала после некоторого раздумья:

— Жаль, но я согласна.

Ответила она так, будто сделала нам одолжение. А я-то думал, что она тащится оттого, что вот так запросто общается с самим(!) Обнорским.

В общем, я не совсем понял, на что она согласна.

— Ну что, Николай, попробуем? — утвердительно спросил у меня Андрей.

Я молча пожал плечами. Попытка — не пытка. Тем более если шеф что-то решил — переубеждать его все равно бесполезно.

— Хорошо, — оценив мое молчание как одобрение, подвел итог Обнорский. — Для начала мы вам можем предложить пройти у нас стажировку. Только, барышня, эту юбку вам придется сменить на что-нибудь более подходящее. У нас не ночной клуб. Забирай Валентину, введи в курс дела (это уже задание для меня).

Вводить мне никому ничего не хотелось, даже длинноногой. Поэтому я решил сплавить ее Агеевой, даме опытной во всех отношениях, к тому же заведующей нашей аналитической службой. Пускай воспитывает подрастающее поколение.

Марина Борисовна была на месте.

— Принимайте пополнение, — уступив дорогу, я пропустил впереди себя в кабинет Валентину. Марина Борисовна пила кофе с каким-то субъектом с выпученными глазами в очках с тонкой оправой и черном костюме-тройке.

— Вам задание шефа. Валя Горностаева будет у нас стажироваться. Познакомьтесь, расскажите ей, чем мы тут занимаемся.

— Николай, вы же знаете, у меня море работы, — попыталась отмазаться Агеева.

Знаю, знаю. Море работы — это любимый ответ Марины Борисовны.

— Обнорский собрался писать исторический детектив, — продолжила Агеева. — Современных сюжетов ему уже мало, так он придумал что-то про коррупцию при Юрии Долгоруком — который на Тверской у Моссовета на коне восседает. Заказал мне историческую справку. Я неделю провела в архивах. Оказывается, Долгорукий был маленький и толстый, а посему на коне в доспехах да с бравой выправкой вряд ли сидел...

— Все равно лучше вас с этим поручением никто не справится, — сказал я. — Да, и расскажите Вале про форму одежды.

Пока Марина Борисовна рассказывала о своих исторических изысканиях, Горностаева присела на край стола. Ноги у нее были действительно хороши. Впрочем, я поспешил выйти.

— А вы, наверное, Повзло, — остановил меня в дверях субъект, до этого молча сидевший в кресле рядом с Агеевой.

— Арнольд, — он протянул руку. — Обнорский поручил мне проводить психологическое тестирование сотрудников «Золотой пули».

Этого еще не хватало. Новая затея шефа. В нашей «Золотой пуле» есть бывшие менты, коммерсанты, музыканты, манекенщицы и, само собой, журналисты. Как в Ноевом ковчеге. Только психолога не хватало.

Рука Арнольда оказалась рыхлой и потной.

— Так вы психолог?

— Почти. Сейчас защищаю диплом на заочном. У вас есть время побеседовать?

Какие-то задатки психолога, наверное, у него все-таки были, потому что субъект почувствовал, что желания беседовать у меня нет.

— Ну хорошо, не надо. Давайте я вам оставлю вопросник, а вы на досуге посмотрите, — и будущий психолог всучил мне целую пачку переснятых на ксероксе листов с какими-то вопросами, геометрическими фигурами и прочей дребеденью.

Со мной ему явно не повезло. С досугом у меня проблемы, поэтому я сразу засунул «домашнее задание» под ворох бумаг на своем столе. Стол я никогда не разбираю и другим не даю, зато складываю сюда всю макулатуру. Может быть, через несколько месяцев, перебирая бумаги, найду и вопросы Альберта. Да, надо же доложить Обнорскому о расписках.

— А он уже уехал, — радостно сообщила Любочка. — У него сегодня вечером турнир по бильярду.

Шары, значит, катает.

Впрочем, дело к вечеру. До завтра терпит.

* * *

— Коля! Обнорский сегодня целый день будет на симпозиуме по борьбе с организованной преступностью. Велел передать, что ты в конторе за старшего, — обрадовала меня Люба, едва утром я переступил порог конторы.

Во влип. Других забот нету. Такие симпозиумы проводят чуть ли не каждую неделю, только оргпреступности это по фигу.

— Повзло! Сними трубочку, — остановил меня уже в коридоре звонкий Ксюшин голос.

— Николай Львович? — бархатистый голос в телефоне был мне незнаком. — Вы интересовались Аксененко, — это был скорее не вопрос, а утверждение. — Нам надо бы встретиться.

Предложение застало меня врасплох.

— Собственно говоря, с кем?.. — Хотя логичнее было бы спросить — зачем.

— Вы все узнаете. Договорились! — Это «договорились» тоже не предполагало возражений.

— Допустим. А где? — я растерялся и совсем упустил инициативу.

— Давайте на углу Литейного и Шпалерной через полчасика.

Ничего себе местечко — у Большого дома.

— Хорошо, как я вас узнаю?

— А мы вас сами узнаем,— в трубке раздались короткие гудки.

Интересно, как они пронюхали? Неужели Степа проговорился?

Делать нечего, придется ехать. Только сейчас до меня дошло, что я понятия не имею, с кем собираюсь встречаться. Надо бы кого-нибудь из наших предупредить. Мало ли что. Впрочем, место для встречи выбрано такое, что вряд ли что-то случится. Но предупредить все равно надо.

— Слушай, дорогой, к тебе уже приставал этот, Адольф или как его там? — подскочил ко мне Зураб Гвичия.

В моменты высшего волнения (а сейчас, видимо, как раз был такой момент) у него прорывался кавказский акцент. Год назад, когда ему вместо очередной звезды предложили очередную командировку на Северный Кавказ, Гвичия понял, что «майору так и не бывать генералом». Он забил болт на армейскую карьеру в десантных войсках и сам попросился на работу в агентство. Мы как раз искали себе тогда начальника службы безопасности. Зураб подошел как нельзя кстати. Но поначалу предпочитал действовать сугубо армейскими методами. Пришлось объяснять, что здесь не Чечня и совершенно не обязательно каждого постороннего, входящего в офис, допрашивать с пристрастием. Однажды ему под горячую руку попался директор крупнейшей охранной конторы «Стервятник», зашедший в гости к Обнорскому. Он прошел мимо поста охраны, не показав удостоверение, но тут же попал в руки Гвичия, а еще через пятнадцать секунд стоял лицом к стене, ноги на ширине плеч, руки на стену...

— Я сам психолог. Физиономист! Я его так протестирую, что мало не покажется, — горячился Зураб.

Ага, видимо, Альберт добрался и до него.

— Нет, кто это придумал, скажи? — продолжал шуметь Гвичия.

— Ладно, остынь, — сказал я ему. — Не нравится, пожалуйста, скажи об этом шефу. И знаешь, на всякий случай: я уехал на одну интересную встречу к Большому дому. Ориентировочно, люди из конторы. Сами предложили.

— Может, съездить с тобой?

Это было бы неплохо. «Здрасьте, а это моя охрана». Но вдвоем нас явно не ждут.

— Нет, спасибо, это лишнее.

А вот разговор не мешало бы записать, подумал я, кстати вспомнив про нашу спецтехнику.

Я вытащил из сейфа диктофон размером с пол-ладони, положил машинку во внутренний карман куртки, а через рукав вывел к ладони пульт дистанционного управления. Диктофон работает бесшумно, а на улице не будет слышно даже, как щелкнет включение записи. «Раз, раз, проверка диктофона». Пожалуй, неплохо. Конечно, видеокамера в пуговице — это было бы еще круче — как-то шведские телевизионщики показывали нам такую игрушку, — но пока об этом остается только мечтать.

До встречи оставалось двадцать минут. Общественную агентскую тачку кто-то уже увел. Значит, на такси. На месте я был за пять минут до «стрелки».

У Большого дома, где размещаются управления ГУВД и ФСБ по Петербургу, было, как всегда, немноголюдно. Странно, но почему-то прохожие, проходя мимо этих подъездов, до сих пор ускоряют шаг. Только у главного входа лениво покуривала пара постовых с автоматами и в бронежилетах.

— Николай Львович...

Я даже не заметил, как они подошли. Как раз про таких, наверное, говорят — внешность настоящего разведчика. Ничем не примечательные лица, ничего выдающегося в одежде. В инкубаторе их выращивают, что ли? Один, повыше, в коричневой кожаной куртке и кепке. Другой — в сером плаще.

— Алексей Иванович, — представился тот, что в плаще. Видимо, он был старшим, и, похоже, именно он говорил со мной по телефону. Такой же Алексей Иванович, как я Петр Петрович.

— Это мой коллега, — «Алексей Иванович» показал на второго. Тот слегка кивнул в знак согласия. — Где бы нам поговорить? Давайте пройдемся. — Мы не спеша свернули на Шпалерную.

— Очень нравится нам ваша «Золотая пуля». Всех злодеев вывели на чистую воду? — По-прежнему говорил только «Алексей Иванович». Вопрос, впрочем, не требовал ответа. — Но иногда вы слишком увлекаетесь.

Я включил диктофон на запись.

— Вы, Николай, — ничего, что я буду вас так называть? — наверное, догадываетесь, откуда мы и почему встречаемся с вами. Мы понимаем, что журналистам нужны сенсации. Но иногда не стоит ловить кошку в темной комнате. Особенно если там ее нет. Ошибся Сергей Николаевич Аксененко, с кем не бывает. Не ошибается только тот, кто ничего не делает. Наш вам дружеский совет — не стоит об этом писать. Пятно на всю службу, опять же. Забудьте вы об этом. А мы вам, в порядке компенсации, подбросим что-нибудь любопытное. Настоящую бомбу.

— Вот только бомбы не надо, — спохватился я. — У нас их, знаете ли, у самих хватает.

Молчавший до сих пор «коллега» усмехнулся и, вытащив из внутреннего кармана пачку фотографий, протянул ее мне.

— Взгляните, вот настоящая сенсация.

Не очень качественные, явно непрофессиональные снимки, вероятно, сделанные телеобъективом: лысеющий мэн и женщина, в возрасте далеко за тридцать, на корме катера на Неве. Мужчина накинул на плечи спутнице пиджак и слегка приобнял ее. Еще на одном — эта же пара обедает где-то в открытом кафе. А вот они же, взявшись за руки, гуляют в парке. Снято, опять же, издалека. Обычная влюбленная пара. На последней карточке — он за рулем, а она садится в машину. На «форде» — дипломатические номера. Дипломат? Ну и что?

— Ну и что? — я хотел вернуть фотографии «коллеге».

— Не торопитесь, это очень любопытные снимки. Мужик — Курт Дерксон — атташе немецкого консульства, а женщина — его русская подруга.

— Это у нас вроде бы теперь не запрещено? Или времена меняются?

— Не запрещено, — серьезно продолжил «Алексей Иванович». — Поэтому мы даже не говорим, что господина Дерксона на родине ждет супруга и две очаровательные дочки, которых он почему-то не привез в Россию. Но вот его спутница, назовем ее Лена, раньше работала в секретном НИИ. Не исключено, что отсюда и интерес к ней Курта.

— У вас есть доказательства?

— Пока нет. Но вот вы и проверьте. Получится великолепный материал. Берите фотографии. А Аксененко оставьте в покое. Идет?

Признаться, предложение меня не вдохновило. Но у меня плохо получается говорить людям «нет».

— Я сейчас не могу ничего обещать. По крайней мере, поставлю в известность Обнорского.

— Поставьте, но все же, наш вам совет, не лезьте вы в эту историю.

— Как вас найти?

— Мы вас сами найдем,— мои новые знакомые повернули назад.

А я перевел рычажок на пульте диктофона, и, повернув за угол, вытащил из кармана радиотелефон. Больно не терпелось сказать пару ласковых слов Степе. Кто, как не он, сдал меня с потрохами.

— Степа, ты офуел! — я почти орал в трубку, так, что проходящая мимо интеллигентного вида барышня дернулась и отшатнулась в сторону.— Кто-кто, конь в пальто! Повторяю: ты офуел! Почему? Ты знаешь, с кем я сейчас встречался? Откуда они могли узнать, что я интересуюсь Аксененко? Что я сам просил? Я просил узнать, есть ли такой сотрудник, и больше ничего. Кому ты про меня говорил? Только депутату? А он... Идиот!

Короче, заставь дурака Богу молиться... Степаша, конечно, напряг своего начальника. Но когда в Управлении охраны спросили у депутата — зачем ему сдался их сотрудник, тот не придумал ничего лучше, как рассказать о просьбе журналиста Повзло. Святая простота. Блин, надо же было так влипнуть.

Глупейший прокол. Именно из-за таких глупостей и случаются большие неприятности. А если бы, допустим, те же бумаги касались какого-нибудь бандита, и информация ушла бы к браткам...

С этими депутатами лучше не связываться. Работа у них такая — языком трепать. Кстати, поэтому получить любую информацию в депутатнике проще пареной репы. Подойди к одному-другому — все, что знают, расскажут. Нет, секретов там не утаишь. Я это понял, еще когда писал для газеты отчеты со съездов народных депутатов. Чуть только перерыв — депутаты сразу в коридор, ищут, кому бы дать интервью.

Однако товарищ Аксененко все же существует в реальности. Очень интересно. Значит, надо «пробить» «Геракл».

Это было полное безумие. Мы долго целовались прямо в прихожей. Потом сорвали друг с друга одежду и перебрались в ванну. Но ванна оказалась слишком мала для этого занятия. Теперь я точно знаю, почему иностранцы придумали джакузи. В магазине около дома такая стоит. За три зарплаты. Только если даже образуются лишние деньги — все равно в квартиру она не влезет.

Не вытираясь, мы перекочевали на диван, оставив за собой брызги и следы мокрых босых ног. Анка сперва немного стеснялась, но оказалась в постели просто потрясающей. Настоящая пантера. Никогда бы не сказал.

— Хочешь колы?

Кивнув, она лизнула меня в шею. Свесив ноги, я нащупал тапки и вышел на кухню. Был уже второй час ночи. Ничего себе, сколько же это мы кувыркаемся...

На работе я на нее не обращал внимания. Блондинка, — а я по блондинкам с ума никогда не сходил. Сидит целый день, уткнувшись в компьютер, да вечно сумки с продуктами домой тащит. Серая мышка.

В своем деле она, кстати, соображает — иногда выуживает шикарную информацию. Мне, правда, наша Марина Борисовна, которая обычно все про всех знает, недавно делала прозрачные намеки.

Зазвала вечером к себе в кабинет, якобы кофе попить. Хотя понятно, если Агеева кофе предлагает, значит, хочет о чем-то посплетничать. Закрыла дверь на замок и даже плеснула в кофе армянского коньяку. Это знак высшего доверия и расположения. Початая бутылка благородного напитка хранится у нее в сейфе вместе с самыми секретными материалами. Шеф спиртное вообще — и на работе в частности — не одобряет. Я, как первый зам Обнорского, вроде бы тоже должен не одобрять, но с пониманием отношусь к слабостям коллег.

Так вот, сперва Агеева, как водится, пожаловалась на тяжелую жизнь: работы — море, совсем меня замучили, сижу здесь до ночи. Это, наверное, к тому, что надо бы выписать премию.

Я молча слушал, дожидаясь, когда она перейдет к главному.

— Николай, какой у вас галстук!

Очевидно, это комплимент. Марина Борисовна умеет льстить. Галстук был куплен несколько лет назад где-то на просторах штата Айовы взамен забытого в гостинице.

— И галстук у вас красивый, и девушкам нашим вы нравитесь, — продолжала Агеева, почти заинтриговав меня.

— Кому, интересно?

— Да вот хотя бы Анечке Соболиной, — Марина Борисовна понизила голос и почти перешла на шепот, хотя рядом никого не было. — Мы на днях с ней пооткровенничали.

Муж Ани Володька Соболин работает у нас начальником репортерского отдела и ведает каждодневной городской текучкой — грабежами, разбоями, пожарами и прочими безобразиями. Постоянно где-то носится как угорелый.

— Замужем — еще не значит, что умерла, — как будто угадав мои размышления, напутствовала Агеева.

Впрочем, мне-то, честно говоря, на эти бабские сплетни тогда было глубоко наплевать.

Колы в холодильнике не оказалось. Была пару дней назад, да вся вышла. Зато водопроводная вода осталась в изобилии. Стоя у раковины, я чуть не выронил стакан, потому что Соболина сзади прильнула ко мне стройным разгоряченным телом. У меня аж мурашки побежали от соблазна, когда я спиной ощутил ее бархатистую кожу. Пить расхотелось. Я слегка наклонился вперед и, подхватив ее за попку, потащил в комнату. На глаза попался трельяж.

Меня подвела склонность к экспериментам — я только успел посадить Аню на видавший виды столик, как он затрещал, ножки у шаткой конструкции подкосились, и сооружение с грохотом рухнуло на пол.

— Не выдержал испытаний, — я крепко держал продолжавшую висеть на мне и даже не успевшую испугаться Соболину.

— Все, я хочу кофе, — кстати вспомнила Аня фразу из поднадоевшего рекламного ролика.

Мы молча пили кофе.

Нет, ну дернуло же меня под конец дня попросить Аню посмотреть в нашем компьютере что-нибудь о «Геракле». Не мог потерпеть до утра.

Хотя я сказал Соболиной про «Геракл» в расчете на завтра, она уже через полчаса принесла тонкую пластиковую папку.

— Посмотри, здесь то, что у нас есть. Все, что ты хотел узнать, но стеснялся спросить. Если этого будет мало, я завтра попробую еще что-нибудь поискать.

— Спасибо, дома почитаю. Что-то мы сегодня засиделись, — я решил сделать доброе дело в порядке компенсации за сверхурочные. — Тебя подбросить до метро?

— Хорошо бы. Только сумки возьму, — Соболина побежала к себе в кабинет.

«Шестерка», предназначенная для нашего коллективного пользования, сегодня вечером была в моем распоряжении.

Недавно у шефа родилась очередная идея, и он заставил всех сотрудников получить права. Теперь коллеги гоняют на тачке куда ни попадя. Удивительно, что старушка до сих пор жива. Нет, движущиеся автомобили от новоиспеченных «чайников» еще успевали иногда уворачиваться, но еще недели не было, чтобы кто-нибудь из наших не зацепил поребрик, угол дома или припаркованную машину. На днях сам видел, как Витя Шаховский прямо у офиса лихо завернул под арку, впилился в «ауди», выскочил и тут же начал качать права — «Мужик, ты на кого наехал».

Мужик, правда, оказался из налоговой полиции, поэтому Витек быстро поостыл и побежал договариваться со знакомым автослесарем.

Соболина со своим сумками еле уместилась на переднем сиденье. Из одного пакета торчали куриные лапы, другой под завязку забит тоже какой-то снедью. Все-таки везет Володьке. А мне придется ужинать колбасой с чаем. Готовить лень, да и некогда.

— Твой Соболин небось дома уже с голоду помирает, — я почувствовал, что сам чертовски проголодался.

— Да ну, его же еще утром какие-то опера взяли на операцию. Куда-то под Новгород. Знаю я эти операции. Купят по бутылке водки да нажрутся. Обещал вернуться завтра. А сына мы отдали моим родителям на неделю на воспитание. Хочешь — бери курицу, приготовишь.

— Нет, не буду. — Я даже сглотнул слюну, на секунду представив жареного цыпленка с картошкой и черносливом внутри. — Может быть, заедем куда-нибудь в кафе, поужинаем?

— Я могу сделать курицу и вместе съедим, — вдруг предложила Соболина.

— Хорошая мысль. Тогда едем ко мне. — Не дожидаясь ответа, я повернул с Фонтанки на Московский.

Когда я в прихожей помогал Соболиной снимать плащ, мне на глаза попалась маленькая аккуратная родинка на ее стройной шее, и я сразу забыл о еде. Снимая туфли, Аня рукой оперлась на мое плечо, и вот тут у нас одновременно что-то замкнуло...

230

Мой кофе уже остыл. Да, нехорошо как-то вышло. И что теперь делать. Говорил мне батя: «Не живи там, где живешь». А я не слушал.

— Повзло, мне с тобой было очень хорошо, — Соболина, видно, решила развеять мои сомнения. На ней была одна незастегнутая рубашка, и сбоку я видел на редкость соблазнительную грудь.

— Мне с тобой тоже, — это было действительно здорово. Да и, в конце концов, замужем — это не умерла, как говорила Марина Борисовна. Я почувствовал, как сопротивление во мне снова вот-вот перегорит.

— Там еще вроде бы остался диван...

— Выдержит? — Соболина улыбнулась, и я отметил, что улыбка у нее тоже очень милая.

— Ты бы пока посмотрел, что я нашла у нас по «Гераклу», — вспомнила утром Аня, занявшись-таки обещанной курицей.

Действительно, я даже забыл, чему обязан романтическим приключением.

Наш «Геракл» оказался одним из многочисленных ООО. Впрочем, главное, что меня интересовало сейчас, — это фамилия директора. Подкопаев. Да, все сходится. А вот фамилия Аксененко среди учредителей — уже удача. Этот, правда, Игорь. Братья? Да вот еще неизвестно откуда взявшаяся информация о тесной связи с правоохранительными органами. Ну, в этом-то как раз ничего необычного нет. Недавно я встречался с одним депутатом-бизнесменом, который в большом авторитете. Так он хвастался, что у него начальник службы безопасности — бывший заместитель начальника «конторы». Мол, если у него главный телохранитель «оттуда», то значит, и он белый и пушистый. Хотя тут же рассказал, как купил депутатский мандат за несколько сот тысяч долларов.

Вот и Подкопаев обзавелся надежной крышей. Главное управление охраны — это вам не воробьям фиги показывать. Бывшее 9-е управление КГБ, ныне ГУО. Охрана президента и первых лиц государства. Впрочем, ныне ментовской или гэбэшной крышей никого не удивишь. Хорошо если еще во внерабочее время крышуют, но ведь сплошь и рядом совмещают приятное с полезным.

— Ну как, есть что-нибудь полезное? — Аня поставила на стол сковородку с подрумянившейся курицей и нарезала помидоры, которые обнаружила в холодильнике. Она быстро освоилась на кухне.

— Ты молодец. Взгляни, что мне принесли, — я вытащил из сумки конверт.

Кстати, кто-то уже не первый раз подбрасывает нам информацию к размышлению. Прошлой зимой, когда мы собирали сведения об «Институте безопасности общества», где группа товарищей с успехом осваивала бюджетные средства на личные нужды, по почте пришел конверт без обратного адреса с парой любопытных документов. Оказывается, два миллиона долларов наши «ученые» получили под техническую проработку идеи высокоскоростного средства передвижения, приводимого в действие мускульной силой ног. Читай велосипеда. Как писали классики, «с таким счастьем — и до сих пор на свободе».

Между прочим, в том, что сливают информацию именно в наше агентство, нет ничего удивительного. Связываться с органами многие не хотят и ни за что не будут, а вот пресса — совсем другое дело. К тому же то, чем мы занимаемся, очень похоже на оперативную работу. Конечно, печатное слово сейчас ничего не стоит. Вернее, стоит как раз столько, сколько заплатят. Но все же иногда статья в газете эффективнее всех органов, вместе взятых.

— Что ж, пора на службу. — Давненько день не начинался столь недурственно.

Я посмотрел на Анну:

— Ну что, все хорошее когда-нибудь заканчивается?

— Будем выдвигаться по одному? — не иначе как Аня решила проверить меня на вшивость. — Увидит кто-нибудь с утра вдвоем, будут строить версии.

Да, строить версии — это мы умеем. На год вперед можем завалить работой и милицию, и прокуратуру, и ФСБ. Только дай тему. Вот когда в прошлом году депутата Омельченко расстреляли — мы в статье столько версий за полчаса набросали, что потом к нам сотрудники следственной бригады полгода ездили. Интересовались — откуда вы это взяли, а это где узнали. А как-то меня один следак в сторонку отвел и спрашивает: «А скажите, Николай Львович, как вы думаете, где нам следует искать исполнителей?» Я чуть не упал. Знал бы прикуп — жил бы в Сочи. Нет, в Сочи теперь уже не модно...

Кстати, наша контора называется «Золотой пулей» тоже неспроста. Название, конечно, не ах. Хуже, чем детективное агентство «Лунный свет», но это не ради красного словца. Несколько лет назад Андрюха Обнорский, тогда еще, как и я, корреспондент городской «молодежки», писал о маньяке, который несколько лет безнаказанно орудовал в городе. У него был фирменный стиль — охотился исключительно за симпатичными молоденькими девушками семнадцати—двадцати лет, подстерегал их по дороге к дому на темных пустырях, насиловал и убивал из мелкокалиберного пистолета. Причем использовал патроны исключительно иностранного производства с покрытыми медью пулями. Их еще называют «золотыми» и применяют в спортивной стрельбе.

— Нет, по одному никак не получится. По правилам хорошего тона кавалер должен проводить даму. Едем! — Я встал из-за стола и решительно взял Аню за руку.

Когда у офиса мы выходили из машины, то первым делом встретили Марину Борисовну. Она пристально посмотрела на нас...

Обнорского в конторе опять не было. Я набрал номер его трубы.

— Дядя Андрюша, ты где? Пьешь кофе в «Садко»? Возьми и мне чашечку, буду через десять минут, расскажу тебе историю. Даешь интервью иностранцу? Я тоже могу дать. Нет, отложить нельзя.

...Обнорский сидел за столиком в центре полупустого зала с белобрысым парнем в жилете армейского образца (удобная штука — куча карманов). Парень что-то старательно записывал в блокнот.

— Твой кофе, — пододвинул мне чашку Обнорский. — Подожди немного, мы скоро закончим.

Я плеснул в чашку сливок и насыпал две ложечки сахара. Кофе уже успел остыть. Откинувшись на спинку стула, я почувствовал, что сейчас засну. Я улавливал лишь обрывки разговора между Андреем и иностранцем — что-то о страшной русской мафии в Европе.

— Николай, Кристиан интересуется, кто победит на следующих выборах, — вывел меня из состояния дремоты Обнорский.

— На выборах? Электорат, как всегда, кинут. В итоге победят деньги и политические технологии, а мы будем разоблачать мафиозных кандидатов и тоже заработаем денег. Круговорот денег в природе. А вы откуда, Кристиан?

Он оказался московским собкором немецкого журнала. Я вспомнил про фотографии. Немецкий дипломат... Есть ли у вас план? О да, у меня есть план.

— Кристиан, вы хотите сделать бомбу для своего журнала?

Еще бы он не хотел. Покажите мне журналиста, который не мечтает найти сенсацию.

— Подожди, подожди, — заинтересовался Обнорский. — Какую бомбу, почему не знаю?

Я рассказал про письмо, вчерашнюю встречу и положил на стол фотографии. Да. Вот еще диктофон с записью...

— Историю с письмом мы, конечно, отработаем сами, а вот как быть с дипломатом?

— Очень похоже на провокацию, — уловил, куда я клоню, Обнорский. — С нами атташе едва ли будет говорить. Другое дело — немецкий журналист. Как-никак соотечественник.

— Я готов. Еду в консульство, попробую что-нибудь разузнать, — в глазах Кристиана появился охотничий азарт.

— А про Аксененко готовь статью, — подвел итог Обнорский. — Его начальство, конечно, будет расстроено появлением такой публикации. Потому они и вышли на тебя. Но это их проблемы. Вряд ли они предпримут что-то кроме беседы.

— Ладно, завтра напишу. А сейчас с твоего позволения поеду домой, спать.

— Спать? А что ты ночью делал?

— Работал, как пчелка, в поте лица.

— Ну-ну, — кажется, Андрей мне не поверил.

Поспать мне так и не удалось. Радиотелефон я предусмотрительно отключил, но домашний звонил не переставая. Я решил трубку не снимать и ради интереса стал считать звонки. Сбился после сорока. Кто это такой настырный? Вы настырные, но и я тоже могу пойти на принцип. Каждый человек имеет право на отдых — так, кажется, записано — или было записано — в Конституции. Ну что за люди, ведь ясно же — никого нет дома. Или знают, что я здесь? А может быть, это шеф? Я сполз с дивана и дотянулся до телефона.

— Николай Львович! — Я узнал голос «Алексея Ивановича», в нем слышалась укоризна. — Ну что же вы, мы звоним, звоним. На работе сказали, что вас сегодня не будет. Но сами понимаете, служба. Так что вы решили?

— Знаете, ваша информация о господине атташе нас очень заинтересовала.

— А что с Аксененко? — теперь в голосе чувствовалась досада.

— Честно говоря, мы еще не обсуждали эту тему. Все как-то некогда, — соврал я.

— Вы не совсем серьезно отнеслись к нашей просьбе, — «Алексей Иванович» был явно раздражен.

— Ну почему же, я понимаю всю важность момента.

— Складывается такое ощущение, что не до конца. Кстати, вы, оказывается, пользуетесь успехом у прекрасного пола? — Это уже был запрещенный прием. Выходит, они меня пасут...

— Это надо понимать как угрозу? — собрался я с мыслями после некоторой паузы.

— Ну что вы, Николай Львович, просто интересуемся.

— По-моему, напрасно. Я не генеральный прокурор, не иностранный дипломат и даже не министр юстиции. — Я первым повесил трубку.

Разговор подействовал как холодный душ. Спать уже совсем не хотелось. Не люблю, когда на меня давят. Значит, придется воевать.

Я включил компьютер, взял сигарету и за час набросал пятьдесят строк о «красных» крышах, ничем не уступающих бандитским, и коррупции, разъедающей правоохранительные органы, как и все общество. Как частный пример — расписки Аксененко. Пожалуй, этого достаточно. Не одна, так другая газета ухватится за этот материал. А диктофонная пленка послужит доказательством на крайний случай.

Что мне за это будет? Да, пожалуй, ничего. Они вряд ли предпримут какие-то действия после неудавшегося шантажа. Операция провалена. «Юстас — Центру: шеф, шеф, все пропало».

Теперь можно и поспать. Однако я их недооценил.

Удивительно, но сегодня с утра Обнорский был на месте. Ксюша в блузке с весьма откровенным декольте радостно улыбнулась и сообщила, что шеф просил меня зайти, как только я появлюсь.

— Салют, — мрачный Обнорский положил ручку и оторвался от чтения газеты. Перед ним сидели Агеева и Леша Скрипка, тоже заместитель Андрея. — Ты читал сегодняшние «Городские новости»?

— Я такое вообще не читаю. Это же бульварный листок.

— А зря. Посмотри на третьей полосе. — Обнорский показал на лежавшую перед ним газету.

Я сразу увидел три фотографии из тех, что передали мне у «Большого дома». Крупный заголовок «Дипломатический роман» — без претензии на оригинальность.

«Атташе немецкого консульства Курт Дерксон очень полюбил Петербург и русскую девушку Таню, с которой почти не расстается...» Интересно, кто написал эту чушь? Я посмотрел на подпись под статьей. Николай Повзло, агентство «Золотая пуля».

— Что это?

— Вот и я тебя хочу спросить — что это? — Обнорский посмотрел на меня.

Интересно, что он хотел от меня услышать?

— Думаю, что об этом лучше спросить управление охраны, — я рассказал о состоявшемся накануне разговоре.

— Нет, мальчики, надо что-то делать, этого нельзя так оставлять, — разволновалась Марина Борисовна.

— Был у меня в газете один такой случай. — Скрипка хотел поведать одну из своих многочисленных историй, но передумал. — Значит, так. Я попробую навести справки, как это дерьмо попало в газету. Хотя вы сами знаете, как это делается. Надо завтра собрать пресс-конференцию и обо всем рассказать.

— Займись этим, — попросил Андрей Леху. — А мы с тобой, Николай, приглашены на

238

обед. Звонил Кристиан, в час мы встречаемся с Дерксоном в «Европе».

— Тогда идем. А иначе лучше в пирожковой за углом. В «Европе» чашка кофе стоит восемь баксов — овес нынче дорог.

Кристиан с Куртом уже ждали нас в ресторане, в крытом внутреннем дворике отеля. Особенно мне нравится это местечко зимой, когда на улице грязь и слякоть, а лица прохожих угрюмы, недружелюбны. Зато здесь чувствуешь себя как за границей.

Кристиан представил нас Дерксону.

— Мы должны принести извинения за сегодняшнюю публикацию... — начал Обнорский.

Я тоже попытался сказать, что мы тут вроде как ни при чем.

— Не надо, я все понимаю — я догадываюсь, как это делается, — Курт усадил нас за стол. — Я уже видел эти снимки. Видимо, они хотели меня вербовать, а когда у них ничего не вышло, решили отомстить. Не сейчас, так позже — они бы все равно это сделали. К сожалению, моя миссия в России подходит к концу. Сегодня мне объявили о срочной командировке в Бонн. Фактически это означает отзыв. А Таня... Если откровенно, то я давно уже не живу вместе с супругой. С Татьяной мы сыграем свадьбу. Но, скорее всего, не здесь.

— У нас завтра пресс-конференция, где мы расскажем об этой провокации...

— При всем желании не могу принять ваше приглашение. Сами понимаете, я не частное лицо. Но, в любом случае, спасибо за предложение. Теперь я вынужден, как это у вас говорят, откланяться. — Курт с Кристианом поднялись из-за стола, попрощались с нами и направились к выходу.

Я смотрел им вслед. Глупо как-то все вышло. С Куртом они все равно добились своего. Пресс-конференция ничего не изменит, хотя завтра мы и выступим...

— Не грусти, — Обнорский хлопнул меня по плечу. — Что с материалом о проделках Аксененко?

— Статья готова. Позвоню в «Губернские новости», думаю, что они возьмут. Но сперва хочу съездить в «Геракл» — адрес у меня есть. «Гражданин Подкопаев, вам предоставляется последнее слово...»

...Сначала был шум в голове, потом я открыл глаза и несколько секунд спустя понял, что надо мной потрескавшийся и давно не крашенный потолок с разводами от старых протечек. Нечто похожее я испытывал после солнечного удара, когда в детстве отец впервые привез меня в Крым.

Я повернул голову и выяснил, что лежу на покрытом линолеумом полу рядом с давно не мытой кухонной плитой. Рот был чем-то забит. Попытался сесть, но шум в голове сменила тупая боль в затылке. Издав что-то похожее на мычание, я откинулся на спину. Пошевелил кистями и обнаружил, что запястья перехвачены браслетами наручников, от которых тянется веревка к ногам, связанным около голеней.

Голова просто раскалывалась. Терпеть не могу головную боль. Скорее всего, мне сзади чем-то засандалили по затылку.

В общем, пришел, упал, очнулся — гипс...

Я нашел офис «Геракла» на пятом этаже грязного, с запахом подъезда обычного жилого дома недалеко от Невского.

Нажал кнопку звонка. Дверь открыл стриженный почти наголо амбал, как пишут в таких случаях — «характерной наружности».

— Могу я видеть господина Подкопаева? — я показал редакционное удостоверение.

Он разглядывал меня. Я смотрел на него.

— Что ж, проходи, — лысый ежик пропустил меня, защелкнув дверь на замок.

Я оказался в длинном полутемном коридоре. Скорее всего, это была бывшая коммуналка.

Из-за одной из дверей появился худощавый парень примерно моих лет, в костюме без галстука. Почему-то директора «Геракла» я представлял себе несколько иным. Этот был похож на секретаря райкома комсомола.

Свою речь я заготовил заранее — так и так, собираемся публиковать материал, где упоминается и ваша фамилия, не хотите ли взглянуть.

Он поморщился и посмотрел на меня как на полного идиота.

— Тебя же предупреждали, — сказал амбал, стоявший у меня за спиной.

— Да, но... — я стал поворачиваться в его сторону...

Дальше не помню...

Из-за двери послышались голоса.

— И что теперь делать? — визжал чей-то голос. Я подумал, что скорее всего он принадлежит Подкопаеву.

— Не ссы, — отвечал амбал, — не твоя забота.

Может, это они про меня. Я поднял ноги и дотянулся руками до тряпки, торчавшей изо рта. Вдох-выдох. Хорошо-то как!

Тихо опустить ноги мне не удалось. Они с грохотом бухнули об пол. Удар болью отозвался в голове.

— О, оклемался, — заглянул в кухню мордастый. — Знаешь, братан, по пьяной лавочке со многими случаются несчастные случаи. Значит, пора тебе переходить к употреблению спиртных напитков.

Он взял со стола початую бутылку коньяка, присел, зажав мою голову между колен, и стиснул мне нос большим и указательным пальцами левой руки. Ничего не оставалось, как открыть рот, куда он тут же засунул горло бутылки.

— Пей до дна.

Коньяк обжигал горло. Почувствовав, что сейчас захлебнусь, я скорее от страха, чем осознанно, собрал все оставшиеся силы — мои ступни описали дугу, и удар пришелся прямо в лоб мордастому. От неожиданности он отлетел к стене. Из носа закапала кровь.

— Тебе конец, — прохрипел амбал, вставая и утираясь тыльной стороной кисти.

Это я понимал и без него.

Настойчиво зазвенел входной звонок.

— На помощь! — заорал я, собрав последние силы.

Мордастый в нерешительности остановился. Последовали сильные удары в дверь, треск ломающегося дерева и крик: «Налоговая полиция! Всем на пол!»

В коридоре послышался тяжелый топот, и на кухню один за другим влетели «двое из ларца, одинаковых с лица» — серый камуфляж и вязаные шапочки с прорезями для глаз и рта. В руках — укороченные автоматы.

Я и так уже был на полу, а вот мордастому не повезло. Во всяком случае, ему быстро придали горизонтальное положение, и не уступающий амбалу в комплекции «полицай», устроившись у него на спине, уже застегивал наручники на сведенных назад руках.

Связанный журналист оказался для полицаев полной неожиданностью. Маски-шоу подоспели очень вовремя, хотя, как выяснилось, я тут был ни при чем. Реализация оперативных мероприятий по крупному неплательщику — ООО «Геракл» — была запланирована еще неделю назад.

Финал статьи для «Новостей» получился покруче любого боевика. В газете наш материал отметили на летучке и даже обещали премию — сто рублей. Кстати, статья вышла в один день с нашей пресс-конференцией. Обнорский хлопал меня по плечу и называл героем.

Да что толку? Таких, как Аксененко, — тысячи. Одна статья ничего не изменит.

Голова у меня еще трещала, и с пресс-конференции я смотался, не дожидаясь окончания.

Запел радиотелефон.

— Коля, когда ты, наконец, появишься в конторе? По-моему, я по тебе успела соскучиться. — Я не сразу узнал голос Ани...

ДЕЛО ОБ ИСЧЕЗНОВЕНИИ В ТАЙЦАХ

Рассказывает Родион Каширин

> *«За время стажировки (три недели) Р. Каширин продемонстрировал интерес к различным сторонам деятельности агентства...*
>
> *Недостатки: опыт работы в журналистике отсутствует. Навыки планомерной работы отсутствуют...*
>
> *Предложения по использованию: считаю целесообразным на месяц-два прикрепить стажера Каширина к кому-либо из более опытных сотрудников агентства (например, к В. Горностаевой)».*
>
> Из служебной характеристики

За окном шел майский снег (с момента моего прихода в агентство с природой стало твориться что-то странное), а я сидел в кабинете и слушал Спозаранника, который монотонным голосом читал прескучнейшую лекцию о составлении справок и о премудростях журналистских расследований вообще.

В принципе я должен был быть благодарен ему за то, что он со мной возится, но нельзя же в самом деле в такой манере все это преподносить! Ведь я же могу и уснуть прямо у него на глазах, и тем самым спровоцировать полный сбой в его компьютерной головной системе. А если его перемкнет? Кто тогда работать будет, я, что ли?

Я бы с радостью, да не умею пока. Мое присутствие в агентстве исчисляется только тремя неделями. До этого я кем только не работал — был радистом в Арктике, там же пару лет поработал оперуполномоченным. Потом вернулся в Ленинград. Стал охранником в одной специализированной фирме. Платили неплохо, хотя и скучно. Наверно, работал бы я там и по сегодняшний день, не произойди со мной несчастья.

На фирму, которую я охранял, наехали бандиты. И меня — может, для того чтобы я не рыпался, а может, для острастки руководителей той фирмы, на которую наезжали, — стукнули по голове. Стукнули довольно сильно. Три месяца пролежал в больнице. Не знаю, что мне больше помогло: профессионализм врачей или мое здоровье, которым я так гордился до ранения. Раньше у меня и насморк случался не чаще одного раза в пять лет.

Как бы то ни было, но на ноги меня поставили, правда, присвоили вторую группу инвалидности, и из охранной фирмы пришлось уйти.

В общем, последствия остались на всю жизнь. Например, я стал сутулым, потому что когда выпрямляю спину, то испытываю боль. Да и за руль мне теперь уже не сесть, так как я в любой момент могу потерять зрение и ослепнуть минут на десять (один раз я ослеп даже на полчаса). Что ни говори, а удары по голове или головой не проходят бесследно.

Пока я лежал в больнице, жена ушла от меня к другому, наверное, здоровому и богатому. Я ее даже постарался понять: в конце концов, кому захочется тратить лучшие годы жизни на ухаживание за беспомощным супругом.

А уголовное дело по факту хулиганского нападения на меня хотя и не закрыли, но шансов на его успешное завершение не было никаких. В фирме, которую я охранял, все молчали. Наверное, с бандитами уже договорились.

Потом, после выписки из больницы, я почти год провел в поисках нормальной работы, но нигде и никому не нужны были инвалиды — бывшие охранники. Подрабатывать, конечно, случалось, но нормальной работы мне никто не предлагал.

Я уж было подумал, что оказался далеко за бортом жизни. Но как-то раз вечером стоял посередине Литейного моста и курил, размышляя. Вдруг сзади меня окликнули:

— Эй, Родион!

Я обернулся и увидел Жору Зудинцева, с которым мы выросли в одном дворе, он был старшим братом моего друга детства. Он спросил:

— Сколько ж мы с тобой не виделись? Лет пять?

— Побольше — лет семь, с тех пор как вы переехали на новую квартиру.

Он предложил зайти в тихий кабачок, располагавшийся в подвале дома, в котором когда-то жил Бродский. Тут я вынужден был признаться ему, что несколько стеснен в средствах по причине безработицы. Зудинцев в ответ заявил, что это пустяки, и все-таки затащил меня туда. Там мы разговорились, и я вкратце рассказал ему историю моих несчастий и невезений.

Он внимательно выслушал, потом записал к себе в блокнот номер моего домашнего телефона и обещал помочь с работой.

Позвонил он через три дня и велел подойти в 13.00 на улицу Зодчего Росси. Я оделся как на парад и явился на полчаса раньше назначенного срока.

Мы поднялись по лестнице на второй этаж. В коридор выходило множество, как мне показалось, дверей. На них висели таблички, на которых были написаны названия отделов: архивно-аналитический, расследований, репортерский. На одной двери было написано: «Андрей Обнорский. Директор».

В больнице я успел прочитать несколько книг про Обнорского, но считал, что это чистый вымысел автора. Теперь получалось, что Андрей Обнорский — реально существующий человек. Зудинцев подтолкнул меня в спину, и мы вошли в кабинет директора. Сидевший за столом человек, увидев нас, поднялся и протянул мне руку.

— Обнорский, — представился он.

В течение следующих десяти минут я узнал, что мне предлагают попробовать поработать в агентстве Обнорского — в расследовательском отделе.

— Я, конечно, понимаю, что вы не журналист и не имеете абсолютно никакого представления об этой работе, но это не беда. Сегодня не умеешь — потом научишься. А нам будет очень полезен ваш жизненный опыт и знания. У нас и так коллектив очень пестрый. Зудинцев вот — бывший опер-убойщик. Есть профессиональные журналисты, бывшие коммерсанты, военные в отставке, юристы, программисты, артисты, музыканты и даже одна победительница конкурса красоты.

Для начала запомните одну простую вещь. Мы не боремся с преступностью, мы ее исследуем. А бороться с преступностью должны те, кому это положено и кто имеет для этого возможности. Зудинцев, например, вечно про это забывает, и я бы не хотел, чтобы с вами, как с бывшим сотрудником милиции и охранных структур, повторилась та же история. Не надо жуликов ловить и к операм таскать — это не наша работа.

Потом Обнорский вызвал Глеба Спозаранника, начальника отдела расследований, и официально прикрепил меня к нему. Так Глеб стал моим мини-шефом или, как я его про себя окрестил, «ефрейтором на сносях», потому что он стал беременен мною и должен был родить журналиста.

С тех пор прошло три недели. В мае вернулась зима, и Спозаранник под падающий за окном снег читал лекцию.

В коридоре послышался стук каблучков. Я попытался определить, кто это к нам идет. Через пару секунд в кабинет заглянула Света Завгородняя, та самая победительница конкурса красоты.

— Родик, тебя шеф зовет, — приятным голоском сообщил мой ангел-спаситель.

— Что сидишь, иди! — сказал Спозаранник.

Пятнадцать шагов по коридору, дверь, обитая кожей, и я попадаю в покои нашего царя-батюшки.

Обнорский был не один: перед ним, скромно сложив руки на коленях, сидела некая весьма облезлая личность. Не коммерсант, не бандит, не чиновник и не мент: этих я определяю автоматически. Этот же больше всего был похож на мужа-рогоносца.

Надо сказать, что каждый пятый посетитель нашего агентства — идиот. «Вы знаете, у нас в подъезде собирается по вечерам мафия, записывайте адрес. Только вы побыстрее с ними разбирайтесь, а то может случиться непоправимое или еще что-нибудь похуже! А в подвале у них заложники, взрывчатка и чемоданы с общаком! На всякий случай прощайте, товарищи, меня могут убрать, поскольку я — главный свидетель!»

А однажды, помню, доброжелатель сообщил о готовящемся чеченскими террористами взрыве женского отделения городской бани...

Таких Обнорский внимательно выслушивает и рекомендует обращаться в милицию или еще куда-нибудь: в ООН, НАТО, Кремль, в крайнем случае — в психдиспансер...

— Родион, — обратился ко мне Обнорский, — познакомься, это Павел Морозов. А это, — обернулся он к посетителю, — один из самых опытных сотрудников агентства, за его плечами сотни сложнейших, запутаннейших расследований, можно сказать, наш ас!

Я невольно обернулся, думая, что в кабинете присутствует кто-то еще, кого и представляет шеф Павлу Морозову. Кстати, ну и имечко! Павлик Морозов! Хуже может быть только Крокодил Торпедович!

Однако никого за моей спиной не оказалось, так что, как ни странно, шеф имел в виду меня.

— У Павла случилась беда, — между тем продолжал Обнорский, — от него, можно сказать, ушла жена. Но не к другому мужчине, а в какую-то секту. Хотя, может, это и не секта вовсе — мошенники так любят денежки у народа забирать. В общем, разберись и выведи мошенников на чистую воду!

Я заметил, что Обнорский говорит не совсем так, как обычно, наверное, специально для этого Павла. Определенно считает Павла не совсем нормальным человеком. Но раз он его не выгнал сразу, а дал мне задание с ним поработать, значит, считает, что накопать что-нибудь интересное можно. А возможно, и меня хочет проверить.

— Ну что, пошли, пострадавший, — сказал я Павлу и первым покинул кабинет шефа.

Я с детства невезучий! И вот, пожалуйста: у всех дела как дела: у одного депутат из ЗАКСа, у другого чиновник из Смольного, а у меня?

Мы пошли в ханство Спозаранника. Павел семенил позади меня. Походка у него была какая-то странная. Когда мы зашли в кабинет, я с удовлетворением увидел, что Глеб про меня забыл, он сидел перед экраном компьютера и яростно стучал по клавишам. Наверно, сочинял молдавские песни.

— А почему ты в милицию не обратился? — спросил я у Павла.

— Как это не обращался? Обращался! — встрепенулся Павел, до него не сразу дошел смысл моего вопроса. — Еще как жаловался! Только они там все взяточники, бесплатно делать ничего не хотят!

— Они что, с тебя деньги вымогали?

— Нет, вслух не говорили, но они так все обставили, что было абсолютно понятно! Они, знаете, что заявили? Дескать, у нас в стране свобода вероисповеданий, и моя жена совершеннолетняя...

— Не понял, — перебил я, — а из чего следует, что они с тебя взятку вымогали?

— Ну как это из чего? Они же отказались мне помочь! Значит, бесплатно не хотят!

— Ладно, проехали, — я вдруг почувствовал, что еще чуть-чуть — и я начну выполнять часть общественной нагрузки по защите ментов, взятой на себя экс-милиционером Зудинцевым. — Ты мне, Павел, лучше расскажи все с начала!

— С самого?

Я покивал головой в знак согласия. И он начал:

— В общем, началось все это не так уж и давно. Мы с Катюшей (это моя жена) уже шесть лет как были женаты, а детей все не было. Никак она забеременеть не могла. А потом, как в сказке, у нас все получилось! Как последние идиоты, детскую кроватку купили, простынки там всякие, распашонки... Хотя говорили нам люди, что нельзя ничего заранее покупать. В общем, сглазили. Жена мертвого мальчика родила... У Катюши после этого что-то в голове сдвинулось. Она странная стала, закроется одна в ванной и разговаривает сама с собой. А месяца через два я в аварию попал — дальнобойщиком работал — и вот без ноги остался.

Он приподнял штанину и показал мне протез. Теперь я понял, почему у него такая странная походка.

— Инвалидность дали. Но работать я, естественно, уже не мог. Вам этого не понять! — вдруг он перешел почти на крик — так что Спозаранник недовольно поднял голову от компьютера. — Не понять, что значит в тридцать лет инвалидом стать!

После этого Павел замолчал. Я сидел и ждал, когда он соизволит продолжить свое нытье. Сочувствия он у меня не вызвал ни на грамм.

Затем он поднял голову и спросил:

— Вы меня хоть чуть-чуть понимаете?

— Ты бы, Павел, лучше рассказывал дальше, а то только время зря тянем, — постарался я ответить как можно спокойнее.

— И решили мы с Катериной тогда сходить к бабке, — продолжал Павел, — знаете, объявления в газетах печатают? Сходили. Бабка Агафья, ей лет сорок где-то. Она нам сказала, что порчу на нас великую навели, и чтобы от нее избавиться, надо пять сеансов специального лечения пройти, по триста рублей каждый. Но где такие деньги взять? Отказались. Хотя, если уж совсем честно, то мне кажется, что жульничество это одно. Вы так не думаете?

Я пожал плечами.

— А потом как-то вечером возвращались мы домой от тещи. И когда уже почти дошли до дома, Катюша упала. Я ее подхватить не успел. Неудачно она упала, повредила ногу. Может, растянула, может, вывихнула. Она лежала на земле и плакала, а я стоял около нее и не знал, что делать. Именно тогда мы с ним и познакомились. Я имею в виду отца Филиппа. Он рядом проходил, увидел нас и остановился, предложил помощь. Несколько секунд ему понадобилось, чтобы ногу вылечить. Погладил ее рукой и резко дернул. Ну, мы его, понятное дело, сразу благодарить начали, а он смеется и говорит: пустяки, но на вас я порчу великую вижу. Если ее не снять, с нами, дескать, так и будут всякие нехорошие случаи происходить. А потом начал те же слова говорить, что и бабка Агафья. Вы можете мне не верить, но прямо слово в слово! И на меня это как удар тока подействовало, а уж на Катерину, — так и вообще! Сами подумайте, два абсолютно разных человека говорят одно и то же! Я хочу сказать, что это я тогда так подумал, а сейчас не сомневаюсь в том, что они знают друг друга и просто сговорились.

— Ну и что дальше было? — попытался я ускорить его рассказ.

— Дальше он нам дал визитку с адресом и предложил пройти у него курс лечения. Я сразу же спросил: сколько это будет стоить. Он ответил, что денег за лечение принципиально не берет и даже наоборот — его святой долг в меру сил помогать обездоленным. Мы к нему на следующий день поехали. Он в Тайцах живет, у него там свой дом. Провели первый курс лечения, чайку попили. Филипп нас о жизни спрашивал, что раньше с нами было, сочувствовал... Потом другие люди стали подходить. Все садились в кружок, говорили о жизни.

— Так что же это за секта у твоего Филиппа? — решил уточнить я.

— Это не секта. Это официально называется Общество милосердия «Сострадание».

— Ну, вы о Боге говорили?

— Да нет, все больше о жизни. Вернее, о том, как надо жить.

— Ну и как?

— Филипп говорил, что семья — это слишком маленькая ячейка. Что она не может стать опорой в жизни. Поэтому надо собираться в такие большие семьи или коммуны. Там достоинства каждого превратятся в благо для всех членов семьи.

— Так он коммунист, что ли, твой Филипп?

— Он говорил, что он не коммунист, а коммунар.

— А за счет чего вся эта контора существует?

— За счет пожертвований. Кто сколько может, тот отдает. Но обычно людям уже ничего и не надо. Постоянные члены семей живут вместе, в одном доме.

— А почему ты ушел от этого Филиппа?

— Да мне показалось, что не за так он все делает.

— Он что, просил тебя квартиру продать?

— Нет. Не просил.

— А что же тогда?

— Жена мне как-то сказала, что если ее тетка, не дай Бог, умрет, то нам ничего от нее брать не надо.

— Ну и что?

— Надо, говорит, отдать людям.

— А тетка чья?

— Жены.

— Богатая?

— У нее был муж — коллекционер. Я у нее дома, правда, только раз был — но там картины, книжки, чего только нет...

— И кому все это достанется, если что?

— Да завещание на жену написано...

В общем, Павел ушел от этого Филиппа, а жена осталась в его «Сострадании». И теперь Павел хотел, чтобы сначала милиция, а теперь мы ему помогли жену оттуда вызволить.

Закончил свою исповедь Павел тем, чем я и ожидал. Филипп стал намекать Павлу и его жене на то, что у его организации появились финансовые проблемы. И если бы они продали свою квартиру в Питере и переехали в общий дом где-то в Гатчине, то очень помогли бы общине.

Павел продавать квартиру не хотел, а потому прозрел и решил выйти из коммуны Филиппа, забрав с собой и жену. У него это получилось только наполовину. Жена наотрез отказалась уходить от Филиппа. С тех пор к нему домой каждый день стали приходить братья и сестры из общины. Павлику это сильно надоело, и он обратился в милицию, а затем прибежал к нам.

— Если хотите, мы можем прямо сейчас съездить в Тайцы к Филиппу. Вы ему покажете свое удостоверение, и он испугается, — предложил Павел.

— Это почему? — удивился я.

— Ну как это почему? Книги вашего агентства на лотках лежат, по телевизору ваши сообщения передают. Кто с вами ругаться захочет?

— Нет! — категорически отрезал я. — Это контрпродуктивно! Так мы его только вспугнем раньше времени, слиняет в другой город, и все! Сам подумай, сколько членов секты уже продали свои квартиры и деньги ему отдали... Если его вспугнуть, он бросит своих нынешних сектантов и в какой-нибудь Новгород махнет, а дураков у нас везде полно, новых найдет. И вообще, он не один, скорее всего, работает, с ним еще группа поддержки должна быть, нечто вроде «крыши». Давай мне адрес Филиппа и дуй домой. Я сам съезжу, посмотрю.

Павел ушел, а я еще немного посидел и решил спросить совета у Спозаранника:

— Глеб, ты все слышал?

— Да.

— Будут какие-нибудь инструкции, пожелания?

— Какие могут быть инструкции? — удивился он. — Мы даже не знаем, правду он тут сейчас рассказал или нет! Тебе в самом деле нужно съездить на место и посмотреть там. После этого и будем решать, что делать и чего не делать.

* * *

В Тайцы я приехал к пяти часам вечера. Нужную мне улицу удалось найти довольно быстро.

Дома по обе стороны дороги были в основном одноэтажными. Я искал дом под номером семь. Проходя мимо пятого, заметил на заборе объявление: «SALE PLEASE CALL Олег Борисович» и номер телефона. Чуть ниже была приписка на русском: «Могу и сдать, если надо». Ого! Хозяин надеется, что на его недвижимость клюнет импортный миллионер. Я представил себе американского миллионера, несущегося по утру через двор от крыльца к деревянному строению, именуемому у нас сортиром. Там у него все мысли будут только о том, как бы в дыру не упасть.

Дом номер семь был двухэтажным, его окружал высокий деревянный забор.

Чтобы не привлекать внимания, пришлось пройти вперед еще метров сто пятьдесят. Затем я повернулся и пошел обратно, пытаясь сообразить, что бы делал Спозаранник на моем месте. Но представить на моем месте Спозаранника не получалось.

Вдруг мне в голову пришла отличная идея. Я уверенной походкой направился к дому на другой стороне улицы. Там в палисаднике копался дедок лет семидесяти. Он яростно стучал молотком по деревяшке. Подойдя еще ближе, я увидел значок с Лениным на его куртке.

— Приветствую вас, товарищ, — поздоровался я.

— Тамбовский волк тебе товарищ, — недобро пробурчал дедок, но молотком колотить перестал и внимательно осмотрел свой инструмент. Его боевые качества, видимо, старика не устроили, и он направился к своему дому, может, за винтовкой или пулеметом. Эх, не любит у нас простой народ «тамбовцев».

— Что вы, дедуля, я не из «тамбовцев», я, наоборот, очень даже мирный. Дом вот у Олега Борисовича покупаю, так что соседями скоро будем! Познакомиться хотел, а вы...

В конце концов между мной и дедком завязалась нормальная беседа. Поговорили о ценах, погоде и политике. После того как я шесть раз упомянул «паршивых демократов», он подрастаял. Я плавно перевел разговор на интересующую меня тему, спросив о соседях. Дед сказал, что днем там собираются «мракобесы», а по ночам мафия.

— Дом нужно окружить ротой солдат, всех в нем арестовать, дать по десять лет лагерей и отправить копать водоканал, соединяющий Балтийское море с Тихим океаном.

Я согласился, что арык бы получился замечательный.

Еще немного покрутившись по Тайцам, я направился на станцию и, пока ждал электричку, переписал расписание движения поездов.

Вернулся домой только к десяти часам вечера. Очень хотелось есть, но, открыв холодильник, я нашел всего одно куриное яйцо и половину сосиски. Вздохнул и поставил сковородку на огонь. Жениться, что ли, еще раз, хоть кормить будут...

* * *

На работу я пришел к двенадцати. У нас все сотрудники, кроме Спозаранника, приходят на работу только к обеду. Что поделать, народ у нас творческий, над ним нельзя издеваться, требуя, чтобы приходили на рабочее место ни свет ни заря, например к десяти. Правда, справедливости ради следует отметить, что когда нужно работать всю ночь до утра, никто и слова против не говорит.

Зайдя в кабинет, я поздоровался с Глебом, который, как обычно, работал за компьютером и одновременно разговаривал с кем-то по телефону. Закончив разговор, он положил трубку и спросил:

— Ну как там в Тайцах?

Я подробно рассказал ему о моем вчерашнем посещении «святых мест».

— Нужно «пробить» дом, в котором живет этот Филипп...

— Хозяин — пенсионер, ему восемьдесят один год. Дом он сдает, а сам живет у сына на Московском проспекте.

— Тогда нужно...

Спозаранник воистину генератор идей. Они в несметном количестве рождаются в его мозгу, и он выстреливает их со скоростью пулемета. Склад ума у него математический, поэтому все его идеи сугубо практические.

Я внимательно слушал Глеба, купаясь в водопаде его идей и стараясь не захлебнуться. Закончил он тем, что дом, который «sale», нужно снять на неделю и посмотреть, что там происходит.

— Иди к шефу и проси у него денег, скажи, что я не против.

Я встал со стула и хотел пойти к Обнорскому, но Глеб остановил меня неожиданным вопросом:

— Ты японским случайно не владеешь?

— Совсем не владею, — ответил я и вышел в коридор.

Там около окна стоял печальный Зудинцев и курил.

— Что случилось? — спросил я, протягивая ему руку.

— Депутат сорвался. То есть не депутат, а кандидат в депутаты. Он в декабре на выборах в ЗАКС провалился, а деньги под это дело у братвы брал. Они ему после того, как он их так подвел, счетчик выставили, раз в пять превышающий первоначальную сумму. Придурок к другой бригаде за помощью обратился, так его с двух сторон рвать начали. Он в милицию побежал жаловаться. А толку? В конце концов к Обнорскому пришел, потом этого дуралея ко мне направили. Только мы с ним плодотворно работать начали, как он пропал куда-то. Его жене неизвестно, где он. На работе тоже ни хрена не знают. Теперь вот Шаховского жду, может, он что присоветует...

— Ну, жди, — только это я и смог сказать ему в утешение и пошел к шефу.

Обнорский стоял посередине кабинета и метал дротики в мишень, висящую на стене. На диване сидел Скрипка и рассказывал о Спозаранннике, требующем деньги на покупку русско-японского словаря технических терминов.

Я поздоровался с обоими и вкратце рассказал про вчерашнее, а также передал им предложение мини-шефа об аренде соседнего с филипповской фазендой дома.

Шеф довольно долго не соглашался, но в конце концов заявил, что мне, как стажеру, нужна практика, и поэтому он не возражает. Скрипка выдал мне пятнадцать долларов под это дело, сказав, что больше не даст ни за что.

Дозвониться до владельца сдававшегося в Тайцах дома — Олега Борисовича — удалось почти сразу. Встретиться договорились в самих Тайцах, на перроне, но он поставил условие, сказав, что дом сдаст только семейной паре. У меня в паспорте не было отметки о разводе, так как официально мы с Верой числились счастливой ячейкой российского общества. Так что хозяину можно будет показать мой документ, а про «жену» сказать, что она свой паспорт отдала на вклеивание второй фотографии. Но где взять жену? С этим вопросом я обратился к Глебу. Он немного подумал, потом встал и ушел. Вернулся минут через десять и сообщил:

— Жену тебе нашли! Будешь жить в Тайцах с Горностаевой. Она очень хороший товарищ и опытный журналист, так что будет за тобой присматривать. Ты сможешь у нее кое-чему научиться.

— Спасибо, Глеб! — искренне поблагодарил я.

— Зря радуешься, она к мужчинам не проявляет интереса, — подал голос Зудинцев, сидевший за своим столом.

— Это к делу не относится! — отрезал Глеб.

— Как сказать, как сказать... — ехидно сказал бывший опер.

Перед самым моим уходом из агентства на «задание» позвонил Павел и с истерическими нотками в голосе сообщил, что вчера, пока он был у нас, его жена Катерина собрала и унесла из дома все ценные вещи.

Я положил трубку и пошел за Горностаевой.

* * *

Домик оказался совсем маленьким. Веранда, одна комната и крошечный закуток без окон, громко названный хозяином кухней.

Из мебели тоже необходимый минимум — кровать, например, в единственном экземпляре, и это вселило в меня некоторую надежду относительно перспектив предстоящей ночи.

Получив с меня плату, хозяин уехал в город, и мы остались одни. Следующие полчаса у нас ушли на то, что я вводил Валю в курс дела. Слушала она меня, как мне показалось, без особого интереса.

Потом мы попили чаю и, не включая свет, обсудили наши дальнейшие действия.

— А может, мне сходить туда к ним, познакомиться? — предложила Валя. — Как будто за солью, а?

Я согласился, и она ушла. Ее отсутствие длилось минут двадцать. Сидя у окна, я наблюдал за входной дверью соседского дома. Когда Горностаева наконец появилась, то провожать ее вышел невысокий мужчина с бородой.

— Кто это был? — спросил я Валентину, когда она зашла в комнату.

— Это и есть твой Филипп. Мы кофе с ним попили, приятно поговорили.

— О чем?

— О смысле жизни, о назначении человека. Да ты все равно не поймешь...

Время шло, а к Филиппу никто не приезжал. На улице окончательно стемнело. Наконец на дороге послышался шум автомобильного двигателя. Сказав Вале, чтобы она никуда не выходила, я выбрался из дома и кустами, стараясь двигаться бесшумно, подобрался к заборчику, отделяющему наш двор от филипповского, и стал ждать.

В этот момент мне показалось, что кто-то крадется ко мне сзади. Неужели меня заметили? Меньше всего на свете я хотел еще раз получить по голове. Подождав, пока ко мне подойдут поближе, я немного привстал, опираясь на локоть. Пора! Выбросив локоть назад, я ударил. И тут же перекатился в сторону.

О ужас!

На земле лежала Валя и судорожно хватала ртом воздух. Надо же мне было так лопухнуться!

Что было потом, лучше даже и не рассказывать. Короче говоря, спал я той ночью в кресле, награжденный множеством эпитетов, самым мягким из которых был «жаба антикварная».

Утром мы уехали в город, договорившись, что Валя приедет обратно на пятичасовой электричке, а я попозже, так как у меня еще были кое-какие дела.

* * *

В Тайцы я вернулся, как и планировал, только к девяти часам вечера. Входная дверь была закрыта на замок, и сколько я ни стучался, мне никто не открыл. Чертыхнувшись и решив, что Валентина спит как сурок, я достал свой ключ и открыл дверь. В доме никого не было. Я уселся на свою дежурную табуретку и задумался. Какая она, эта Валя, все-таки необязательная: договорились ведь, что подъедет к пяти часам и будет наблюдать за соседями. И что в итоге? Придется теперь тащиться на станцию, встречать ее со следующей электрички, которая приходит в Тайцы только к половине одиннадцатого. Будет совсем темно, и блудную Валентину во избежание инцидентов с местной шпаной просто необходимо встретить...

В это время из-за поворота показался джип. Сбавил скорость и остановился рядом с поповским домом. Из джипа вышли двое мужчин, им открыли калитку в заборе, и они скрылись из виду. Я запомнил номер джипа.

До электрички оставалось еще много времени, я решил сходить на почту и позвонить своим приятелям из охранной фирмы — они могли помочь мне «пробить» номер джипа.

Выяснить мне все удалось на удивление быстро: машина оказалась зарегистрирована на Карасева Павла Викторовича, 1965 года рождения, две судимости, последняя за умышленное убийство. На этой же машине с января по май этого года нарушали правила дорожного движения некто Измайлов и Аганесян. На них по специальным базам ничего нет, а вот Карасев числится бригадиром у Толи Гнилого. Но это, пояснили мне дополнительно, очень условно. Вчера у Гнилого, сегодня у Хромого, а завтра у какого нибудь Кривого или вообще сам по себе...

Я вернулся обратно в дом. До похода на станцию еще можно было попить чайку и поразмыслить над полученной информацией. Прошел в закуток без окон, именующийся кухней, заварил себе чай и с чашкой в руках вернулся в комнату.

И тут меня осенило! Бегом бросился на кухню — там на крючке висела сумка. Валькина сумка! Схватив ее, я вернулся в комнату. Вытряхнув ее содержимое на стол, я увидел сотовый телефон, косметичку и разные другие женские штучки.

Вот это был номер! Получалось, что Валя действительно вернулась сюда к пяти часам, а потом, не взяв с собой самого для нее святого, женской сумочки, куда-то ушла. Если ко всему этому прибавить странное поведение соседей, то вывод напрашивался только один: Валя или по своей воле оказалась в поповском доме, или ее туда затащили. Скорее всего, ее взяли в плен, а потом вызвали подкрепление из города.

Главное, не впадать в панику, сказал я себе. Ничего непоправимого еще не произошло, они не знают, что я в доме.

Решив больше не тянуть время, я взял Валькин телефон, поднялся на чердак и, рискуя свернуть себе шею, слез по стене на землю.

Через окно, находящееся на первом этаже, и в дверь, как нормальные люди, выходить было нельзя, потому что двор хорошо просматривался из филипповского дома.

Далее мне пришлось пробираться огородами. В одном из них на меня напала маленькая зловредная собачонка, желавшая откусить кусок моей ноги. При этом она еще и лаяла, как бешеная. Я был вынужден дать ей пинка.

Выбравшись из поселка, я метров двести прошел по дороге, пока не натолкнулся на развалины какой-то автобусной остановки. Я сел прямо на землю и набрал на трубке номер Зудинцева. Поговорив с ним, я попробовал еще до кого-нибудь дозвониться, но у меня ничего не вышло.

Я покурил, встал и направился обратно в поселок. Я, конечно, не герой, но раз уж до приезда помощи оставалось еще как минимум два часа, то следовало их употребить на наблюдение за домом. Возвращался я вновь огородами, и на меня второй раз подряд напала собачонка. Получив от меня очередной пинок, она заткнулась.

Я подобрался к окружавшему филипповский дом забору и прислушался.

Слышно было, как какие-то мужчины внутри дома ругаются между собой. Потом — так мне показалось — кто-то из них получил по морде, потому что ругань прекратилась.

Я посмотрел на часы, — следовало возвращаться на дорогу, Зудинцев вот-вот должен был подъехать. Проторенной дорожкой я вернулся к развалинам остановки и стал ждать.

На дороге, пока еще очень далеко, засветились фары. Я на всякий случай отошел подальше от дороги и спрятался в кустах.

Может, еще одна бандюковская машина везет очередную партию заложников? Машина сбавила скорость и остановилась прямо напротив остановки, и у меня не осталось никаких сомнений насчет того, кем были ее пассажиры. Я вышел из укрытия. За рулем сидел Зудинцев, рядом с ним на пассажирском сиденье восседала Света Завгородняя, а на заднем расположились Зураб и Шаховский. Открыв дверцу машины, я протянул всем по очереди руку, включая и Свету.

— Товарищ Дзержинский, группа захвата прибыла, — сказал Зудинцев, приложив руку к козырьку кепки. — Ну что, выйдем на улицу и обсудим?

— Да иди ты к черту, я замерз как собака, — возразил я и, обращаясь к сидящим на заднем сиденье, потребовал: — Ну-ка подвиньтесь, я к вам залезу.

В машине было тепло. Пересказывая им последние события, успел согреться. После краткого совещания, на котором, кстати сказать, ничего и не решили, мы загнали машину в перелесок и вышли под свет звезд.

Я шел рядом с Зудинцевым и шепотом спросил его:

— А зачем вы Светку с собой притащили, какой с нее прок сейчас может быть?

— Да не хотели мы ее с собой брать, она сама увязалась!

— Не понял! А что она у тебя дома в двенадцать ночи делала?

Зудинцев резко остановился:

— Ну что ты ко мне привязался? Может, ей ночевать негде! Может, я ей комнату сдаю! И вообще, отстань от меня со своей ерундой!

Он в сердцах плюнул на землю и пошел дальше. Метрах в двухстах от филипповского дома мы опять остановились, потому что теперь просто необходимо было что-то решать.

— Оружие надо, — сказал я.

Каждый из них отреагировал по-своему. Зудинцев полез к себе под мышку и вытащил револьвер, пояснив, что он газовый, а Зураб откуда-то извлек кастет. Света из своей сумочки вынула электрошокер. Шаховский же только презрительно усмехнулся и не сделал ни одного движения.

— А у тебя что? — полюбопытствовал я.

— У меня штучка посерьезнее.

— Конечно, у вас, у израильских шпионов, все может быть.

— С каких это пор я израильским шпионом стал? — изумился Шаховский.

— Я-то откуда знаю! — ответил я. — Может, с тех пор, как услышал голос родины?

— Какой такой родины?..

— Хватит вам пререкаться! — потребовал Зудинцев. — Давайте лучше решим, что делать теперь будем. Горностаеву оттуда вытаскивать надо, а вы тут какой-то херней занимаетесь, шпионы, блин, недобитые!

— А что тут обсуждать? Налетим неожиданно и перебьем их! — внес предложение Зураб и посмотрел на свой кастет.

— Не пойдет, тут тебе не Абхазия, — категорически возразил Зудинцев, — они нас перещелкают, как кроликов.

— При чем тут Абхазия? — взвился Зураб. — Зачем Абхазия, там такого не помню, а вот в Приднестровье помню...

— Хватит! — оборвал его Зудинцев. — Давайте Родика послушаем, он хоть подступы к дому обследовал.

— Значит так, — начал я, — скорее всего, Вальку они держат в дальней комнате, это нечто вроде пристройки к дому. Я уже осматривал ее издали, окон там как будто нет, но зато в соседней есть. Как раз под этим окном на улице сидит амбал. Там от ближайших кустов метров семь до него будет, и по идее он раза три в нас выстрелить успеет или завопит, как паровоз. Но есть одна мысль... можно попробовать, только без активного участия Светы нам не обойтись.

Света, услышав, что от нее что-то зависит, расправила плечи и заявила:

— Я готова!

— Вот и отлично, — обрадовался я. — Единственная возможность подобраться к охраннику — это его чем-то несказанно удивить. Ну скажем, вдруг выходит на него прямо из кустов голая девушка.

— А где ты голую девушку найдешь? — с подозрением спросила Света.

— А Зудинцев на что?.. — огрызнулся я. — Он же у нас больше всех на голую бабу похож! И вообще, Света, не задавай глупых вопросов!

— Что за идиотизм! Вам надо, вы и раздевайтесь!

Я вздохнул и принялся ей объяснять, что если к сторожу из темноты выйдет голый мужик, то эффект будет немножко не тот.

— Я тоже думаю, что план прекрасный, самый лучший, какой только можно было придумать! Давай, Светочка, я тебе помогу... — потянул к ней руки обрадованный Зураб.

— Уберите его! — зашипела Света. — Я сама!

— Погоди, — остановил ее Зудинцев, — поближе подойдем, там и разденешься, а то замерзнешь у нас раньше времени и подвиг свой не совершишь.

Как диверсанты в тылу врага, мы подкрались к поповскому дому на максимально близкое расстояние. По дороге на нас опять напала та вредная собачонка, и пришлось дать ей еще один пинок. Светлана разделась, предварительно потребовав, чтобы мы отвернулись. По-моему, мы все жульничали, и кажется, Света это заметила, но никак не отреагировала. Правда, трусики снимать она категорически отказалась, заявив, что для бандита будет достаточно и одной обнаженной верхней части тела. Посмотрев на нее, я вынужден был признать ее правоту. Зураб же, конечно, остался крайне недоволен, он явно рассчитывал на большее.

— Делаем так, — командовал Зудинцев. — Я и Шаховский подбираемся вдоль забора, а вы двое — через кусты смородины. Света через пять минут выходит из кустов. Поняла? Учтите, мы должны выскочить очень быстро. Если он успеет заорать, то нам всем крышка! Перестреляют, как котят!

Вообще-то командовать должен был Зураб, как наиболее опытный в проведении таких операций, но Зудинцев как-то сразу захватил инициативу...

Через пять минут мы уже были на исходных позициях и ожидали выхода на сцену Светы. Я страшно нервничал, и от этого мне в голову лезли совершенно идиотские мысли. Так, например, я подумал, что неплохо было бы покрыть Свету фосфором, чтобы она светилась зеленым цветом.

Но где же она? Пора на выход!

Кусты раздвинулись, и в слабом свете луны вышла богиня Неожиданности в одних белых трусиках! Это было великолепно! Бандит, охранявший окно, сначала вскочил на ноги, выронив из рук на землю ружье, потом, наоборот, сел на задницу и несколько раз очень тихим голосом сказал «мама». Тут мы и рванули в атаку. Бедняга был так поражен, что даже не понял, что происходит, когда несколько раз получил по голове тяжелыми предметами. Без звука он завалился на бок и так и остался лежать без движения.

Мой план сработал! Закончила первый этап операции Света. Она из-под резинки своих трусиков извлекла электрошокер и ткнула им в нос поверженному бандиту. Вопреки ее ожиданиям, он не дернулся, а только по-крысиному пошевелил носом. Получилось очень комично, и будь ситуация немного другой, мы бы, наверно, долго смеялись.

После этого наша примадонна убежала одеваться, Шаховский встал на шухер, Зудинцев принялся профессиональными движениями вязать бандита, а Зураб продолжал стоять, глядя на кусты, в которых скрылась Света. Я же достал перочинный ножик и начал отдирать рейки на раме, держащие стекло. Вскоре мне удалось его снять. Просунув руку внутрь, я открыл щеколду и, стараясь не производить лишнего шума, распахнул окно.

— Отойди! — сказал Зураб, отодвинув меня в сторону, и полез в дом. Ему, наверно, стало стыдно, что он пялился на Свету вместо того, чтобы помогать нам.

Он с грацией пантеры бесшумно перепрыгнул через подоконник и оказался внутри дома. Я гораздо менее ловко последовал за ним. Зудинцев тоже хотел лезть в окно, но в это время где-то с другой стороны дома послышались голоса. Бандиты говорили между собой на повышенных тонах, и Зудинцев, держа в руках трофейное ружье, остался на улице.

В доме было абсолютно темно. Откуда-то сбоку послышался голос Зураба:

— Эй, сюда!

Я пошел на голос и тут же ударился лбом о стену. Как только Зураб ориентируется в кромешной мгле? Осторожно, ощупывая пространство вокруг себя, я двинулся вперед и скоро натолкнулся на моего напарника, сидящего на корточках. Он подергал меня за руку, требуя, чтобы я тоже присел.

На полу кто-то лежал. Зураб тормошил этого «кого-то» за плечо. Результата не было никакого. Кое-как мы с Зурабом подтащили тело к окну. Я нес за ноги, а Зураб за руки. Когда мы вытащили его (или ее) почти наполовину на улицу, стало ясно, что это не Валя. Вместо нее мы спасали какого-то незнакомого мужика.

— Вах! — сказал огорченно Зураб. — Это не наше, потащили обратно, надо на место положить, нехорошо брать чужое.

Но Зудинцев, принимавший у нас мужика, внимательно посмотрел на него и вдруг радостным голосом сказал:

— Это мне! Давай его сюда!

— Ты что? — изумился Зураб. — Наша Валя гораздо лучше!

— Сюда давай, говорю! — зашипел Зудинцев.

Зураб недоуменно пожал плечами и вывалил мужика прямо на Зудинцева. В этот момент из кустов вернулась Света. Зураб, увидев ее, вновь забыл, зачем сюда приехал, и сделал попытку вылезти из окна. Я схватил его за руку и спросил:

— А как же Валька?

Он вздохнул, и мы вернулись обратно в темноту. Но больше никого не нашли. Пришлось вернуться.

Наш маленький отряд пробирался сквозь кусты, как стадо мамонтов, мы даже умудрились сломать по пути какой-то заборчик. Во дворе третьего дома нас опять атаковала все та же шавка и в очередной раз за эту ночь получила по морде. В жизни не видел таких настырных собак!

Вскоре мы добрались до трассы и благополучно ее пересекли, спрятавшись на другой стороне в маленьком лесочке.

— Кто это? — спросил Зудинцева Зураб, показывая на связанного мужика, которого мы вытащили из дома.

— Это мой кандидат в депутаты, блудный, правда, — сияя, ответил бывший опер и, как бы все еще не веря в то, что нашел своего клиента, погладил того по голове.

— Так давай его развяжем тогда, — предложил я.

— Ни в коем случае! — возразил Зудинцев. — Он у меня вечно куда-то пропадает, пусть уж лучше так полежит, целее будет!

Со стороны дороги послышался шум двигателей. Из поселка в город мчался джип. И в это же время на дороге со стороны города тоже послышался шум автомобильных моторов, причем не менее чем трех. Джип, сойдя с дороги, поехал прямо по полю. Но водитель явно переоценил возможности своей машины, она завязла в грязи. Этот маневр не остался незамеченным. Автомобили, мчавшиеся из города, остановились, и из них наружу выскочили не менее десяти человек. Все это происходило в километре от нас, но мы все равно услышали крики, приказывающие кому-то остановиться. Потом все стихло.

Вскоре караван из трех машин проследовал мимо нас в Тайцы. Бандитский джип так и остался стоять в поле.

Я, Зураб и Зудинцев решили вернуться в поселок. В это время на дороге показался одинокий велосипедист, кативший в нашу сторону.

— Будем брать? — спросил Зураб.

— Может, это обычный человек в город едет? — возразил я.

А велосипедист изо всех сил крутил педали. Нас он заметил, не доезжая метров десяти, резко затормозил и начал разворачиваться. После этого маневра мы рванули к нему. Первым велосипедиста догнал Зураб, схватил его за шиворот, а сам резко остановился. Эффект получился потрясающий. Велосипед без пассажира поехал дальше, Зураб и его добыча грохнулись на землю, а мы на полной скорости налетели на них. В итоге получилась приличная куча-мала.

Когда нам наконец удалось разобраться, где чьи ноги и руки, мы стали разглядывать пленника. Это был седобородый Филипп.

— Где Валя? — спросил у него Зудинцев.

— Какая Валя? — вопросом на вопросом попробовал ответить Филипп.

Зурабу такой ответ не понравился, и Филипп лишился двух передних зубов.

— Не порти товарный вид, нам его еще милиции сдавать, — испугался за жизнь Филиппа Зудинцев.

— Они ему что, зубы считать будут? Он что, лошадь? — удивился Зураб.

— Куда вы дели нашу сотрудницу? — продолжал спрашивать Зудинцев.

Но ответа от Филиппа мы так и не добились.

Мы связали наш живой трофей, чтобы он под шумок куда-нибудь не скрылся, и оставили сторожить его и мужика-кандидата Шаховского со Светой. А сами втроем пошли обратно в Тайцы.

Около филипповского дома Зудинцев поздоровался с мужчиной в штатском. Это оказался его бывший коллега по угрозыску.

— Двоих взяли, — рассказал знакомый Зудинцева. — В доме нашли ТТ и помповое ружье. Да, еще одного мужика в кустах обнаружили. И знаешь, его по башке так шандарахнули, что у него что-то там сдвинулось! Такую чушь несет, ты бы слышал! Говорит, что его голая баба по голове стукнула! Ну что, журналисты, пойдете смотреть? Нам надо, чтобы вы на месте кое-что пояснили. Да, тут еще один ваш чуть всех задержанных не перебил. Он, когда домик обыскали и поняли, что вас там нет, на бандюков с черенком от лопаты начал кидаться. Перебить всех хотел! Где, кричит, наши? Мы его еле-еле оттащить смогли!

— Не понял, ты про кого говоришь? — ответил Зудинцев. — Все наши, которые буйные, уже тут давно! Еще, правда, Обнорский есть, но он далеко, в Новгороде, в командировке. Я ему, конечно, позвонил перед тем, как сюда ехать, но слишком мало времени прошло, он не мог так быстро сюда добраться! — недоумевал Зудинцев.

В это время из дверей дома появился Спозаранник. Одет он был крайне необычно. Вместо привычного для нас костюма с галстуком на нем были синие спортивные штаны, футболка и домашние тапочки. Он производил впечатление совершенно одичавшего человека. (Потом мы узнали обстоятельства появления Спозаранника в Тайцах в таком экзотическом виде. Оказалось, что Зудинцев перед отъездом ко мне оставил ему на автоответчике запись. Вернувшись домой и прослушав сообщения, Глеб тут же в чем был побежал к соседу, у которого без лишних слов отобрал техпаспорт и ключи от доисторической «копейки», и погнал в Тайцы...)

Увидев нас, Спозаранник полез обниматься. Но, видимо, вскоре вспомнил о том, что является начальником, и вновь принял свой обычный вид:

— Все, что тут произошло, завтра в письменном виде мне на стол! Чтобы был полный отчет! Расписать все по минутам! Да, Валентина с вами?

— Нет, мы ее не нашли, — тихо сообщил Зудинцев.

* * *

В этот момент на дороге — целая и невредимая — появилась Валентина Горностаева.

Она подошла к нашей группе и удивленно спросила:

— А что это вы тут все делаете?

Дальше были вопли, крики, которые нет никакой возможности описать. Выяснилось следующее: Валентина вернулась в Тайцы, как мы и договаривались, на пятичасовой электричке. Потом ей позвонили и сказали, что ее любимый племянник попал в больницу. Она тут же, забыв свою сумку, рванула обратно в город.

— А чего ж ты мне ничего не сообщила? — наседал на Горностаеву я.

— Как? Я оставила записку на столе. Написала, что поехала в больницу и вернусь, как только смогу. Просила без меня ничего не предпринимать.

Тут я все понял. Для конспирации я не включал в доме свет. И поэтому увидеть горностаевскую записку просто не мог.

* * *

Рядом с нами остановилась зеленая навороченная «Нива». Это была машина шефа. Обнорский сидел за рулем, с переднего сиденья махал рукой Скрипка.

— Все целы? — спросил Обнорский, подозрительно рассматривая Спозаранника...

Филиппа и кандидата в депутаты пришлось отдать оперативникам.

* * *

В город мы поехали только часа через три. Первым двигался Обнорский на «Ниве», за ним шла наша «четверка», замыкал колонну Спозаранник. Когда мы проезжали мимо какого-то озера, «Нива» Обнорского показала нам правый поворот и несколько раз просигналила. Все поняли это как знак остановиться.

Обнорский подождал, пока все вылезут из машин, а потом решил устроить небольшое собрание.

— Ну что, господа журналисты, раз уж так получилось, что мы почти по независящим от нас обстоятельствам оказались на загородной прогулке, то предлагаю гулять по полной программе! Время, кстати, уже не раннее, так что сейчас обзвоним остальных наших и в срочном порядке вызовем их сюда. В ближайшей деревне купим мяса и устроим сабантуйчик! Воздержавшиеся есть?

— А вино будет? — спросил Зураб.

— Вина — не будет, — ответил Обнорский, который всегда категорически возражает против употребления любых спиртных напитков.

Почему — так и остается для меня загадкой.

ДЕЛО ОБ УТОНУВШЕЙ КАССЕТЕ

Рассказывает Валентина Горностаева

«...Зарекомендовала себя как профессиональный журналист, имеющий навык работы с источниками информации и корректного изложения материала.

...Конфликтна. Подвергает критике практически все решения руководства агентства.

Общественно активна. Считает себя борцом за права „рядовых" сотрудников агентства. В 1998 году ею предпринималась попытка (неудачная) создания в АЖР профсоюза.

Имеет два выговора за нарушение производственной дисциплины (срыв сроков сдачи материала, курение в неположенных местах)».

Из служебной характеристики

Сегодня — четверг, а значит, с утра будет английский. Поэтому настроение у меня было хуже некуда. Я шла на работу с таким мерзким настроением, словно мне предстоит визит к гинекологу. Эта последняя придумка Обнорского с добровольно-принудительным изучением английского была не то чтобы бессмысленной, но абсолютно безнадежной. По крайней мере в отношении меня.

Но распоряжения шефа в нашем агентстве выполняются безукоснительно. Поэтому я обреченно переставляла ноги, проклиная себя за врожденную, очевидно, неспособность к иностранным языкам.

Я работала здесь второй год. Обстоятельства моего появления в агентстве до сих пор были не осознаны мною до конца. Все произошло случайно. Я училась на пятом курсе факультета журналистики и мечтала о славе литературного критика, когда там неожиданно появился Обнорский. Он читал лекции по технике журналистского расследования. Слушать его я отправилась скорее из любопытства — слишком много разговоров было вокруг этих лекций на факультете. Да и сам Обнорский был для нас, студентов-журналистов, личностью известной и почитаемой. Ну как же, живой классик! Его «Переводчик» ходил на факультете по рукам. Как и все, я глотала его книги запоем, но лихо закрученные сюжетные линии меня интересовали мало. От строчки к строчке меня гнал интерес к необычайно притягательному главному герою. Этот человек искал истину, находил ее, совершал ошибки и всегда расплачивался за них сам.

Лекции Обнорский читал довольно сумбурно, но очень увлеченно. Говорил, что профессиональная журналистика обвалилась, что новую школу еще только предстоит создать. На фоне общего раздрызга, который царил тогда на факультете, он излучал уверенность. В его словах была убежденность человека, знающего и любящего свое дело. Одним словом, я твердо решила забросить литературную критику и посвятить себя журналистскому расследованию.

После того как Обнорский закончил лекцию, я подошла к нему и нахально сказала, что хочу быть расследователем. Он посмотрел на меня несколько удивленно, очевидно не ожидал подобной наглости от невзрачной студентки, и спросил: «А что вы умеете?» Я скромно потупила взор и ответила, что умею пока немного, но хочу учиться, что согласна быть стажером и вообще кем угодно — так глубоко запали мне в душу его слова... Моя лесть возымела действие. После минутного молчания мэтр сказал: «Ну что ж, давайте попробуем».

Девчонки с курса говорили мне потом: «Ну, Горностаева, ты даешь! Все пять лет тихоней прикидывалась, а тут вдруг к Обнорскому подъехать сумела». — «Да, я та еще штучка», — отвечала им я.

Тогда я очень гордилась собой. Попасть в агентство, о котором в городе ходило множество самых разнообразных слухов, было совсем не просто. Сегодня мои восторги несколько поубавились, потому как расследователя из меня явно не получается. Наверное, я несколько переоценила свои силы.

На английский я опоздала. Там уже вовсю шла проверка домашнего задания, которое я, конечно же, не подготовила. В нашей группе, которая изучает язык с нуля, особыми успехами не блистает никто. Разве что Зудинцев, который наверняка хитрит и имеет об английском хотя бы некоторое представление.

Наша молоденькая учительница пытается быть строгой. Она забавно складывает руки на столе, как делают это первоклассники, и говорит: «Прошу вас учить слова. Иначе я буду ругаться». Но ругаться она не умеет, а слов мы не учим. Да и когда нам их учить...

Отмучившись после английского, я заглянула в отдел Марины Борисовны в надежде покурить с ней в ее уютной комнате. «Ой нет, Валюша, пойдем в коридор, — сказала она. — Посмотри, как у меня стало красиво после ремонта, не хочется дымить здесь». Я с тоской посмотрела на свое любимое кресло и вышла вслед за Агеевой в коридор.

Несмотря на значительную разницу в возрасте, нас связывают дружеские отношения. Агеева всегда в курсе всех дел, которые происходят в агентстве, и как начальник архивно-аналитического отдела знает множество имен и кликух представителей криминального мира.

Я люблю эту красивую женщину, избалованную мужским вниманием и обладающую довольно язвительным язычком, на который лучше не попадаться. Если бы Марина Борисовна жила в рыцарские времена, на ее фамильном гербе непременно были бы начертаны слова: «Не спущу никому!» Ее постоянные стычки с Обнорским стали притчей во языцех. Вот и сейчас она начала с того, что шеф совсем страх потерял — взвалил на ее отдел кучу дополнительной работы. Впрочем, Марина Борисовна обладает счастливой способностью быстро переключаться. Очень скоро она заговорила о своей дочери, Машке, о том, что мне необходимо устроить свою личную жизнь — потому что грех женщине моего возраста с такими роскошными рыжими волосами оставаться одной. «Ах, Валюша, когда я была молодой...»

Тема молодости — любимая у Марины Борисовны. С моей точки зрения, она несколько кокетничает, потому что в свои сорок пять лет выглядит куда лучше, чем я в двадцать семь. Но на сей раз я не успела услышать очередную историю из бурной молодости Марины Борисовны.

Дверь кабинета Обнорского вдруг резко распахнулась, выпуская неизвестного мужчину. Впрочем, неизвестным он был только для меня, потому что Агеева тихонько шепнула мне на ухо: «Это Голяк». В последнее время это имя часто мелькало в сводках агентства, и я с любопытством взглянула на его обладателя.

Ничего особенно собой он не представлял. Невысокий, плотный, темные волосы, большой с залысинами лоб. Прикид тоже самый обыкновенный — джинсы, куртка, светлая голубая рубашка. Словом, ничего, что могло бы поразить воображение или хотя бы бросалось в глаза. И тем не менее что-то в этом человеке вызывало во мне беспокойство.

Когда за Голяком захлопнулась входная дверь, в коридоре появились Обнорский и Шаховский. Шеф пребывал в состоянии крайнего раздражения. Он сыпал привычным набором идиоматических выражений, смысл которых сводился к тому, что Голяк напрасно думает, что ему, козлу, удастся получить назад кассету.

Чтобы не попасться Обнорскому под горячую руку, мы с Агеевой сочли за благо разойтись по своим комнатам.

— Хау а ю? — приветствовал меня Спозаранник.

— Плохо, — ответила я ему по-русски. Порадовать своего начальника мне было действительно нечем. Текст, который должен быть готов еще вчера, похоже, не будет написан и сегодня. А тут еще Голяк почему-то из головы не выходит.

— А что это за история с Голяком? — спросила я.

Глеб поднял на меня глаза и назидательно произнес, что вместо того, чтобы интересоваться

Голяком, мне следовало бы закончить справку о топливных компаниях, которую он ждет.

— Глеб, — с надеждой сказала я, — можно завтра?

— Сегодня! — коротко отрезал он.

Змей, — подумала я. Ядовитый змей. Спорить с Глебом бессмысленно. Чужих аргументов он не признает, а его собственная работоспособность вызывает во мне здоровое чувство зависти.

Вздохнув, я включила компьютер и открыла текст ненавистной справки. В комнате было тихо. За соседним столом сидел за компьютером Зураб. Он боролся с финансовыми пирамидами и изредка давал выход переполнявшим его эмоциям, выкрикивая какие-то короткие грузинские словечки. Модестова и вовсе было не слышно. Я попыталась сосредоточиться, но топливные компании определенно не шли мне на ум. Что-то другое не давало мне покоя. «Наваждение какое-то», — подумала я, ощущая неясную тревогу.

— А что это ты вдруг Голяком заинтересовалась? — словно читая мои мысли, произнес Глеб. — Я полагал, что всем мужчинам на свете ты предпочитаешь Агееву.

Своеобразное чувство юмора моего начальника всякий раз ставит меня в тупик.

— С моей сексуальной ориентацией все в порядке, — сказала я как можно более суровым голосом.

— Судя по книгам, которые ты читаешь, я бы этого не сказал, — продолжал он невозмутимо.

Типичный змей! И когда только он успел углядеть на моем столе «Другой Петербург» Ротикова.

— Эта книга, уважаемый Глеб Иванович, интересует меня не столько своей голубой направленностью, сколько тем, что, по моему разумению, это — хорошая литература. Читаю ее я исключительно во внерабочее время, и дала мне ее, между прочим, Марина Борисовна, за что я ей очень благодарна.

— Вот я и говорю, — засмеялся Спозаранник. А вместе с ним грохнули Зураб и Модестов.

— Не бери в голову, Валэнтина, — сказал Зураб, нарочито акцентируя грузинский акцент. — В конце концов, у каждого свои недостатки.

У меня появился законный повод обидеться. Стараясь сохранять достоинство, я взяла сигареты и отправилась к Агеевой.

Марина Борисовна встретила меня участливо.

— Что грустная, Валюша?

— Да вот, не выходит чаша у Данилы-мастера, — пыталась отшутиться я.

— А ты ее пни, чашу-то, — улыбнулась она, протягивая мне чашку кофе, и, глядя на мое расстроенное лицо, заговорщицки подмигнула: — Может, коньячку?

Откуда-то из недр шкафа Агеева достала початую бутылку, которая хранится здесь со времен ее дня рождения. Спиртные напитки в «Золотой пуле» категорически возбраняются, поэтому, плеснув коньяк в кофе, она вновь спрятала бутылку за файловые папки, подальше от бдительных глаз Обнорского.

В отделе Марины Борисовны кофе всегда самый вкусный. Мы с наслаждением прихлебывали ароматную жидкость и разгадывали скандинавские кроссворды, к которым имели непонятное пристрастие. Наш кайф нарушил Обнорский. Он неожиданно возник в дверях и произнес:

— Ага, кофеек попиваете. Кроссвордики решаете в рабочее время?

— Андрей, дай передохнуть минутку. Горностаева вот грустит, я ее кофеем отпаиваю, — сказала Марина Борисовна.

— Кто обидел нашего королька? Нашего рубаху-парня? — дурашливо заговорил Обнорский цитатами, обращаясь ко мне.

Я почему-то смутилась, но Агеева мужественно встала на мою защиту.

— Кто ж, как не твой Спозаранник. Нагрузил работой бедную девочку. Совсем как ты меня.

— Что ж, будем увольнять как несправившуюся, — резюмировал Обнорский и вышел так же внезапно, как появился.

Не успели мы допить кофе, как на пороге появился начальник репортерского отдела Владимир Соболин. Он попросил Марину Борисовну срочно подготовить все имеющиеся в ее отделе материалы на Голяка.

«Опять Голяк», — подумала я.

Агеева, надевая очки, подошла к компьютеру и чуть раздраженно сказала:

— Господи! Ни минуты покоя. Что случилось-то?

До того как стать журналистом, Соболин был актером. Он любит говорить. Речь его всегда напоминает сценические монологи и требует аудитории. Умело управляя голосом, он поведал нам, что примерно месяц назад господин Спозаранник записал на диктофон долгую беседу с неким Голяком. И под хорошую закуску и благородные напитки тот выложил Глебу Егоровичу много любопытного. Про милицейские крыши охранного бизнеса, про депутатов и особенно их помощников. Про недавнее убийство лидера демократического движения. Кассете с подобной информацией цены нет. Голяк такими делами ворочал, что думал век гоголем ходить. Но сколько веревочке ни виться — конец один. Его не сегодня-завтра в федеральный розыск объявят, а свое одеяло к телу все-таки ближе. В этих условиях слитая информация вполне ему боком выйти может. Вот он и просит вернуть кассету, на которой беседа эта записана.

— А мы, стало быть, не вернем? — спросила я.

— А тебе, Горностаева, Голяка, что ли, жалко? — вместо ответа сказал Соболин.

Голяка мне было не жалко. Но со мной происходило что-то странное. Я вернулась к себе в отдел и села за компьютер. Несколько минут я тупо вглядывалась в названия топливных компаний, затем, повинуясь какому-то внезапному решению, свернула текст справки и разложила на экране пасьянс.

«Если „Свободная ячейка" сойдется с первого раза, то я знаю Голяка», — загадала я. Глеб неодобрительно посмотрел в мою сторону. От его бдительного ока не укрылось, что я явно занимаюсь не тем, чем следовало. «Ну и пусть», — подумала я, продолжая упорно щелкать мышью. Через несколько секунд карты веером заскользили по экрану и улеглись на положенные места. «Свободная ячейка» сошлась. «Вот черт!» — сказала себе я и встала из-за стола.

— Глеб, я пойду? Все равно от меня толку сегодня нет.

Молчаливый кивок Спозаранника должен был означать, что толку от меня нет по обыкновению. Мне стало стыдно. Я подумала, ну какой из меня, на фиг, расследователь, когда даже справку толковую написать не могу. Глеб будет тысячу раз прав, когда нажалуется на меня Обнорскому, и вылечу я из агентства в два счета.

«Ну и пусть!» — упрямо твердила я, спускаясь по лестнице. Все равно они меня не любят. Никто не любит.

* * *

На улице лил дождь, и это как нельзя лучше соответствовало моему настроению. Я продолжала накручивать себя. Вспоминала день, когда пришла в агентство первый раз. Обнорский водил меня по комнатам и говорил: «Выпускница факультета журналистики. Мечтает стать расследователем». Я готова была провалиться сквозь землю. Наверное, так чувствовал себя Гадкий утенок из сказки Андерсена.

Первый год мне пришлось работать в репортерском отделе. Окунувшись в море криминальной информации, я сначала пришла в ужас, и если бы не Агеева, которой пришлось стать моим Вергилием, я, наверное, сбежала бы из агентства. Потом привыкла писать информации об ограблении магазинов, убийствах депутатов, разбойных нападениях. Привыкла и к тому, что, разрезая торт на чаепитии в отделе, Соболин называл себя главным специалистом по «расчлененке». И действительно, по количеству информации о расчлененных трупах он не знал себе равных.

Соболин добрый начальник. Задатки Деда Мороза, которого ему приходилось играть в актерской жизни, проявляются и в его стиле руководства. Всякий раз, когда он произносит очередную реплику, в мою голову неизменно лезет дурацкий стишок. Начинается он так: «Здравствуй, Дедушка Мороз, борода из ваты...» Конец стишка был неприличный.

В отдел к Спозараннику меня взяли на стажировку. К тому времени я достаточно поднаторела на криминальных информациях и чувствовала себя способной на большее. В отличие от репортеров здесь работают солидные люди, в основном бывшие менты и чекисты. Работа в этом отделе кропотливая и начинается с тщательного сбора информации, составления подробных досье, проверки фактов. Успех расследования зависит от надежности и компетентности источника. С моей точки зрения, все это несколько походит на шпионские игры. Иногда мне даже кажется, что Глеб неспроста периодически сбривает свои роскошные усы, отправляясь на встречу с очередным источником.

«Господи! — говорила себя я. — Да они все сумасшедшие, свернутые на своем криминале. И я сумасшедшая — вот уже Голяки мерещатся».

* * *

Домой я приехала в самом мрачном расположении духа. К счастью, мои домочадцы были слишком заняты, чтобы обратить на это внимание. Сестрица Сашка и ее бой-френд Андрей, как обычно, устроились на кухне. Разложив на столе конспекты и учебники, они в порядке подготовки к зачету по биохимии упоенно целовались.

Любимая племянница Манюня носилась по квартире с последним подарком своего папочки, страшенной пластмассовой уткой-каталкой. Манин папа, в недавнем прошлом Сашкин муж, баловал горячо любимую дочь подарками и визитами исключительно по воскресеньям. Сашку это вполне устраивало, Маньку, похоже, тоже. Единственным человеком, которому такая ситуация казалась ненормальной, была наша с Саней мама, Манина бабушка.

Мама у нас вообще идеалист-романтик. Вот уже двадцать лет она безуспешно пытается наставить нас с сестрой на путь истинный. С появлением Манюни процесс нашего воспитания был приостановлен. Она даже перестала плакать о нашем папашке, который завел себе новую семью десять лет назад, и все свои надежды сосредоточила на внучке. Но Манька оказалась еще более крепким орешком, чем в свое время мы с Санькой. Заставить ее делать что-нибудь против ее желания практически невозможно. А желает она пока только танцевать, наряжаться и корчить рожи перед зеркалом. Единственное, что может отвлечь ее от этих занятий, — кассета с «Титаником», которую она смотрит как завороженная. К одиннадцати «Оскарам» Камерон вполне может добавить еще один — номинация за лучшее успокаивающее средство для детей двух с половиной лет.

Сашка с Андреем наконец ушли из кухни, и я в унынии принялась шарить по холодильнику. На полноценный ужин настроения не было. Поэтому, воспользовавшись тем, что мама сражалась с Манькой, пытаясь приохотить внучку к интеллектуальным занятиям, я ограничилась традиционным меню: кофе с сигаретой и бутерброд.

События сегодняшнего дня фрагментами проносились в голове. От этого занятия меня отвлекла Саша, — пришла пообщаться с любимой сестрой. Суть общения сводилась к просьбе написать реферат по культурологии — «что-нибудь про Питирима Сорокина, но не так много, как в прошлый раз».

Постепенно на кухне собралось все наше семейство. Обычно мы сидим долго, но сегодня все были какие-то замотанные, поэтому посиделки вышли по сокращенной программе. Сашка понесла Маньку укладываться. Этот процесс сопровождался воплями и настойчивыми криками: «Баба Ле-на!!!» Обычное дело. Нормальный сумасшедший дом — невыносимый и любимый одновременно.

Я забралась в свой закуток — угол большой комнаты, отгороженный сервантом. Там впритык друг к другу умещались стол, кресло и книжные полки. Все это использовалось как по назначению, так и для хранения всяких ценных вещей, непочтительно именуемых мамой «этот твой хлам».

Ничем серьезным заниматься мне не хотелось, поэтому я потянулась за альбомом с фотографиями. Фотографий у нас в доме великое множество: в альбомах, коробках, пакетах и просто россыпью, на которых запечатлены мною студенческие вечеринки и домашние праздники, портреты родственников и многочисленные снимки Манюни.

Я люблю смотреть фотографии. А для таких случаев, как сегодня, у меня припасен особый альбом. В нем хранятся фотоснимки из «Искорки». Есть под Зеленогорском такой райский уголок, с которым у меня связано четыре года жизни. Ровно четыре лета во время каникул я работала в «Искорке» вожатой. Этот далеко не бедный лагерь ничем не напоминал тот, где прошло мое собственное пионерское детство. Детям и взрослым здесь были обеспечены невиданные по тем временам условия. Трехэтажные каменные корпуса, йогурты к ужину, черешня к полднику, компьютерные приставки в качества призов за победу в конкурсах. У меня, например, впервые в жизни была собственная комната.

Однако самым большим потрясением для меня стали дети. Особого пристрастия к педагогике я никогда не испытывала, и моя лагерная эйфория объяснялась вовсе не тем, что во мне внезапно проснулся талант Ушинского или Сухомлинского. Дело было не в педагогике, а в том невероятном потоке любви и симпатии, который внезапно хлынул на меня.

В лагерь я уже три года не езжу, но до сих пор, перебирая фотографии, улыбаюсь, потому что ко мне хоть на чуть-чуть возвращается спокойствие и безмятежность самого лучшего в моей жизни времени.

Но сегодня даже это испытанное средство не срабатывало. Я перебирала фотки с забавными детскими мордашками и ловила себя на том, что думаю о своей работе в агентстве, о пасьянсе, который зачем-то сошелся, и, конечно, про Голяка. Такое ощущение, что про этого бандюгана мне теперь до конца жизни думать придется.

«Все, стоп», — сказала я себе. В конце концов, человек должен быть хозяином своих мыслей. Ну-ка попробуем еще раз! Так, это мы после «Аленького цветочка» — спектакля, имевшего бешеный успех благодаря чудищу, бесподобно сыгранному моим любимчиком Лехой Смирновым. Это наш поход, это я у снежной крепости, а это...

Тут я почувствовала, что у меня темнеет в глазах — с фотографии широко и приветливо улыбался Голяк. Сначала я подумала, что моя нервная система не выдержала ежедневного общения с криминальным миром и я просто рехнулась. Потом я осознала, что это не галлюцинация, и испугалась еще больше. Но уже не страх, а настоящий ужас и безысходная тоска навалились на меня, когда я поняла, что человек с фотографии — тот, кого я встретила сегодня в агентстве и кого не сегодня-завтра объявят в федеральный розыск, — это отец Кирилла Арсеньева.

Оба они глядели на меня с фотографии, сделанной в родительский день после дружеского футбольного матча, в котором принимали участие дети и папы. В голове у меня закружилось. Но вместо того чтобы потерять сознание, я вспоминала...

* * *

Впечатления от первого в моей жизни лагерного лета были весьма пестрыми. Из тридцати мальчишек больше половины ездили сюда чуть ли не с детсадовского возраста. Они были яркими, талантливыми, раскованными. Чего стоил один Леха Смирнов, который танцевал как бог и мог сыграть любую роль. Среди такого скопища талантов легко было затеряться не только ребенку, но и взрослому. Тем более что мой напарник Сергеич был личностью легендарной. Он имел гигантский по сравнению со мной опыт лагерной жизни. Сергеич ездил в «Искорку» уже семь лет и имел в запасе неимоверное количество игр, развлечений и приколов, жертвами которых легко мог стать любой.

Поначалу я чувствовала себя здесь не слишком уютно. Может быть, поэтому меня особенно заинтересовал товарищ, который оказался примерно в одной ситуации со мной, демонстрируя при этом поразительное самообладание и независимость. Товарищу было двенадцать лет, это был «пионер» из моего отряда. Звали его Кирилл Арсеньев. Независимостью этот мальчик обладал фантастической. Кроме того, скоро выяснилось, что все, за что бы Кирилл ни брался, он делал не просто хорошо, а великолепно. Не было ни одного отрядного мероприятия или конкурса, в котором Арсеньев не занял бы первое место. Он побеждал легко, не давая себе труда особо радоваться по этому поводу, и ни разу не пытался изобразить то, чего не чувствует.

С таким характером, как у Кирилла, быть чьим-то любимцем невозможно. Мы стали друзьями. Разница в десять лет, естественно, ощущалась, но не была непреодолимой. Слишком много общего нашлось у нас с ним. В течение трех лет я была бессменной вожатой Кирилла Арсеньева, потом по возрасту он перешел в старший, первый отряд, но ничего не изменилось. За исключением того, что я стала понимать: то, что тянет меня к этому мальчику, называется иначе, чем дружба, и объясняется какими-то другими словами.

Сейчас я подумала, что Глеб Спозаранник, наверное, быстро бы нашел нужные слова для определения моей очередной сексуальной патологии. Да что Глеб, если даже такой тонкий и знающий меня человек, как мама, только за голову хваталась, когда я пыталась объяснить ей, что со мной происходит.

С Кириллом я никогда об этом не говорила. Мне казалось, что если я вывалю на него все то, в чем сама еще толком не разобралась, что-то изменится в наших отношениях, разрушится то общее, одно на двоих пространство, которое окружает нас.

Мы не так уж много времени проводили вместе, и если нам случалось оставаться вдвоем, то было совершенно неважно, чем мы будем заниматься. Я могла валяться на кровати и читать свои конспекты, Кирилл копаться в магнитофоне, и при этом мы все равно были вдвоем. Разговоры у нас тоже случались. Причем иногда мы умудрялись понимать друг друга, не заканчивая фраз. Во время одной из таких бесед он сказал мне, что я не из того разряда, которые «Посмотрел-нравятся», а по-другому. Как «по-другому», он уточнять не стал.

О родителях Кирилл почти ничего не говорил. Отношения в семье были непростые, и он предпочитал не касаться этой больной для себя темы. Только однажды, когда мы по обыкновению пили чай в моей комнате после отбоя, он сказал: «Мама у меня хорошая, очень. А шлепок... так себе. Все крутого из себя строит. Сотовый завел, бизнесом каким-то решил заняться. Смех».

Отца Кирилла в лагере я видела лишь однажды. Он приехал неожиданно после полдника и церемонно попросил моего разрешения пообщаться с сыном. Отметив про себя их удивительное сходство, я пошла в комнату собирать вещи: в тот день я уезжала в город на выходной. Минут через сорок ко мне прибежал Кирилл:

— Валя, давай скорей. Отец уезжает, хочешь, он тебя до станции подбросит?

— Так рано уезжает? — удивилась я.

— Ну так чего сидеть-то? — воззрился на меня Кирилл.

Он проводил меня до хоздвора, где красовался роскошный «крайслер».

— Это что, ваша машина? — не могла скрыть я удивления.

— Да, — буркнул Кирилл.

— А чего ж ты мне не рассказывал, что у вас такой красавец имеется?

— А его и не было... до вчерашнего дня, — как-то странно и неохотно сказал он.

Ехать в этой иномарке было истинным наслаждением. Сидя на заднем сиденье, я ощущала себя по меньшей мере принцессой крови и втайне надеялась, что мне удастся доехать до города в этой прекрасной машине. Но этого не произошло. Минут через десять она плавно затормозила у станции. Мне ничего не оставалось, как поблагодарить водителя и выйти. «Вам спасибо за сына», — неожиданно произнес он на прощание.

Это было мое последнее лагерное лето. Впереди был пятый курс, диплом, и больше в «Искорку» я не ездила. Первый год мы с Кириллом часто перезванивались. Пару раз он даже заходил ко мне, и под неодобрительные взгляды мамы мы пили пиво на кухне. Он говорил, что будет поступать в Политехнический. Потом все кончилось. Последний раз он поздравлял меня с днем рождения два года назад. Я знала, что в феврале этого года Кириллу исполнилось 19 лет.

От моих воспоминаний меня отвлекла бабушка.

— Валя! С ума сошла, что ли? Пятый час, тебе ведь завтра на работу.

Я легла, но заснуть долго не удавалось. События сегодняшнего дня никак не связывались в одно целое. Словно фрагменты гигантской мозаики, в голове мелькали картинки из моей жизни — лагерь, агентство, кассета, Голяк, Обнорский, Кирилл...

«Интересно, каким он стал», — подумала я, уже засыпая.

* * *

На другой день я умудрилась прийти на работу раньше, чем Спозаранник. Это было странно, потому что Глеб удивительно точно соответствовал своей фамилии. В комнате расследователей уже сидел за компьютером Миша Модестов.

— А что наш Глеб, заболел? — спросила я.

— Почему заболел? — ответил Модестов. — У него суд с утра.

— Какой суд? — не поняла я.

— Да Правер подал иск. Требует компенсации морального ущерба за то, что Глеб извратил его светлый образ в своем материале.

— А что, действительно извратил?

— Ну ты даешь, Валентина! Ты что, Спозаранника не знаешь? Он же семь раз отмерит, прежде чем один раз написать. Так что не переживай. Они там с Лукошкиной отобьются.

Я хотела сказать Мише, что для переживаний у меня и без Спозаранника достаточно поводов. Тем более что в исходе этого судебного процесса я не сомневалась. Мария Лукошкина была опытным адвокатом, и ей частенько приходилось вытаскивать сотрудников агентства из подобных ситуаций. Чаще других в суд вызывали Обнорского. С Глебом такое приключилось впервые.

Мишу Модестова в агентстве прозвали Паганелем. Кроме высокого роста и непомерной близорукости, он был еще и рассеян, совсем как тот забавный француз. Вот и сейчас, разговаривая со мной, Миша умудрился засунуть куда-то записную книжку.

— Паганель, ты бы отдал кассету Голяку? — без всякого перехода спросила я.

Он прекратил поиски записной книжки, откинулся на спинку стула и снял очки.

— Если ты намекаешь на виолончель, которую я будто бы продал за пять бутылок «Белого аиста», так это — чушь собачья.

История с виолончелью была для Модестова больной темой. До того как Миша пришел в агентство, он играл в оркестре Мариинского театра. В его жизни был период, когда он, что называется, пил по-черному. А поскольку всем прочим напиткам Миша предпочитал молдавский коньяк, кто-то из наших острословов пустил пулю про виолончель. Впрочем, шутка не была злой, Паганель давно к ней привык и обычно не обижался. Но сейчас не защищенное стеклами очков лицо Миши имело несчастное выражение.

— Паганельчик, миленький, — взмолилась я, — ни на что я не намекаю. Ты ведь знаешь, я и сама люблю хороший коньяк. Ты мне просто скажи — ты отдал бы кассету?

— Видите ли, Валентина Эдуардовна... — в сложных ситуациях Модестов обычно начинал со слов «видите ли».

— Да не тяни ты, я же тебя как человека спрашиваю!

Но ответа на свой вопрос я не дождалась, потому что в комнату вошел Спозаранник.

— Ну как, Глеб, все в порядке? — спросил Миша.

— А разве могло быть иначе? — ответил он.

Но порадоваться за своего начальника мы не успели. Спозаранник тут же напустился на Модестова, который, оказывается, еще час назад должен был встретиться с Зудинцевым. Как выяснилось, Зудинцев уже дважды звонил Спозараннику на пейджер, потому что до агентства дозвониться невозможно, а свой пейджер Модестов, по обыкновению, оставил дома.

Миша уже давно убежал, а Глеб все продолжал свой монолог о безответственности и отсутствии самодисциплины. Мужественно принимая огонь на себя, я протянула ему законченную наконец справку. Минуты две Глеб читал мой эпохальный труд, после чего произнес:

— Вполне прилично, но, как всегда, очень много лишних эмоций. Словом, до совершенства далеко.

С этими словами он выдал мне новое задание и ушел на летучку. Учитывая, что «совершенство» — прерогатива самого Глеба, этот отзыв мог сойти за похвалу. Поэтому я отправила братьев Изумрудчиков, деятельность которых на сей раз заинтересовала Спозаранника, в стол и отправилась к Агеевой, единственному человеку, которому я могла рассказать о Кирилле.

Но Агеева была на летучке. Чтобы скоротать время, я заглянула к репортерам. Обычно там многолюдно, но сейчас в комнате находились только трое: Соболина, Завгородняя и Скрипка. Анна Соболина, по обыкновению, что-то выискивала в компьютерной сети. Молчаливая и задумчивая, она полная противоположность своему богемному мужу. Глядя на ее красивое лицо, я подумала, что никогда не выйду замуж. Если семейное счастье заключается в том, чтобы таскаться с авоськами и молчаливо терпеть многочисленные измены мужа, то на фига мне такое счастье? Хотя, впрочем, что я об этом знаю? Ровным счетом — ничего. Наверное, если сильно любишь, то можно простить многое. В конце концов, у них сын, очаровательное двухлетнее существо. Я вспомнила нашу Манюню и подумала, что ребенку обязательно нужны отец и мать, которые его любят.

Светка Завгородняя сидела на краешке стола, картинно свесив длинные ноги, и болтала по телефону. Судя по кокетливым интонациям, разговаривала она явно не с представителями РУВД. Хотя и с ними она разговаривала точно так же. Внешностью Завгородняя тянула на топ-модель, а ее характер отличался исключительной стервозностью. Отбоя от мужиков у Светки не было. Даже сейчас, пока она динамила своего очередного поклонника, Скрипка бросал весьма выразительные взгляды на глубокий вырез ее платья.

Любвеобильность Алексея Скрипки служит предметом постоянного обсуждения. Он флиртует со всеми женщинами агентства, включая Агееву. Его вниманием обойдена разве что я. Не то что это меня особенно тяготит — Скрипка явно не походит на предмет моих девичьих грез, — но так, обидно все-таки. Мы с ним единственные выпускники факультета журналистики в агентстве. Хотя бы из чувства солидарности к альма матер он мог бы относиться ко мне чуточку внимательнее.

Но едва я подумала об этом, как Скрипка, увидев в моих руках сигарету, недовольно отметил, что курить следует не где попало, а в специально отведенном месте. В нашем агентстве он занимается не столько журналистикой, сколько хозяйственной деятельностью. Эти свои обязанности он выполняет с видимым удовольствием, и, чтобы не травмировать «главного завхоза», я собралась было пойти курить в коридор, но тут в комнату, пританцовывая, вошел Соболин. Летучка кончилась.

— О чем говорили? — не поднимая головы от компьютера, спросила Анна.

— Все как обычно, заюшка, — ответил Соболин. — Но есть одна новость: Голяка объявили в федеральный розыск.

Свою жену в зависимости от настроения Соболин называет «Анютой», «Нютой» или «Заюшкой». Сейчас настроение у него было отличное.

— А с кассетой что решили? — задала вопрос я, стараясь говорить спокойно.

— Да ничего пока. Шеф сказал, что вечером обсудим все вместе.

Раз в месяц по пятницам в «Золотой пуле» проходили собрания, на которых подводились итоги и обсуждались планы на будущее.

— А сам-то ты что думаешь? — не отставала от него я.

— Что мне Голяк и что я Голяку? — продекламировал Соболин, как будто произносил какой-нибудь шекспировской монолог.

Все правильно, подумала я. Володе Соболину нет до Голяка никакого дела. Он же не работал в «Искорке» и не знал Кирилла Арсеньева. Я окончательно запуталась.

* * *

Как обычно, после летучки Агеева находилась во взвинченном состоянии. Она потрясала ворохом заявок, которые свалились на ее отдел, и говорила, что так работать нельзя, что Обнорский хочет невозможного, и все хотят невозможного, и в конце концов ей придется уволиться. Слова ее были не более чем защитной реакцией. Марина Борисовна работает в агентстве с самого первого дня и вряд ли представляет свою жизнь без этой привычной суеты, да и без Обнорского тоже. Сейчас она нервничала, забавно поправляла свои фирменные очки и пыталась что-то отыскать в компьютере.

Мне следовало включиться в правила игры и сказать ей что-нибудь ободряющее. Но вместо этого я с грустью подумала, что Агеевой не до меня. И ушла к себе.

До вечера я промаялась с братьями Изумрудчиками, пытаясь осмыслить то немногое, что дал мне на них Глеб. Но мысли тут же переключались на Кирилла.

Собрание началось в шесть часов и развивалось по своему обычному сценарию. Обнорский сидел верхом на стуле и говорил о том, что все мы должны строить собор, а не просто возводить стены или носить камни. Свою любимую притчу о соборе он вспоминал на каждом собрании.

Обычно я люблю слушать Обнорского и притчу о строительстве собора тоже очень люблю. Но сегодня его слова отзывались во мне какой-то непонятной болью. Я ощущала себя предательницей, которая месит в уголке глину, вместо того чтобы заниматься общим делом. Я вспоминала его лекции в университете и вдруг поймала себя на мысли, что мне жаль этого волевого сильного человека. Устыдившись, я прогнала нелепую мысль прочь, потому что кто-кто, а Обнорский никак не нуждался в моей жалости. Агентство — его любимое детище, и нужно обладать недюжинным характером, чтобы в наше непростое время поднять и сплотить вокруг себя команду единомышленников.

Потом я с сожалением подумала о том, что за два года так и не сумела стать полноправным членом этой команды. Первое время я изо всех сил старалась оправдать оказанное мне высокое доверие. Но старания мои чаще всего оказывались неуклюжими. Особенно нелепой стала попытка организовать в агентстве нечто вроде профсоюзной организации. После этого никто не воспринимал меня в агентстве всерьез. Из гадкого утенка я превратилась в белую ворону. Вернее, в рыжую, что было еще хуже. «Рыжие, они и в Африке рыжие», — невесело подумала я и с завистью посмотрела на Завгороднюю.

Обнорский говорил долго. Периодически его речь прерывалась тонкой трелью мобильного телефона.

— Андрей, а что будем делать с кассетой? — задал вопрос Спозаранник после очередного телефонного звонка.

«Все», — с ужасом подумала я. Сейчас шеф поднимет забрало, и начнется. Но вопреки моим ожиданиям Обнорский оставался невозмутимым. Он вытащил из кармана прозрачную кассету и несколько раз подкинул ее в руке.

— Ути-ути-тю, — произнес он нараспев, а потом серьезно добавил: — Сработано профессионально, Глеб. Очень профессионально. Иначе этот говнюк не прибежал бы сюда с поджатым хвостом.

«Подумаешь, доблесть, — подумала я, — включить кнопку диктофона».

А вслух сказала:

— Какой смысл держать у себя кассету, если мы не собираемся публиковать ее?

— Кто сказал, что не собираемся? — чуть возвысил голос Обнорский. — А смысл, Горностаева, в том, что коль в дерьме по уши, так сидеть надо ровно, а не гнать волну.

— Вообще-то, Андрей, в использовании этой записи есть что-то порочное. К тому же Голяк был пьян, — подала голос Агеева.

— Порочное?! — вскипел Обнорский. — Ах, какие мы чистенькие, сопли интеллигентские распустили. А то, что на нем как минимум два заказных убийства висят, это как — нормально? Это вам порочным не кажется, Марина Борисовна, а?

Агеева смущенно молчала. «Ну вот, теперь я еще и ее подставила», — подумала я.

— А может, снять с Голяка две тонны баксов и пусть себе катится со своей кассетой? — с обворожительной улыбкой предложила Завгородняя.

Ее слова потонули в общем хохоте. Галантно повернувшись к Светке, Гвичия говорил, что такой дэвушке, как Светлана, можно отдать все что угодно.

— Ладно, — прекращая всеобщее веселье, произнес Обнорский. — Доживем до понедельника. Посмотрим, как карта ляжет. Возможно, за эти два дня Голяк сам надумает явиться с повинной и расскажет в милиции то, о чем поведал нам. Ну а если нет — будем печатать. А пока, Глеб Егорыч, спрячь эту кассету в сейф от греха подальше.

С этими словами шеф отдал Спозараннику кассету, и собрание кончилось.

Была пятница, конец недели. Поэтому большинство сотрудников агентства заспешили домой, обсуждая планы на ближайшие выходные.

В комнате расследователей никого уже не было. Я села за компьютер и разложила «Свободную ячейку». Но теперь пасьянс упорно не желал поддаваться. Я начинала игру снова и снова, выбирала для расклада всевозможные комбинации цифр, но всякий раз на экране появлялась надпись: «Увы! Вы проиграли. Ни одну карту переложить нельзя». Нужно было идти домой.

Выполняя наставления Глеба, я обесточила электроприборы, закрыла форточку и, уже подойдя к двери, вспомнила, что у меня нет ключа. Он остался в кармане плаща, который я сегодня не надела по причине первого жаркого дня. Между тем дверь следовало закрыть во что бы то ни стало, иначе утром в понедельник Глеб разорвет меня в клочки. И тут я вспомнила, что в столе у Спозаранника должен быть запасной ключ. Действительно, он был здесь, в верхнем ящике стола, под аккуратной стопкой пластиковых папок. А поверх этой стопки лежал еще один хорошо знакомый мне ключ. Видно, Глеб очень торопился сегодня, потому что ключ от сейфа он всегда носил с собой. С минуту я колебалась, а потом с бьющимся сердцем подошла к сейфу. Злополучная кассета лежала там. Я осторожно вытащила ее и положила в сумку. Правду говорят, что на воре шапка горит. Вниз по лестнице я неслась так, словно за мной гнались по меньшей мере два маньяка-убийцы, жаждущие расчленить мое тело. На улице я немного успокоилась и тут же задала себе вопрос: «А что делать дальше?» Ответа на этот вопрос я не знала, и более того — совершенно не понимала, зачем вообще совершила столь неблаговидный поступок. Впереди два выходных дня, за этот маленький промежуток времени необходимо найти какой-то выход.

* * *

В субботу утром я решила пойти в церковь. Агеева называет меня «свернутой на православии», но это, к сожалению, неправда. В моей жизни действительно был период, когда ничего, кроме Евангелия и духовной литературы, я не читала. Это было трудное и радостное время узнавания Бога. Тогда я действительно не пропускала церковной службы, исповедовалась, ходила к причастию. Но это было давно, еще до агентства. Сейчас я бываю в церкви непростительно мало, и то, что Марина Борисовна называет «свернутостью», не более чем естественная реакция православного человека, когда в его присутствии распятого Иисуса называют «гимнастом».

Служба уже началась, когда я переступила порог подворья «Оптиной Пустыни» на набережной лейтенанта Шмидта. Прежде я ходила сюда очень часто. Народу в храме было немного. Я купила тонкие остроконечные свечи и, осторожно ступая, подошла к иконе Успения Богородицы. «Пресвятая, Пречистая, Преблагая...» — привычно говорила я, но слова молитвы не перекрывали ощущения тяжести на сердце и не оказывали на меня благодатного воздействия. С завистью смотрела я на людей, стоящих в очереди на исповедь, но заставить себя подойти к священнику не могла.

С трудом я дождалась окончания литургии и вышла на улицу. Был теплый, очень солнечный день. У пассажирского терминала стоял огромный белый корабль с английским флагом. К нему тянулась длинная очередь людей, жаждущих подняться на борт. В другое время я тоже непременно походила бы по палубам этого величественного судна. Но сегодня я только издали полюбовалась им и пошла вдоль Невы в сторону Дворцового моста.

Мысли в моей голове ходили по кругу. В сотый раз я задавала себе извечный русский вопрос: «Что делать?», а ответа по-прежнему не находила. «Вернуть кассету в сейф или позвонить Кириллу?» — спрашивала я себя. Вернуть было просто, но тогда зачем я ее брала? А если позвонить, то что сказать?.. Предаваясь такому активному мыслительному процессу, я добрела до памятника Крузенштерну. Неожиданный визг тормозов заставил меня вздрогнуть. Я оглянулась и увидела «семерку», с переднего сиденья которой неловко и как будто нехотя пытался выбраться мужчина. Сидевший на месте водителя человек наблюдал за его действиями абсолютно спокойно. Все это напоминало какую-то замедленную съемку. Мужчина уже почти выбрался из машины, когда водитель предпринял вялую попытку его задержать.

— Отстань ты, — бормотал пассажир, стряхивая с себя его руку.

— Да ты никак охренел, — спрашивал водитель.

И вдруг, словно кто-то переключил скорость, их движения сделались резкими и энергичными. Было видно, что сидевший за рулем яростно и с трудом удерживает рвущегося наружу пассажира. Внезапно спереди и сзади притормозили две «девятки» с тонированными стеклами. Из них вывалились здоровенные амбалы в спортивных костюмах. Они быстро затолкали пассажира «семерки» внутрь, и почти одновременно все три машины рванули вперед.

Вся эта сцена, напоминающая нелепый спектакль, подействовала на меня странным образом. Я не знала, кто были эти люди — бандиты, собравшиеся на «стрелку», или представители правоохранительных органов, проводящие таким образом задержание. Границы добра и зла вдруг резко расширились в моем представлении, не оставляя места сомнениям.

Дома я затеяла генеральную уборку своего закутка. Такое случалось со мной крайне редко, и бабушка отреагировала на это событие единственной фразой — «дуб в лесу повалится». На самом деле дуб мог преспокойно оставаться на своем месте, потому что единственной причиной, которая подвигла меня на этот героический шаг, было желание отыскать старую записную книжку с телефоном Арсеньева. Но когда я нашла ее, то поняла, что уборку можно было и не затевать: телефон я помнила абсолютно точно.

* * *

Трубку сняли так быстро, что я не успела придумать, с чего начать разговор. Голос Кирилла я узнала сразу, но на всякий случай сказала:

— Кирилл, это ты?

— Я, — ответил он без выражения. — А ты — это кто?

— Валентина Горностаева из «Искорки», помнишь такую?

— Валя?! — теперь в его голосе слышалось неподдельное изумление и разочарование. Пора детства прошла, и он не мог взять в толк, с чего это вдруг старая «вожатка» свалилась ему на голову по прошествии двух лет.

— Как твои дела? — продолжала я светским тоном. — Небось уже студент?

— Да нет, работаю в одном месте.

— А «шлепок» твой как? — продолжала спрашивать я.

— Отец сейчас в отъезде. — Разговор явно начинал тяготить Кирилла, но он старался быть вежливым. — А сама ты чем занимаешься? Вторым Белинским не стала еще?

— Белинский погиб во мне, так и не успев родиться. Я работаю в «Золотой пуле».

— В той самой? У Обнорского? — живо заинтересовался он. И тут же, не давая мне опомниться, заговорил скороговоркой: — Валя, у тебя есть кассета с отцовским интервью. Ты хочешь ее вернуть, правда, Валь?

Я слушала взволнованный голос Кирилла и ловила себя на мысли, что этот подросший мальчик сохранил способность понимать меня без слов. Мы договорились встретиться завтра в двенадцать часов на площади у Александринского театра — там, откуда обычно уезжали автобусы в «Искорку».

Остаток вечера я провела необычайно плодотворно. Перегладила кучу белья, погуляла с Манюней и даже сочинила для Сашки обещанный реферат по культурологии. Правда, вместо Питирима Сорокина я писала о мире детства, о внутреннем ребенке, который живет в душе каждого человека. Сашке все равно, по чему зачет получать, а мне хотелось еще раз пережить свои лагерные впечатления.

Ночью мне снились лошади. Их было много. Сбившись в кучу, они плыли по реке. Это было красиво — синяя вода в реке, ярко-изумрудная трава по высоким берегам и лошади с блестящими мокрыми спинами. Обычно я редко запоминаю сны, но этот запомнился мне до мельчайших подробностей. Я думала о нем все утро, а потом почему-то спросила у матери: «К чему снятся лошади?» «Ко лжи», — кратко ответила она. «Вечно вы, маменька, все испортите», — хотелось сказать мне словами Бальзаминова, но испортить мое настроение в то утро, казалось, не могло ничего.

На встречу с Кириллом я собиралась, как на любовное свидание. Глядя, как я верчусь перед зеркалом, мать решила, что у меня наконец налаживается личная жизнь. Разочаровывать ее я не стала. В метро я пыталась читать строки английского стихотворения, напечатанного на окнах вагона в рекламных целях. Иногда мне удавалось сложить их в рифму, и тогда я думала, что изучение английского — это не так уж плохо.

* * *

Кирилла я увидела еще издали. Он почти не изменился. Так, возмужал немного. Заметив меня, по старой лагерной привычке он вскинул правую руку вверх и легонько подпрыгнул. Мы перешли площадь и сели на скамейку в Катькином саду. Кирилл достал сигареты и, глядя на меня, спросил:

— Куришь еще или бросила?

— Курю, — ответила я, вынимая из сумки свою пачку.

Сидевшие напротив нас старики играли в шахматы. Мы курили и молчали.

— Слушай, Валь, — наконец сказал Кирилл, — не спрашивай меня об отце. Все равно ничего объяснить я сейчас не сумею. Все так запуталось.

Я посмотрела на него и подумала, что что-то в нем все-таки изменилось. Прежний Кирилл доверял мне чуточку больше. Поэтому я не стала ничего говорить, а просто достала кассету и протянула ему.

— Спасибо, — обрадовался он. — Ты даже не представляешь, как здорово ты нам помогла.

Я отметила про себя это его «нам» и вспомнила свой сон. Все-таки мама была права: лошади точно снятся ко лжи. Сидеть дальше не имело смысла, Кирилл уже явно скучал.

— Пойдем, — сказала я, поднимаясь со скамейки. — Мне домой надо.

— Я отвезу, — отозвался он. — Там, на Зодчего Росси, машина припаркована.

Припаркованную машину я узнала тотчас же. Это был тот самый «крайслер», на котором я уезжала из лагеря. Садиться в него теперь мне не хотелось. Словно карты в пасьянсе, мысли перемещались в моей голове, занимая свободную ячейку.

— Ты что, теперь вместе со «шлепком» под крутого косишь или уже в братву подался? — со злостью выговорила я. — Может, у тебя и ствол теперь имеется? Под кем ходишь?.. — я пыталась вспомнить имена криминальных авторитетов, но как назло они разом вылетели из памяти.

— Ого, как ты поднаторела у Обнорского, — вдруг улыбнулся Кирилл и спросил очень серьезно: — А как ты объяснишь у себя в агентстве отсутствие кассеты?

— Скажу, что двое неизвестных в шапочках и под угрозой предмета, похожего на пистолет, вынудили меня это сделать, — предательские слезы уже текли по моим щекам.

Кирилл как-то странно посмотрел на меня.

— Валь, знаешь что...

— Ничего я не знаю и знать не хочу! — я почти кричала.

— Держи, — неожиданно сказал он, протягивая мне кассету. — Сохрани это на память о встрече с любимым пионером. Отцу не впервой в передряги попадать, выкрутится как-нибудь.

С этими словами Кирилл вложил мне в руки кассету, быстро пошел к машине, сел в свой «крайслер» и резко рванул с места.

* * *

«Крайслер» проехал всего несколько метров, когда я услышала странные хлопки. Машина Кирилла слегка вильнула и остановилась.

Я ничего не понимала. К ней уже бежали люди, кто-то просил вызвать милицию и «скорую», а я по-прежнему стояла на месте. И только когда над моим ухом протяжно завыла милицейская сирена, я наконец очнулась и побежала туда, где уже собралась толпа любопытных.

— Сюда нельзя, — преградил мне дорогу человек в милицейской форме.

Но способность соображать уже вернулась ко мне. Я вспомнила о том, что у меня имеется вполне законное удостоверение корреспондента агентства, которое дает мне право посещать «специально охраняемые места стихийных бедствий и массовых беспорядков». Потрясая им, я пробилась-таки через кордон милиции.

— А, журналистка, — рассматривая мое удостоверение, сказал пожилой опер. — Так вот, девушка, ничего определенного сказать пока не могу. Можете написать, что сегодня на Зодчего Росси убит Кирилл Арсеньев, лидер бандитской группировки.

Кирилл был мертв. Пуля попала в голову. Еще не успевшая свернуться кровь стекала по его виску тоненькой струйкой.

Милиция записывала показания свидетелей и призывала не скапливаться. В толпе раздавались возмущенные голоса: «Совсем обалдели. Среди бела дня стреляют».

— Граждане, расходитесь. Ничего интересного здесь нет. Обычная бандитская разборка, — увещевал собравшихся омоновец и, обращаясь к кому-то из своих, вполголоса добавил: — Проверь оружие у него. Странно, что Арсен один, без охраны, на «стрелку» приехал, обычно за ним такое не водится.

Я выбралась из толпы и медленно побрела к Фонтанке. Реакция на происшедшее еще не наступила, поэтому ни плакать, ни думать я была просто не в состоянии. «Лучше бы мне родиться слепою», — повторяла я вслух ахматовские строки.

На Банковском мосту я вынула из сумки кассету и бросила ее в Фонтанку. «Свободная ячейка» вновь сошлась.

* * *

Утром в понедельник я подумала, что на работу сегодня можно и не ходить. Оправданий моему поступку не было. Рассчитывать на то, что Спозаранник с пониманием отнесется к тому, что я сотворила, могла только клиническая идиотка. Да и что я могла ему рассказать? Историю про любимого пионера, ради которого я украла кассету? Это, безусловно, добавит несколько выразительных черточек к образу законченного придурка, который я успела создать себе в агентстве.

Но потом я решила, что пойти в агентство все-таки следует. Уж лучше быть придурком, чем последней свиньей и слинять вот так, без всяких объяснений. По счастью, Спозаранник в то утро был один в нашей комнате.

— Глеб, — начала я без всяких предисловий, — можешь думать обо мне все, что хочешь, но твою кассету я утопила.

— Эту, что ли? — невозмутимо произнес он, вынимая из стола прозрачную коробочку.

— Да нет, другую, ту, что была в сейфе с интервью.

— Так это она и есть, — сказал Глеб и, глядя на мое недоумевающее лицо, вдруг взорвался: — Слушай, Горностаева, то, что я о тебе думаю, — это отдельный разговор. А ключи в пятницу я оставил специально для того, чтобы дать тебе совершить свой героический поступок. Ты что думаешь, я не видел, как ты тут металась, изображая из себя борца за права неправедно обиженных бандитов? Металась два дня, как затравленная лань, вместо того чтобы делом заниматься.

— А что же тогда я выкинула в Фонтанку? — спросила я, заикаясь.

— Молдавские песни, — с усмешкой сказал Спозаранник. — Пришлось пожертвовать своей любимой кассетой, чтобы спасти тебя от действия, порочащего звание расследователя.

Я не знала, как мне следует относиться к словам Глеба. Мне хотелось сказать ему, что вообще-то это подло и я не подопытный кролик для проверки его психологических теорий. Но вместо этого я сумела выдавить из себя одну только фразу:

— Кирилла убили в воскресенье.

— Арсена?! — встрепенулся Спозаранник. — Ты его знала? Я так и предполагал, что здесь какая-нибудь романтическая история в твоем стиле. Убийство Арсеньева стоит в сегодняшней сводке. Коль ты была свидетелем — тебе и карты в руки, отписывай эксклюзив. Только без лишних эмоций. На все про все даю тебе ровно час. А сейчас иди к Обнорскому, — Глеб перехватил мой встревоженный взгляд, — тебя там

Скрипка дожидается. По следующему заданию будете работать с ним.

Скрипка ждал меня в коридоре. Перспектива работать в паре со мной его явно не радовала.

— Имей в виду, Горностаева, — начал он, — если ты, по обыкновению, будешь лезть, куда тебя не просят, а равно травить меня своим дымом, я заранее отказываюсь от такого сотрудничества.

— Не нуди, Лешенька, — ответила ему я, встряхивая волосами. — Клянусь курить самые легкие сигареты в строго отведенном месте. А также обещаю не мешать твоему расследованию в том случае, если оно не будет вредить моему.

Скрипка посмотрел на меня ошарашенно.

ДЕЛО О ЛОПНУВШИХ АГЕНТСТВАХ

Рассказывает Глеб Спозаранник

«Спозаранник Глеб Егорович — один из самых квалифицированных сотрудников АЖР. В прошлом кандидат физико-математических наук. Прежние навыки — строгое следование логике, педантизм, дисциплинированность — пытается привить подчиненным в творческом процессе. Жесткий и требовательный к себе и другим человек. Отношения в коллективе сложные в силу перечисленных выше особенностей его характера...»

Из служебной характеристики

Двухметровый громила Зурабик дожидался меня в офисе с приветливой, но настороженной улыбкой. На моем столе кипа листов. Сейчас мне предстояло увлекательное чтение — Зурабик наверняка работал всю ночь. Споткнулся я на первой же странице:

«К концу рабочего дня, руководствуясь самыми злостными намерениями, в офис фирмы „Антарис" ворвались неустановленные лица (группа омерзительных лиц) с угрозами и предметом, похожим на пистолет...»

— Зураб Иосифович, — поправляю я очки, — откуда вы знаете, что эти лица омерзительные, если они не установлены?

Потомок грузинского князя и внук чекиста, бывший майор-десантник возмущенно разводит руками:

— Глеб Егорыч! Дальше читайте — учинили погром, изнасиловали секретаршу... Это что, разве не омерзительно? Над молодой девушкой надругаться! В чем она виновата? Почему должна за хозяина отвечать?..

Если у Зурабика появился грузинский акцент — значит, дело серьезное. Значит, моя логика окажется бессильной перед его кавказским темпераментом. Интересно: если дедушка Гвичия и вправду служил в НКВД, то каких бы эпитетов он удостоился от своего внука — правдолюбца и гуманиста?

Через полчаса демонстрирую Зурабу нещадно исчирканные листы. Над его текстом я надругался не менее цинично, чем злоумышленники над девушкой-секретаршей. Он вчитывается, хмыкает, бледнеет, наливается кровью...

— Согласны с моей правкой, Зураб Иосифович? Нет возражений?

— Нет, — вздыхает Гвичия. — Какие возражения, Глеб Егорыч? Только смысл весь перевернули, а в остальном все нормально...

Полтора часа пытаюсь выяснить, что именно я исказил, по мнению Зураба, в его нетленке. Переделываю пару-тройку своих же фраз. Когда обессиленный автор готов согласиться со всем на свете, а я в очередной раз проклинаю тот день, когда стал начальником отдела, в кабинет с криком: «Глеб, бля, где текст — мне из „Вечерки" уже час звонят!» — врывается пышноусый Коля Повзло и выхватывает у меня из рук наш совместный шедевр. Так ставится окончательная примирительная точка в моем противостоянии с майором-десантником.

Уф-ф... Прошло полдня, но ведь впереди еще важная встреча с риэлтером Брызгаловым.

— Не пора ли ввести в организм пищу, Зураб Иосифович? — смотрю я на часы. Зурабик охотно соглашается. По пути в бистро «Рио» слушаю вполуха его рассуждения о том, как одним махом покончить со всей оргпреступностью.

Жена всегда говорила, что быть начальником мне противопоказано, поскольку будто бы мне нравится морально истязать людей. Я и не рвался в начальники — мне нравилось быть рядовым журналистом. Но должность — это дополнительные дензнаки, а они нам с Надеждой крайне необходимы для расширения жилплощади. Как бы ни был уютен наш однокомнатный рай, жить там впятером немножко дискомфортно.

Потому я не смог отказаться от предложения своего шефа, Обнорского, и возглавил отдел. Несмотря на зрелый возраст моих «орлов» (бывшему оперу Зудинцеву, например, уже за сорок), хлопот они мне доставляют не меньше, чем мои собственные дети. Вот и Зурабик — несмотря на массу ценных для криминального журналиста качеств, он явно не в ладах с русским языком. По мнению Обнорского, этот крошечный недостаток обязан исправить непосредственный начальник Зураба, то есть я.

Или вот Конан-варвар, он же Безумный Макс. Тот еще фрукт. Тексты пишет вполне связные, грамотные и даже изящные. Правда, с налетом желтизны, но это легко устранимо. Однако любит похмеляться по утрам — куда это годится? А еще меня смущает в Кононове то, что он бывший торгаш. Коммерсант, разорившийся после семнадцатого августа. Не возникает ли у него соблазн вступить в рыночные отношения с героями наших журналистских расследований?

С этими двумя орлами мне и предстоит сегодня работать.

* * *

Ровно в пять мы втроем входим в парадную старинного особняка на Фонтанке. Минуя охрану, поднимаемся на лифте на самый верхний этаж, украшенный табличкой «Холдинг „Северная Венеция"».

— Еще раз повторяю, — негромко говорю я своим коллегам, — меня зовут Валентин Никанорович Ершов. Запомнили?

Они дружно кивают. Я довольно часто представляюсь своим журналистским псевдонимом. Особенно людям криминального толка. Мера предосторожности сомнительная, но Надежда настаивает.

Протягиваю визитку с именем Валентина Ершова коренастому брюнету со взглядом гипнотизера. Здравствуйте, уважаемый Петр Николаевич Брызгалов, президент «Северной Венеции». Именно таким вы и должны быть — бежевый костюм от «Хуго Босс», туфли от «Валентино»... А эта высокая рыжеволосая дива в темно-изумрудном декольтированном платье и с ослепительной улыбкой — не иначе как ваша супруга, директор одноименного агентства недвижимости. Если подсчитать все, что на ней надето, — как раз потянет на мою однокомнатную «хрущевку». О женщины, исчадия ада!..

— Инна Андреевна, — протягивает она нам по очереди руку с бриллиантовым кольцом. У Зурабика похотливо вздуваются ноздри.

Кабинет Брызгаловых — как музейная зала. Слишком много всего вокруг сверкает и блестит.

И, похоже, блеск этот подлинный — фальшивок здесь не держат. Комичную же троицу, наверное, мы собой представляем, особенно Макс Кононов в сношенных кроссовках и потертом джинсовом костюме. Похоже, он успел накачаться пивом. Что ж, придется ему об этом пожалеть.

— Вас интересует ситуация на рынке недвижимости? — вкрадчиво начал Брызгалов, едва мы расположились в креслах. — Вас интересует, почему все агентства рушатся одно за другим, люди теряют деньги и квартиры, а наш холдинг живет благополучно?

— Именно так, Петр Николаевич! — я воодушевленно кивнул.

— Извольте, я могу высказать свою точку зрения на этот счет. На рынок недвижимости пришли непрофессионалы, которые не привыкли иметь дело с большими деньгами. У них возникает соблазн распорядиться ими как своими собственными. И что происходит? Учредители агентства «Хаус бест» Акимов и Баранов начали строить на клиентские деньги так называемую вексельную пирамиду — и она неизбежно рухнула...

— Как раз за неделю до краха Инна Андреевна вместе с группой сотрудников покинула «Хаус Бест», и ее филиал вошел в ваш холдинг? — поинтересовался я. Брызгалова хотела ответить, но супруг остановил ее.

— Совершенно верно. Мы не хотели идти на дно вместе с тонущим кораблем и потому предпочли отсоединиться.

— А заодно прихватили с собой сто незавершенных сделок, что окончательно погубило «Хаус бест»?

— Г убили их жадность, а также отсутствие профессионализма! — Брызгалов начал слегка раздражаться. — Бизнес требует цивилизованных правил игры... Что вы на меня так смотрите? — этот вопрос был адресован уже не мне, а Максу Кононову. — Мы с вами раньше встречались?

— Еще бы! — радостно воскликнул Безумный Макс, дыхнув на него пивным перегаром. — Забыл, как три года назад мне паленую водку сбагрил? Тебя еще Рустам Голяк прикрыл!

Вот так номер...

Брызгалов поперхнулся. Зураб перестал пялиться на Инну Андреевну и перевел взгляд на Макса. Хозяйка кабинета невозмутимо улыбалась, и я подумал, что она все-таки дьявольски привлекательна.

— Может, кофе? — предложила Брызгалова. Я благодарно кивнул и постучал ручкой по столу:

— Господа, не будем отвлекаться от темы!

— Нет, секундочку, — пришел в себя Брызгалов. — Во-первых, партию водки вам передал не я, а мой менеджер....

— Да ладно ваньку валять! — добродушно махнул рукой Безумный Макс. — Дело, как говорится, прошлое...

— Максим Викторович, будем держаться в рамках приличий, — строго указал я.

— Понял, Глеб Егорыч! — жизнерадостно откликнулся Кононов.

Черт бы его побрал...

— Глеб Егорыч? — недоуменно переспросил Брызгалов, бросив взгляд на мою визитку.

— Прозвище у него такое, — подал голос молчавший доселе Зурабик. — На Жеглова похож потому что. Кино видели? Жеглов Глеб Егорович. Вот и мы его так зовем.

Брызгалов с сомнением взглянул на меня, но в этот момент секретарша Света принесла поднос с дымящимися чашками кофе и улыбнулась — мне, персонально. Повернувшись, вильнула аппетитными бедрами. Я подумал, что и она тоже вполне ничего. И еще я понял, что Железным Глебом меня называют не зря. Иногда, действительно, кое-что у меня становится железным... Вообще, все женщины — исчадия ада. Кроме моей жены, конечно. Отогнав от себя порочные мысли и отхлебнув кофе, я продолжил.

— Итак, Петр Николаевич, правда ли, что незадолго до краха «Хаус беста» вы встретились с Барановым и заявили ему, что только вы можете вывести агентство из кризиса, но для этого вам нужен весь его контрольный пакет акций?

— У нас была сугубо частная встреча за пределами офиса. Я предложил ему свой вариант совместного бизнеса. Разглашать все детали нашего разговора я бы не стал, — улыбнулся окончательно оправившийся после встряски Брызгалов.

— Правда ли, что вы угрожали Баранову неприятностями, ссылаясь на известных криминальных авторитетов, а заодно на начальника ГУВД Шалейко?

— Полная чушь! — фыркнул Брызгалов. — Кто вам только мог такое сказать?

— Правда ли, что с вами вместе в тот момент находился президент охранной фирмы «Стальной орел» Рустам Голяк?

— Да, Рустам — мой сосед по дому, мы дружим семьями. В тот вечер собирались вместе в ночной клуб. Рустам присутствовал при разговоре, но не участвовал в нем. И уж тем более никому не угрожал. Надо знать Рустама — милый, беззлобный, интеллигентный человек...

— Во дает! — хохотнул Кононов, и я бросил на него строгий взгляд. — Виноват, господин Спозаранник, больше не буду...

— Спозаранник? — Брызгалов вновь принялся подозрительно изучать мою визитку.

— Прозвище у него такое, — мрачно подал голос Зурабик. — Потому что спозаранку на работу приходит.

Инна Андреевна вновь подарила мне улыбку, и я почувствовал, что мои брюки вот-вот треснут. Кажется, Зураб взревновал Брызгалову уже не только к законному супругу, но и ко мне. «Стоп, — сказал я себе, — у меня есть замечательная жена, мне достаточно».

Кононов, извинившись, вышел из кабинета — наверное, слишком много пива успел выпить перед встречей.

— Продолжим? Как известно, целый ряд агентств недвижимости подвергся информационным атакам — анонимы-доброжелатели принялись по телефону предупреждать клиентов и агентов о скором крахе их фирм. Эту акцию многие связывают с вашим, Петр Николаевич, именем...

— Чушь! — поморщился Брызгалов.

— Хорошо. И наконец, если я не ошибаюсь, вы сейчас одновременно стали внешним управляющим другого агентства недвижимости — «Петербург-Сальдо».

— Да, поскольку они обратились ко мне за помощью, — пожал плечами Брызгалов.

— Давайте поконкретнее: они — это учредители?

— Двое из учредителей — Макаркин и Ясенев, — уточнила Инна Андреевна.

— А третий, Беседин, отказался и поэтому попал в следственный изолятор?

— Это два совершенно разных факта, — улыбнулся Брызгалов. — Уголовное дело в отношении Беседина возбуждал не я, а УБЭП.

— А конкретно — старший оперуполномоченный Судаков?

Бразгалов нехотя кивнул и продолжил:

— Дело возбуждено совершенно обоснованно — Беседин отремонтировал помещение офиса на клиентские деньги. Теперь он говорит, что не знал, будто эти деньги клиентские, что Макаркин и Ясенев вернули ему долг... Но суть от этого не меняется — человек совершил хищение и должен быть наказан.

— И вновь при вашем разговоре с Бесединым присутствовал господин Голяк?

Брызгалов развел руками.

— Он мимо, случайно мимо проходил! — захохотал вернувшийся из сортира Кононов. Одного моего взгляда было достаточно, чтобы Макс заткнулся.

— Ну а если бы Беседин согласился передать вам свои акции? — поинтересовался я.

— Я думаю, что смог бы уладить вопрос с уголовным делом — договорился бы с клиентами, они бы не спешили с заявлениями. В итоге агентство снова бы встало на ноги, и все клиенты рано или поздно вернули бы свои деньги. Но Беседина такой вариант не устраивал. Я ведь хочу одного — чтобы рынок был честным, чтобы клиентов не обманывали... — кротко улыбнулся Брызгалов.

— Ну что ты нам тут грузишь, а? — взорвался вдруг Зурабик, приподнявшись с кресла. — Зачем грузишь, когда я сам грузин?

Я схватил Зураба за руку, но он, не обращая внимания ни на меня, ни на побледневшую Инну Андреевну, навис над Брызгаловым, как скала.

— Это называется — честный бизнес, да? О клиентах думаешь, да? Хочешь сожрать все агентства, а кто добровольно под тебя не идет —

тех отправляешь за решетку? Совесть у тебя есть?.. Извини, Глеб... тьфу, Валентин Никанорович! Не сдержался, — вздохнув, Зураб опустился в кресло.

— Извините, мой коллега слишком эмоционален, — объяснил я. Но Брызгалов нисколько не был смущен происходящим. В отличие от супруги он в течение всей тирады Зурабика снисходительно улыбался.

— А вы симпатичные ребята! Правда, Инна? Она кивнула и подвинула нам пачку «LM», из которой угостился один Кононов. Его, похоже, вся эта ситуация только забавляла.

— Совесть... — задумчиво произнес Брызгалов, выпуская клубы дыма в потолок. — Совесть — это злой зверь, который настраивает человека против самого себя... Ребята, давайте дружить, а?

— Нам нет нужды с кем-то специально ссориться, — заметил я. — Мы вас выслушали, теперь напишем то, что считаем нужным.

— Только не наделайте фактических ошибок! — предупредил Брызгалов напоследок, пожимая нам руки. — А то я читал недавно ваш «Петербург мафиозный» — столько вранья...

— Не случайно ведь вас называют агентством «Золотая пуля»! — крикнул он вслед, когда двери лифта уже закрывались.

Я взглянул на часы, затем на слегка поникших коллег и, бросив им: «Разбор полетов — завтра!» — направился к метро.

* * *

В отделе стоял громкий хохот — Макс с Зурабиком уже успели рассказать о нашем вчерашнем визите в «Северную Венецию» оперу Зудинцеву.

— Боюсь, что скоро нам станет не до смеха! — заметил я, входя в кабинет. — Особенно когда речь пойдет о премиальных. Максим Викторович, вам, видимо, придется выбрать — либо дегустация напитков в середине рабочего дня, либо работа в агентстве. А вам, Зураб Иосифович, перед каждой встречей с источником следует проводить часовую разминку на боксерском ринге... Вашу агрессию целесообразно было бы направить в нужное русло — например, на повышение качества ваших текстов.

— Э-э, Глеб Егорович, вы не правы! — тут же отреагировал склонный к полемике опер Зудинцев. — Когда колешь преступника, вежливость совершенно неуместна...

— Георгий Михайлович, пора бы запомнить, что мы занимаемся не оперативной работой, а журналистикой. И все наши действия не должны нарушать закон о печати...

Зудинцев снисходительно махнул рукой и принялся названивать по телефону.

— Итак, что мы имеем? — задал я риторический вопрос Максу и Зурабику.

— Кое-что имеем! — хитро улыбнулся Кононов, доставая из кармана дискету.

— Что это?

— Я ж не зря вчера из кабинета Брызгалова в приемную выходил! — похвастался Безумный Макс. — У компьютера никого не было, я как-то машинально по столу пошарил и...

Я схватился за голову.

— Брось, Глеб Егорович, — оторвался Зудинцев от телефона. — В оперативной работе приходится иногда еще и не то делать...

— Самое главное-то! — невозмутимо продолжил Безумный Макс. — Наш Брызгалов — крепкий орешек, у него эфэсбэшная крыша.

— С чего ты взял? — недоверчиво спросил Зураб.

— Смотрите! — Макс гордо протянул нам дискету, на которой красным фломастером было нацарапано одно слово — PUTIN. — У Владимира Путина, прежде чем он возглавил ФСБ, осталось в Питере немало связей. Уверен, Брызгалов — одна из них.

— А почему вы не предположили, Максим Викторович, что Брызгалов собирает досье на Путина? — ехидно поинтересовался я, вставляя дискету в компьютер. — Видите, он даже не позаботился о том, чтобы запаролить свои столь секретные данные... Что за бред?

«Ориентировочный рекламный бюджет

1. Исследовательская часть

1) Опросы для определения предпочтений избирателей (2 опроса по 1500 человек) — $ 20 000

2) Анализ результатов предыдущих выборов... $ 40000...»

Макс удивленно уставился через мое плечо на экран компьютера.

— При чем здесь Путин? — обескураженно произнес он.

— При том, Максим Викторович, — вздохнул я, — что вы, наверное, в школе не слишком успевали по английскому. Иначе бы вы знали, что одно из значений глагола «pit in», который вы ошибочно приняли за фамилию ни в чем не повинного главы ФСБ, означает — «баллотироваться, или принимать участие в выборах». Теперь, по крайней мере, мы можем успокоиться — ничего сверхсекретного у Брызгалова мы не украли. Пропажи этой дискеты никто и не заметит, поскольку фирм, готовых продвинуть нужного кандидата в Законодательное собрание по таким тарифам, в городе хоть отбавляй.

— Максим Викторович, — продолжил я, — к завтрашнему дню, пожалуйста, напишите мне обо всех ваших совместных с Брызгаловым грехах юности — начиная от торговли паленой водкой и кончая шашнями с Голяком. Причем, как вы догадываетесь, меня интересуют не столько ваши грехи, сколько брызгаловские...

— Выходит, Брызгалов собирается в большую политику? — поразился Гвичия.

— Вы удивительно проницательны, Зураб Иосифович. Я об этом намерении Брызгалова лишь подозревал, но теперь убедился — благодаря противоправному поступку журналиста Кононова...

— Статья сто пятьдесят восемь УК! — усмехнулся Зудинцев.

— А если докажут, что мы украли ее в сговоре — то нам светит часть третья данной статьи, от пяти до десяти лет с конфискацией... — продемонстрировал я свое знание кодекса. — Но главное, теперь понятно, зачем господин Брызгалов столь усердно спасает тонущие агентства недвижимости. А то уж я, признаюсь, подумал — не собирается ли он в самом деле помочь пострадавшим клиентам?.. Он всего лишь начал таким образом свою предвыборную кампанию.

— Ну хорошо! — воскликнул Зураб. — Ну, приберет он к рукам еще несколько агентств. Но ведь рано или поздно люди спросят — где деньги? Давай расплачивайся с нами, как обещал...

— А он к тому времени уже будет сидеть в ЗАКСе! — сообразил Макс. — И в гробу он видал все свои обещания...

— Вот жук! — хитро прищурился Зудинцев.

— Можно считать, свою первоначальную задачу мы выполнили, — резюмировал я. — Об этой дискете забудьте, никто из нас ее не видел. О намерении Брызгалова баллотироваться в депутаты мы лишь предполагаем. Зураб Иосифович, подготовьте мне, пожалуйста, справку обо всех деловых партнерах «Северной Венеции». А вас, Георгий Михайлович, если не затруднит, я попрошу добыть информацию о том, чем занимались Брызгалов и его супруга в прошлом, не привлекались ли, ну и так далее...

Зудинцев вновь принялся накручивать диск телефона, и скоро его зычный голос был слышен на всем этаже.

— Так! Слушайте меня внимательно! Вам звонят из Агентства журналистских расследований! Подполковник Зудинцев! Бывший начальник ОУРа...

* * *

Иногда меня с самого утра достают дурацкими звонками.

— Господин Предрассветник?

— Вы ошиблись, — сухо заметил я и бросил трубку. Вновь звонок.

— Господин Расторопник?.. Подрумянник? Не обижайтесь, Глеб Егорыч, запамятовал вашу фамилию...

Я узнал наконец голос Левы Хассмана, начальника службы безопасности агентства недвижимости «Эдельвейс», бывшего контрразведчика, известного хохмача.

— Лев Ильич, пора бы запомнить: моя фамилия берет начало от древнего молдавского рода Чспозыряну, затем моих предков покидало по белорусским землям, и фамилия чуть изменилась. Но если «Спозаранник» для вас слишком сложно, называйте меня Валентином Никаноровичем Ершовым.

— Не сердись, Глебушка, я по делу. Есть любопытная информация. В двух словах: появилось новое агентство недвижимости «Колибри». Ничего особенного — два ларька и табличка. Но при этом аппаратуры для служб и наблюдения ими закуплено на сотню тысяч долларов. Уж не брызгаловские ли это проделки?

— Так-так... — сделал я тут же пометку в блокноте. — А нельзя ли выяснить, кто хозяин этой птички под названием «Колибри»?

— Пытаюсь, Глебушка! Если забьем стрелку завтра в три в летнем кафе на Фурштатской — получишь всю информацию...

— Моя благодарность, Лев Ильич, не будет иметь границ, — резюмировал я и тут же помчался на летучку.

— Ну что там у тебя с недвижимостью? — хмуро спросил Обнорский.

— Все в порядке, — бодро отрапортовал я. — Картина ясна. Некто Петр Николаевич Брызгалов, врач-психиатр, и, говорят, неплохой, решил заняться на досуге бизнесом. Вместе с супругой создал сперва ООО «Нимфа», занимавшееся продажей паленой водки, а вскоре стал президентом холдинга «Северная Венеция» — торговля цветным металлом, грузоперевозки, ремонтные работы, а также риэлтерский бизнес. Но всего этого ему показалось мало, и он решил монополизировать весь рынок недвижимости. Способ был выбран крайне оригинальный. Сперва «потопить» ряд агентств, а сделать это не так трудно, ведь большинство из них грешит прокруткой клиентских денег, а затем — выступить в роли спасителя, то бишь антикризисного управляющего, и пообещать расплатиться по чужим долгам. В этом Брызгалову помогли, помимо его супруги, отдельные представители правоохранительных органов, коррумпированность которых, к сожалению, доказать трудно, а также верный кореш Рустам Голяк, околокриминальный элемент, глава охранной фирмы «Стальной орел», тесно связанный с «тамбовскими». Скорее всего, «тамбовцы» хотят взять под свой контроль рынок недвижимости. С другой стороны, есть веские основания утверждать, что таким образом Брызгалов начал свою предвыборную кампанию...

Про украденную Максом дискету я рассказывать не стал.

— Вот, берите пример со Спозаранника! — обратился шеф к Володе Соболину и Марине Борисовне Агеевой. — Именно так и надо работать.

Агеева хотела, по обыкновению, съязвить, но в этот момент в кармане пиджака у шефа зазвонил сотовый телефон, и он отвлекся.

— Задержись на секунду, Глеб, — сказал он, когда все расходились. — Тебя просил позвонить Ломакин. Зачем — не знаю...

Неприятная дрожь пробежала по телу. Я не подал виду, но Обнорский тут же усмехнулся и сам набрал номер.

— Михаил Иванович? Передаю вам Спозаранника...

— Рад слышать вас, любезный Глеб Егорович! — поприветствовал меня трижды побывавший на том свете после бандитских перестрелок король криминального мира Петербурга, лидер «тамбовцев», один из крупнейших бизнесменов города Ломакин. После серии моих статей про топливный бизнес он долго выяснял, кто их мне заказал, а когда узнал, что никто, проникся ко мне симпатией.

— Будет время — зайдите завтра в четыре в «Прибалтийскую», поговорить хочу! Лады?

— Да-да, — торопливо поспешил я согласиться, но тут же тормознул и неторопливо добавил: — Обязательно зайду.

Увидев, что я взмок от напряжения, шеф хлопнул меня по плечу: «Все будет в порядке!»

Мои «орлы» разбрелись по заданиям, и я мог спокойно посидеть за компьютером, чтобы разделаться со статьей о проделках Брызгалова и Голяка. Но тут неожиданно позвонила жена.

— Что случилось, Надюша? — удивился я. — Дети в порядке?

— В порядке... Глеб, папа очень хочет с тобой поговорить.

— Что за проблема? И почему бы ему самому не позвонить?

Из сумбурных объяснений Надежды я понял следующее: оказывается, полгода назад мой дорогой тесть Борис Михайлович тайком от супруги вложил все их совместные сбережения — три тысячи долларов — в вексельную пирамиду «Хаус бест», надеясь получить к весне целых пять тысяч. Когда пирамида вместе с агентством недвижимости рухнула, его едва не хватил инфаркт. Однако Борису Михайловичу и сотне других таких же облапошенных граждан несказанно повезло — нашелся щедрый господин Брызгалов, который зарегистрировал всех пострадавших вкладчиков, собрал их векселя, выдал новые на половину пропавшей суммы и пообещал расплатиться в течение месяца. Но вот вчера тестю позвонил юрист из брызгаловского холдинга «Северная Венеция» и пристыдил его: как же так, уважаемый, ваш зять-журналюга не верит в чистоту наших помыслов... Вы уж, дорогой, повлияйте на вашего родственничка, иначе вряд ли увидите свои денежки.

Я восхитился Брызгаловым — до чего четко работает его разведка! Однако ответить жене мне было нечего.

— Надюша, а ты объяснила папе, что в таких делах на меня давить бесполезно?

— Конечно, он и сам это понимает. Но деньги-то для них — огромные! Мама пока ничего не знает, он соврал, что дал их в долг...

— Поговорим вечером, дорогая.

Я повесил трубку и рывком встал со стула. Сделал несколько разминочных движений. Но телефон зазвонил вновь. Это был прямо какой-то день сюрпризов.

— Валентин Никанорович Спозаранник?

— Частично, — ответил я.

— Это Света, секретарша Брызгаловых. Я взяла со стола Петра Николаевича вашу визитку. На ней зачеркнуто Ершов — написано Спозаранник.

— Это бывает, — вздохнул я.

— А на обратной стороне ручкой написано «Глеб Егорович». Как вас все-таки зовут?

— Как вам больше нравится, — ответил я.

— Я хочу вам кое-что рассказать. Можете прийти через час в «Голливудские ночи»?

— Могу. Только не вздумайте меня соблазнять — я женат.

Света потягивала коктейль за столиком. Сегодня она была еще соблазнительнее, чем вчера. Маленький кулончик свисал на золотой цепи в вырезе блузки. Я с трудом оторвал взгляд от ее груди и заказал себе кофе.

— Глеб, Брызгалов — это страшный человек, — начала Света.

— Догадываюсь.

— Он сумасшедший. Он зомбирует всех окружающих. Он затерроризировал свою жену, пристрастил ее к кокаину. Теперь они вдвоем каждый вечер запираются в кабинете и «расстилают дорожки».

— Так, — сказал я.

— Он заставлял всех своих сотрудников обзванивать другие агентства недвижимости и говорить, что их фирма вот-вот рухнет. Я сама была вынуждена делать такие звонки в «Эдельвейс».

— Так, — сказал я.

— Брызгалова надо остановить. Но его жена — ни при чем. Она делает то, что он скажет... Вы слышите меня?

— Да-да, — задумчиво посмотрел я поверх очков.

Света улыбнулась.

— Глеб, я хочу потанцевать с вами...

Публики в баре было немного, не танцевал никто. Но вслед за нами вышли еще две пары.

— Глеб, вы давно у Обнорского?

— Полтора года. До этого я был кандидатом физико-математических наук, работал в НИИ. Но однажды мне надоело безденежье. Я пришел к Обнорскому и предложил свои услуги.

— И у вас все сразу получилось?

— Не все и не сразу. Что вас еще интересует? У меня жена и трое детей.

Она плотно прижалась ко мне и прошептала в ухо:

— Сразу чувствуется, что на такого мужчину можно положиться...

— Можно, только я могу не выдержать, и мы упадем. Поэтому не стоит на меня облокачиваться.

Света по-блядски захихикала:

— Глебушка, ну что тебе мешает меня трахнуть?

— Профессиональный долг журналиста, — отчеканил я и, сделав шаг назад, поклонился: — Спасибо за танец. А также за информацию...

Все-таки женщины — исчадия ада.

* * *

С Надеждой я так и не поговорил — вечером она уже спала, а рано утром ушла с детьми. Да я и не знал, как выпутаться из этой дурацкой ситуации, в которую оказался втянут благодаря любимому тестю. Ежу понятно, что никаких денег от Брызгалова он не получит ни при каких обстоятельствах. Но попробуй это объясни...

Прождав Хассмана на Фурштатской пятнадцать минут и успев выпить банку колы, я забеспокоился — к четырем меня ждал Ломакин. Позвонил Хассману на мобильник с автомата.

— В чем дело, Лев Ильич?

— Кто это? — неприязненно отозвался Хассман.

— Спозаранник.

— Что вы хотите?

— Я жду вас в летнем кафе на Фурштатской.

— Зачем?

— Я не пойму, Лев Ильич, кто из нас спятил? Вы обещали мне рассказать про «Колибри»...

— Какое, на хер, «Колибри»? — заорал Хассман. — Я не общаюсь с журналистами уже давно и не даю им никакой информации. Все!

Отбой.

Ничего, с бывшими контрразведчиками это бывает. Трудно не тронуться головой при такой работе... Зато теперь я точно не опоздаю в «Прибалтийскую».

Охранник с усмешкой оглядел мою припарковавшуюся служебную «четверку» и хотел было шугануть меня подальше, но мои «корочки» и имя Ломакина вмиг заставили его почтительно вытянуться. Так же любезно меня встретили и на входе.

А на пятом этаже в одном из банкетных залов был уже сервирован целый стол. Среди стриженых и накачанных «быков» прохаживался с радиотелефоном Ломакин — невысокий, худой. Волосы черные как смоль. Встретил он меня приветливой улыбкой.

— О, журналист, — оживились «быки».

— От Обнорского? — осклабился гигант в безрукавке с цветной татуировкой на бицепсах. — Читал я ваш «Петербург мафиозный». Редкостная хуйня! — он загоготал животным смехом, но вдруг осекся, съежился под взглядом Ломакина и тихонько подался в сторону.

— Не обижайтесь на убогих, — мягко сказал Ломакин, усаживая меня и наливая в бокал минералки, поскольку от коньяка я отказался. Братва неторопливо рассаживалась за столом. — Я вот что хотел вам сообщить, Глеб Егорович. Вы занимаетесь рынком недвижимости. Встречались с Брызгаловым. В правильном направлении идете. Но хочу вам кое-что подсказать...

— Ага, вот он, Спозаранник! — закричал появившийся откуда-то средних лет парень с залысинами, в кожаном пиджаке. Я сразу узнал его по фотографии — Рустам Голяк собственной персоной. — Вы с Обнорским назвали меня в своей книжонке криминальным авторитетом! Придется вам за это фаланги пальцев поотрубать!

— Сядь, пиздобол, — усмехнулся Ломакин. — Так вот, Глеб Егорыч, не ищите здесь никакого заговора. Ни тамбовских, ни казанских, ни мухосранских... Потому что заговора нет...

— А я все-таки поотрубаю вам фаланги! — вновь вскочил Голяк, опрокинув фужер на пол. Рванув на груди рубаху, он принялся иступленно целовать массивный золотой крест на цепочке, приговаривая: «Вот те крест, поотрубаю!»

— Кому сказал, сядь! — прикрикнул Ломакин. — Заговора нет, — продолжил он. — Есть лишь один тронувшийся умом бизнесмен. И его приятель-пиздобол, — он кивнул на Голяка, — который сам не знает, зачем туда полез. Рустамка, зачем полез в недвижимость? — весело спросил он.

Голяк вновь вскочил и закричал, брызгая слюной:

— Вы с Обнорским не знаете, кто такой Голяк! Голяк в трех институтах учился! Голяк умеет по-английски говорить! Голяк столицу Непала знает! Голяк поет лучше, чем Гребенщиков с Макаревичем! Можно или дружить с Голяком, или быть покойником! Я всех в рот ебал — и пермских, и казанских... И полковника Баулова, который хочет меня посадить. И этого несчастного Георгия Георгиевича, который кричит: не называйте меня Жорой Армавирским...

Братва за столом покатывалась со смеху.

— Все ясно? — спросил меня напоследок Ломакин, крепко пожимая руку.

Когда я поблагодарил Ломакина и спустился к машине, вдруг дынная корка впечаталась в лобовое стекло.

— А фаланги я вам все равно поотрубаю! — прокричал из окна «Прибалтийской» Голяк.

* * *

С Надеждой я помирился быстро. Я сказал, что не буду пока ничего публиковать про Брызгалова. Более того, я созвонился с Борисом Михайловичем и договорился с ним о встрече. Уложив детей и включив на кухне телевизор, мы сели ужинать. Но кусок курицы тут же застрял у меня в горле...

— Сегодня около шестнадцати часов в своем автомобиле снайпером был застрелен начальник службы безопасности агентства недвижимости «Эдельвейс» Лев Хассман, — бесстрастно произнесла ведущая «ТСБ» Виолетта Обнорская, бывшая жена шефа. — Наблюдатели связывают это заказное убийство с продолжающимся кризисом на петербургском рынке недвижимости и с именем скандально известного риэлтера Петра Брызгалова...

Бледное лицо Левы Хассмана с тонкой струйкой крови мелькнуло в кадре. В ту же секунду запикал мой пейджер. «Андрей Васильевич Шаров, генеральный директор „Эдельвейса", телефон...» — высветилось на экране. Час от часу не легче! Я набрал номер. Шаров был краток:

— Завтра в три часа в летнем кафе на Фурштатской, — сказал он и тут же повесил трубку. Какое-то заколдованное место — это кафе.

Пришлось тут же все рассказать Надежде. Кроме встречи с секретаршей Светой, конечно.

* * *

А утром у входа в нашу контору меня ждали в машине два знакомых оперативника из РУБОПа.

— Глеб, съездишь с нами? Поговорить надо, — попросил Леша Никитин. Я пожал плечами. Но поехали мы почему-то не на Чайковского, а на Захарьевскую, в УБЭП.

— Так, доигрались! — злорадно заявил, буравя меня глазами, оперативник Судаков. Он чем-то неуловимо напоминал Голяка.

— Не понял, — сказал я.

— Сейчас поймешь! — завопил он. — Вот бумага — пиши все, что знаешь про «Эдельвейс» и про Хассмана...

— Леша, в чем дело? — обратился я к Никитину. — Я согласился поговорить с вами, но не с этим контуженным...

— Молчать! — рявкнул Судаков.

Я встал и направился к выходу.

— Погоди, Глеб, — бросился ко мне Никитин. — Дело слишком серьезное. Мы работаем над этой темой вместе с УБЭПом. Ты должен нам помочь — мы знаем, что Хассман собирался с тобой вчера встретиться.

— Я готов помочь вам, ребята. Вам, но не ему...

Судаков готов был задохнуться от злости.

— Я зайду к вам сегодня в два часа на Чайковского. Если такой вариант не устраивает — пусть следователь вызывает меня повесткой.

— Не обижайся, — сказал мне уже в коридоре Рома Андреев.

— На убогих не обижаются, — вспомнил я вчерашнюю ломакинскую фразу.

В офисе меня ждал Зурабик с очередным шедевром:

«*Машины с контрабандным металлом сновали через границу туда-сюда, пока на их пути не встал отважный офицер таможенной службы майор Брыкайло...*»

— Зураб Иосифович, — отложил я в сторону листки. — Давайте к этому вернемся чуть позже, а сегодня я очень прошу вас быть в три часа в летнем кафе на Фурштатской. У меня назначена встреча, и я хочу, чтобы вы тоже присутствовали.

— О чем речь, Глеб Егорыч? — добродушно согласился Зурабик. — Но может, дочитаете текст до конца?

— Не сейчас, пожалуйста, — не сейчас!

Зураб надулся, но я уже был в коридоре.

— Спозаранник осчастливит нас очередным расследованием? — лукаво улыбаясь, спросила меня идущая навстречу Светлана Завгородняя. Походка у нее — прямо как у девушки по вызову.

— Я был бы рад, Светлана Аристарховна, осчастливить всех женщин, которые этого хотят. Да только вот мне этого не хочется!

Завгородняя прыснула и побежала сплетничать в кабинет к Агеевой. Но мне было не до них.

Я зашел в РУБОП и все подробно рассказал оперативникам. Упомянул о том, что собираюсь встретиться с Шаровым.

— Ты уверен, что во время убийства Голяк был в «Прибалтийской»?! — настороженно спросил Никитин.

— Да, если у него нет брата-близнеца.

Ребята переглянулись.

— Будь осторожен, Глеб, — предупредил Андреев. — Если что — сразу звони нам!..

Зураб был точен. Мы сели за столик и взяли по банке колы. Вскоре подошел Шаров — я сразу узнал его по фотографии. Он напоминал типичного американского бизнесмена. И не случайно — Шаров учился бизнесу в Массачусетсе и был гражданином США. Агентство «Эдельвейс» со стопроцентным иностранным капиталом считалось одним из крупнейших в городе. Но и они, судя по всему, прокручивали клиентские деньги. А значит — могли в любой момент рухнуть, если клиенты, поддавшись панике, откажутся от начатых сделок и начнут требовать свои деньги назад.

— Сразу к делу, ребята! — сказал Шаров, доставая черную папку с молнией. — Я долго думал, встречаться с вами или нет. Решил встретиться, но надеюсь на вашу порядочность...

Больше Андрей Васильевич сказать ничего не успел — голова его запрокинулась назад, папка выпала из рук. Зураб среагировал моментально — перевернув столик, он крикнул: «Ложись!», до смерти перепугав сидевших за соседним столом девушек, которые последовали нашему примеру и тоже с визгом бросились на пол. Но это явно оказалось лишним — мы все были в роли того самого «неуловимого Джо», который на хрен никому не нужен.

Тут же подкатили несколько машин. Леша Никитин и Рома Андреев отдавали распоряжения вооруженным бойцам. Опер Судаков сотрясал кулаками и изрыгал в наш адрес проклятия. Санитары укладывали Шарова на носилки, девушек отпаивали валерьянкой и снимали с них показания.

Вскоре принесли брошенную киллером снайперскую винтовку — ее нашли на чердаке дома, что на углу проспекта Чернышевского и Фурштатской.

— Папка! Черная папка! — вспомнил вдруг я, оправившись от шока.

— Ты о чем? — округлил глаза Леша Никитин.

— У Шарова была черная кожаная папка на молнии.

— Была, была! — подтвердил Зураб.

Но папка исчезла.

На следующий день мы с Зурабом давали показания в городской прокуратуре молоденькой «следачке», только что окончившей юрфак. Никитин и Андреев, а также незнакомый опер из убойного слушали нас и делали пометки в блокнотах. Контуженного Судакова, слава Богу, не было. Но перед этим я успел озадачить Зудинцева — он должен был выяснить все, что можно, о новом агентстве недвижимости «Колибри».

В три часа Зудинцев, хитро улыбаясь, вручил мне справку.

— Не может быть! — вырвалось у меня.

— Еще и не такое бывает! — философски заметил Зудинцев.

— Георгий Михайлович, как лучший сотрудник нашего отдела вы будете материально поощрены, — заявил я. — Но для этого вам следует выполнить еще одно задание. Мне нужен список милицейских кураторов, на которых работал известный осведомитель Рустам Умарович Голяк.

Зудинцев хмыкнул — в нем сразу проснулся бывший мент.

— Ну, во-первых, откуда нам известно, что он осведомитель?

— Тоже мне, секрет полишинеля! — захохотал Безумный Макс. — Он сам всегда об этом на каждом шагу кричал.

— Это, допустим, ничего не значит, — глубокомысленно продолжил свои рассуждения Зудинцев. — А во-вторых, Глеб Егорыч, есть же закон об оперативно-розыскной деятельности. Кто ж нам позволит его нарушать?

— Мне не нужны официальные справки, Георгий Михайлович, — пояснил я. — Мне нужна оперативная информация, которая и так в милицейских кругах всем известна... Публиковать ее мы, разумеется, не будем.

Зудинцев на этот раз не стал долго полемизировать и сказал, что попробует разузнать все, что надо, к вечеру.

Зашел хмурый Обнорский.

— Допрыгались, сыщики херовы... Глеб, мой приказ — больше ни на одну встречу без моего ведома не ходить! Я с трудом добился, чтобы имена сотрудников нашего агентства нигде в криминальных сводках не звучали — на хер нам такая реклама. И еще — мне только что звонил какой-то педераст... как его — Брызгалов, кажется. Весь на взводе, умолял ничего про него не публиковать. Иначе, говорит, его труп будет следующим. Я его послал, конечно, на хуй, но ты все-таки позвони ему, согласуй, что считаешь нужным.

— Непременно, — заверил я.

Картина происходящего уже почти выстроилась у меня в голове — не хватало лишь самой малости.

Я позвонил в холдинг «Северная Венеция» и назначил свидание секретарше Свете. Там же, в «Голливудских ночах». Хотел было поставить об этом в известность Обнорского, но шеф давал интервью американским телевизионщикам и был крайне недоволен, что я его прервал.

— Твои амурные дела меня не касаются, — махнул он рукой.

Запыхавшийся Зудинцев застал меня у самого выхода и вручил бумажку с несколькими фамилиями, среди которых была и интересовавшая меня.

На этот раз я пришел в «Голливудские ночи» чуть раньше и успел выпить кофе, прежде чем появилась Света. Мне пришлось заказать ей мороженое, что нанесло ощутимый удар по моему семейному бюджету.

— Меня интересует один вопрос, — с ходу взял я быка за рога. — С кем спит Инна Андреевна Брызгалова?

Света фыркнула:

— Ты что, маньяк?

— Как я уже говорил, у меня есть жена, и я, пусть это звучит старомодно, храню ей верность. Мой вопрос имеет чисто профессиональный интерес. У Инны Андреевны есть муж, но у нее обязательно должен быть и любовник. Меня интересует его имя.

— Глебушка, — Света жалостливо посмотрела на меня, — а почему ты думаешь, что я это знаю?

— Я это думаю потому, что вы с Инной Андреевной — близкие подруги. У вас общее прошлое, связанное с гостиницей «Астория» и с бывшим начальником службы безопасности гостиницы Голяком. Вы с Инной Андреевной выполняли ряд услуг, неизбежных в гостиничном бизнесе.

Выражение лица Светы стало презрительным и злым.

— Настучали? Ну-ну... Будешь об этом писать?

— Ни в коем случае. Я прошу только ответить на один вопрос — с кем спит Инна Андреевна? Или спала до недавних пор?

Моя последняя оговорка возымела действие — я понял, что попал в точку.

— А если не скажу — то что?

Я вздохнул и молча достал карманный диктофон. Включил:

«...Брызгалов — это страшный человек, — раздался из диктофона голос Светы... — Он сумасшедший. Он зомбирует всех окружающих. Он затерроризировал свою жену, пристрастил ее к кокаину...»

— Достаточно? — спросил я. — Петр Николаевич вряд ли будет доволен, услышав это.

— Ты не журналист. Ты мусор, — процедила она сквозь зубы.

— Я всегда держу свое слово, — заметил я. — Итак, фамилия?

Света взяла салфетку, нацарапала фамилию и, швырнув чайную ложку, гордо направилась к выходу.

Теперь я знал все, что мне было нужно.

Пейджер запиликал, как всегда, не вовремя — мы с Надеждой едва успели уложить детей и расстелить на кухне матрас, чтобы предаться любовным утехам.

— Тебя ищет женщина? — с деланным возмущением воскликнула Надежда, взглянув на экран пейджера.

— Куда от вас, исчадий ада, денешься, — вздохнул я и набрал номер мобильного телефона Инны Андреевны Брызгаловой.

Она захотела увидеться со мной завтра в двенадцать часов у меня в офисе.

Недолго думая, я позвонил на мобильный Петру Николаевичу Брызгалову, предложил ему почитать готовый материал, посвященный его персоне, и назначил встречу на том же месте и в тот же час.

— Ты, оказывается, назначаешь свидания не только женщинам? — вытаращила глаза Надежда и ударила меня подушкой... — Да ты извращенец! Маньяк!

— Это я уже слышал сегодня, дорогая, — успокоил я жену.

343

* * *

Супруги Брызгаловы явно не планировали встречаться друг с другом в офисе нашего агентства, но удивление свое никак не выразили. Хитрецы! Я пригласил их в свободный кабинет и угостил кофе.

— Надеюсь, вашего сумасшедшего грузина не будет? — спросил Брызгалов.

— К сожалению, Зураб Иосифович на задании, хотя он очень хотел вас видеть, — любезно ответил я.

— Ну и где ваш материал? — улыбнулся Брызгалов.

— Материал готов, — я потряс кипой листов. — Но прежде я хочу рассказать одну историю. Это история про бизнесмена, который считал себя самым умным и хитрым. Он неплохо разбирался в людской психологии, поскольку раньше работал врачом-психиатром. Но, оказывается, его запросто могут обвести вокруг пальца женщины. Жена и бывшая любовница.

— Это вы про кого? — нахмурился Брызгалов.

— Любовница — это секретарша, с которой он одно время порезвился, а затем бросил. А что может быть страшнее, чем месть отвергнутой женщины! Тем более что любовница и жена — давние подруги, у них общее прошлое, о котором обе они не любят вспоминать...

— Петя, ему нужен доктор! — озабоченно обратилась к супругу Инна Андреевна, но Брызгалов решительно остановил ее и приготовился слушать дальше.

— Зачем далеко ходить, когда Петр Николаевич — сам доктор? Уж первую помощь он мне всегда окажет... Итак, у бизнесмена есть холдинг, в котором главное место занимает агентство недвижимости — крупнейшее в городе. У бизнесмена свой PR-отдел, своя разведка и контрразведка, на него работают многие сотрудники правоохранительных органов. Бизнесмен придумал замечательную схему — как монополизировать рынок недвижимости. Точнее, ему подсказали эту схему его «пиарщики». И убедили, что это идеальный способ для начала предвыборной кампании в Законодательное собрание. Здесь у бизнесмена были надежные союзники — глава охранной фирмы «Стальной орел» Рустам Голяк, он же бывший фарцовщик и сутенер, он же милицейский осведомитель, а также куратор Голяка — оперативник Судаков. Многие подметили странную закономерность — только рушится очередное агентство недвижимости, как тут же возникает опер Судаков, возбуждает уголовное дело, опечатывает офис рухнувшего агентства. И ни сотрудники агентства, ни клиенты не знают, осталась ли в офисе «наличка», куда она исчезла... Тут же возникает и риэлтер Брызгалов, объявляет себя антикризисным управляющим рухнувшего агентства, обещает расплатиться по чужим долгам. Но не сейчас — в будущем. Он даже взял на себя долги по вексельной пирамиде «Хаус бест», которая рухнула вместе с одноименным агентством недвижимости, хотя мог бы этого не делать. Правда, долги векселедержателям он споловинил, но обманутые люди ему и за это безумно благодарны.

Я до сих пор не упомянул еще одного союзника Брызгалова и компании — это покойный риэлтер Шаров, генеральный директор «Эдельвейса». Если бы не его трагическая смерть, то спустя две-три недели «Эдельвейс» бы обязательно рухнул. Несколько сотен клиентов расстались бы с деньгами и квартирами. Это был бы образцово-показательный крах! При этом ни большинство сотрудников агентства, ни служба безопасности не знали о том, что генеральный директор фирмы лично вместе с Брызгаловым готовится к этому краху.

Если бы рухнул «Эдельвейс», — продолжил я, — то всем стало бы ясно — больше на риэлтерском рынке делать ничего. Надо или идти под крыло к Брызгалову, или уходить с рынка. И тогда холдингу «Северная Венеция» не пришлось бы предпринимать никаких мер для того, чтобы заполучить другие агентства — все бы сами, добровольно шли сюда! Холдинг стал бы крупнейшим в городе центром недвижимости, клиенты не верили бы больше никому, кроме Брызгалова! Оборотные средства «Северной Венеции» составили бы несколько миллионов долларов! Представляете, Петр Николаевич?

Брызгалов кивнул.

— Но есть один момент, о котором вы, Петр Николаевич, наверное, не знали или не хотели знать! — наставительно заметил я. — Шаров был любовником вашей жены. Что бы произошло дальше, после того как «Эдельвейс» влился бы в «Северную Венецию»?

— Все! — выдохнула Инна Андреевна. — Я больше не желаю слушать этот бред.

— Ну-ка сядь, — сухо приказал Брызгалов, но супруга, неожиданно расплакавшись, вылетела пулей из кабинета.

— Итак, что бы произошло дальше? — я встал и принялся расхаживать перед неподвижным Брызгаловым. — А дальше в разгар вашей предвыборной кампании появилось бы заявление Шарова в правоохранительные органы о том, что он подвергся вымогательству со стороны Брызгалова. Неожиданно был бы дан ход давно лежащим на столе у опера Судакова заявлениям риэлтеров Баранова и Беседина о том, что и по отношению к ним Брызгалов предпринимал те же действия. Вдобавок секретарша Света обязательно сообщила бы следователю, как она обзванивала по вашему указанию все агентства недвижимости и сеяла там панику, предупреждая об их скором крахе. Но прежде она на всякий случай рассказала это мне — дабы информация не пропала даром...

— Вы верите в эту чушь? — хрипло спросил Брызгалов.

— Не знаю, — пожал я плечами. — А почему нет?

— Я хочу дослушать до конца, — вернулась в кабинет Инна Андреевна, резко села и закурила.

— Так вот, я уверен, что в разгар своей предвыборной кампании президент холдинга «Северная Венеция» оказался бы за решеткой как минимум за вымогательство. Руководить холдингом осталась бы его жена, которой принадлежит, если не ошибаюсь, пятьдесят процентов акций. Помогали бы ей все те же Голяк, Судаков, Шаров. Спрашивается: нужен ли этой компании Петр Николаевич Брызгалов на свободе?..

— Хам, извращенец, выродок! — выкрикнула Инна Андреевна и вновь убежала.

— Благодарю, — кивнул я и продолжил: — А нужен ли этой компании вообще холдинг «Северная Венеция»? Не проще ли устроить крах холдинга по знакомому сценарию? За это, как известно, не сажают — доказать умысел невозможно. Тем более если оперативную работу будет проводить Судаков. Несколько миллионов долларов — приличные деньги, кто-то с ними неплохо может прожить и здесь, а кто-то окажется в Штатах... Я имею в виду гражданина США Шарова и его возлюбленную.

— Глеб Егорыч, ты зачем обидел такую красивую женщину — вся в слезах убежала! — заглянул в кабинет Зурабик, при виде которого Брызгалов вздрогнул.

— Зураб Иосифович, догоните ее и утешьте! — распорядился я. — Так вот, Петр Николаевич, я все основное сказал, за исключением деталей.

— А кто, по-вашему, организовал убийства? — медленно спросил Брызгалов, прикуривая.

— Думаю, вы знаете кто. Лева Хассман обнаружил, что некое однодневное агентство недвижимости «Колибри» закупило прослушивающей и подсматривающей техники почти на сто тысяч долларов. Он сразу решил, что к этому му причастны вы, Петр Николаевич. Так?

Брызгалов, не мигая, смотрел на меня.

— Лева решил выяснить, кто стоит за «Колибри», и поделиться этой информацией со мной. Но когда он узнал, что «Колибри» — филиал его родного «Эдельвейса», что вся техника закупается на клиентские деньги, и, следовательно, «Эдельвейс» скоро рухнет, он категорически отказался со мной встречаться и решил откровенно переговорить с Шаровым. Однако вы с Голяком решили все же устранить Хассмана — так, на всякий случай, чтобы он не наломал дров.

— Я тут ни при чем — это решение принималось без меня! — отрезал Брызгалов.

— Допустим, я могу ошибаться. Так вот, Голяк — признанный мастер интриг, специально организовал дело таким образом, чтобы я в момент убийства Хассмана оказался в «Прибалтийской». Он устроил целый спектакль — все ради того, чтобы я мог подтвердить: да, в шестнадцать часов Голяк был в «Прибалтийской» и, следовательно, к убийству Хассмана не причастен. Хотя на самом деле, уверен, стрелял снайпер из его команды. А дальше случилась одна неприятная для всех вас вещь — потрясенный убийством Хассмана Андрей Васильевич Шаров решил выйти из игры и рассказать обо всем мне.

— Почему вам, а не РУБОПу? — буркнул Брызгалов.

— Думаю, потому, что он хотел сразу после этого вылететь в Штаты и, наверное, больше не вернуться. Я уверен, у него и билет был в кармане. После встречи с РУБОПом он вряд ли улетел бы. Шаров собрал все самые необходимые бумаги в черную папку и явился на встречу с нами. Но этой встречи вы и ваши коллеги тоже не могли допустить. И тогда тот же снайпер застрелил Шарова. На месте происшествия сразу же оказался опер Судаков — и заветная черная папочка моментально исчезла. Еще вопросы есть?

— Есть, — вздохнул Брызгалов. — Вы думаете, мне все это очень надо? Эти заказные убийства? Мое имя теперь треплют в газетах, кричат о каких-то темных силах на рынке недвижимости...

— Конечно, Петр Николаевич, на пользу вам это не пошло. Но если бы Хассман и Шаров остались живы — неприятностей у вас было бы намного больше. Впрочем, я готов поверить, что решение об их ликвидации принимали не вы. После двух убийств вы стали и вовсе не нужны этой компании — они решили поскорее от вас избавиться, подключив прессу. Как вы думаете, зачем ваша жена пожелала со мной сегодня встретиться? Думаю, чтобы вас сдать с потрохами...

Брызгалов был похож на выжатый лимон. Я же, напротив, чувствовал себя довольно бодро.

— Что вы собираетесь теперь делать? — устало спросил Петр Николаевич.

— Дать вам вычитать текст и опубликовать его.

— Вы в своем уме? Вы написали обо всем этом в статье? Но у вас же нет никаких доказательств...

— Конечно, нет. Потому я об этом и не писал. Мой текст — о том, что риэлтер Брызгалов стремится стать монополистом на рынке недвижимости, но методы его работы вызывают у многих сомнение.

— Зачем вам это надо?

— После каждого нашего журналистского расследования должен появиться материал. Иначе мы зря работали.

Брызгалов пробежал текст глазами за пару минут, исправил ручкой две мелкие неточности.

— Что вы собираетесь делать дальше? С кем собираетесь делиться информацией? — спросил он.

— Не знаю. Еще не решил.

— Хотите работать у меня в холдинге?

— Вряд ли.

— Я готов заплатить вам аванс — тысячу долларов.

— Скажу честно — я очень люблю дензнаки. Особенно американские. Но еще больше люблю заниматься тем, что мне нравится.

Брызгалов откинулся на стуле и вновь закурил.

— Что вы мне посоветуете? — спросил он.

— Мне кажется, Петр Николаевич, что если вы действительно начнете расплачиваться с пострадавшими клиентами, то общественное мнение сложится в вашу пользу. И вас не так-то просто будет посадить... Да, это большие затраты — но предвыборная кампания не бывает дешевой.

— Вы можете не публиковать вашу статью?

— Увы, не могу, — развел я руками.

— Хорошо. Вы можете написать о том, что я начал расплачиваться с клиентами?

— Только тогда, когда это произойдет. И более того, Петр Николаевич, я готов вам посодействовать в этом, — я достал из бумажника вексель своего тестя на полторы тысячи долларов с печатью «Северной Венеции» и продемонстрировал своему собеседнику.

— Ах да, — вспомнил Брызгалов и полез за бумажником, но я остановил его.

— Не мне, Петр Николаевич. И не здесь.

— Хорошо, — кивнул он. — Пусть владелец векселя придет завтра в офис, спросит лично меня. Скажите, как вы сумели разобраться в этой истории? Ведь вы же, судя по всему, стопроцентный «ботаник»...

— Я физик, Петр Николаевич, — нисколько не обиделся я. — И руководствуюсь строго определенными законами. Один из них гласит: все женщины — исчадия ада.

— Вы женаты? — усмехнулся он, пожимая мне руку.

— Моя жена — единственное исключение.

* * *

Естественно, то же самое я вскоре повторил в кабинете Обнорского ему самому и нашим знакомым операм — Никитину и Андрееву. Ес-

351

тественно, они мне не очень-то поверили, хотя добросовестно выслушали весь рассказ от начала до конца.

— Мы действительно собирались брать Брызгалова в разгар его предвыборной кампании, — пристально посмотрел на меня Андреев.

— И насчет гостиничного прошлого двух подружек — абсолютная правда, — добавил Никитин. — Как ты об этом узнал?

— Интуиция, — скромно заметил я.

— Но все остальное... Это, по-моему, ты загнул, — усмехнулся Обнорский. — Ты явно переутомился, Глеб. Обязательно отдохни как следует в выходные.

Я клятвенно пообещал съездить на дачу и немедленно позвонил жене.

— Ну как, Надюша, твой папа вернул свои деньги?

— «Северная Венеция» приостановила работу, — равнодушно сообщила мне супруга. — Говорят, Брызгалов в психушке, а его супруга знать ничего не знает ни про какие векселя...

— О женщины, женщины, — пробормотал я.

— Ты что-то сказал, милый? — невинно осведомилась Надежда.

— Это не про тебя, дорогая.

ДЕЛО О «ЧЕРНОЙ ПУСТЫНИ»

Рассказывает Светлана Завгородняя

«До прихода в Агентство журналист-ских расследований пять лет работала фотомоделью и манекенщицей. Сверхком-муникабельна, обладает бесценными воз-можностями для добывания оперативной информации. Натура творческая, поэтому часто увлеченность Светланы той или иной темой сказывается на ее дисциплине...»

Из служебной характеристики

То утро явно не располагало к раннему подъему и умственной активности. Тем не менее прочувствовать эту мысль смогли далеко не все, о чем свидетельствовал насадно трезвонивший телефон. Интересно, какому придурку вздума-лось нарушить мой сладкий сон?

Стоило мне нажать кнопку громкой связи, как меня оглушил взволнованный голос Ани Соболиной. Несмотря на свойственную ей спо-койную манеру разговора, ее монолог больше походил на визг недорезанного поросенка.

— Почему ты не на убийстве?! Ты знаешь, который час? Мне пора отправлять сводку, а ты еще спишь! Я выпускающий редактор, а не бу-дильник!

Пропустив мимо ушей нелестные эпитеты в свой адрес и другие мало занимательные подробности, я, тем не менее, окончательно проснулась. Этот звонок не предвещал спокойного дня, продолжительного обеда и вялых попыток написать очередной аналитический материал.

Надо сказать, что подобные шедевры, призванные прославить агентство в веках, должны были еженедельно выпархивать из-под пера всех без исключения репортеров. Была тому и альтернатива: отчет корреспондента о проделанной работе. Руководство службы надеялось, что в дальнейшем сии труды станут кладезем секретной информации. Конечно, я всегда успешно пользовалась тем, что ни один мужчина, будь то мент или бандит, никогда не отказывал мне в получении ценных сведений. Другое дело, что потом «источники» здорово утомляли звонками, рассчитывая на продолжение приятного знакомства...

На сборы мне милосердно было отведено пятнадцать минут, а для меня этого более чем достаточно. Скажу без ложной скромности, матушка-природа оказалась ко мне щедра, и отражение в зеркале никогда меня не разочаровывало.

Негативные эмоции пробуждает во мне, скорее, окружающая среда. Увиденный на месте происшествия «несвежий» труп — тому подтверждение.

Было чуть больше половины второго, когда из-за деревьев показалась милицейская машина. Табличка с облупившейся краской над выбитым фонарем подтвердила, что я уже у цели. Несмотря на свойственный мне с рождения топографический кретинизм, уже через сорок минут после выезда из дома я была, как говорят менты, «в нужном адресе».

Возле парадной меня тормознул молоденький опер из «убойного». Сверкнув фирменной репортерской улыбкой и показав «ксиву», я вежливо поинтересовалась:

— Здесь ли еще начальник криминальной милиции или уголовного розыска?

С обоими я была неплохо знакома.

Опер замялся, но удача меня не покинула, так как в подъезде послышался знакомый голос. Оттолкнув своим бюстом ошарашенного молодого человека, я, перепрыгивая через две ступеньки, помчалась навстречу первому заму начальника РУВД.

— Владимир Николаевич, как я рада вас видеть!

Полковник Греков расплылся в улыбке. Я думаю, случись у него в районе десяток «глухарей» на дню, он и то был бы счастлив встрече со мной.

— Светочка, что-то вы давно к нам не заглядывали.

— Каюсь. Но сейчас-то я здесь. У вас тут сегодня трупик забавный. Можно полюбопытствовать?

— Ну пошли, пошли. Квартира на четвертом, а лифт сломан, как обычно.

В принципе, номер квартиры он мог бы и не называть — сладковатый трупный запах не заглушала даже входная дверь, обитая толстым слоем кожи.

На паркетном полу в разводах засохшей крови лежал молодой мужчина, на вид лет двадцати пяти. Он лежал головой к шкафу, широко раскинув руки, как будто собирался обхватить огромный воздушный шар. В его светлых волосах запеклась кровь. Была она и на лице. Парню перерезали горло. От всей этой картины и от тяжелого духа у меня начались позывы к рвоте.

Я поспешно отвернулась и ушла в соседнюю комнату. Там еще работали оперативники, собирая в картонную коробку вещдоки.

— Владимир Николаевич, что изъяли? — обратилась я к стоявшему за моей спиной полковнику.

— Из интересного — разве что героинчик нашелся. У покойника здесь был оптовый центр по продаже героина. Видишь, вон весы для «чеков» лежат.

— Героина-то много нашли?

— Грамм пятнадцать, наверное. Ну да ты же знаешь, у нас эксперты — истина в последней инстанции. Вот проведут анализ и скажут: это стиральный порошок марки «Лотос».

— Ну тут уж вы загнули.

— Почему же, — усмехнулся Греков. — У нас в районе на прошлой неделе взяли двоих пацанов-малолеток с парой «чеков». Выяснилось, что им продали сахарную пудру.

Оперов минут через десять сменили санитары морга, а начальство засобиралось в контору. С ветерком и под «мигалку» (какой мент не любит быстрой езды?) мы домчались до РУВД.

Как и большинство подобных заведений, здание могло претендовать на титул последнего по комфорту в списке районных управлений внутренних дел. Я думаю, для исправления положения требовались кардинальные меры: капитальный ремонт, а лучше снос до фундамента.

Коридоры украшали милые сердцу каждого милиционера плакаты из серии «Как не стать жертвой преступления» и портреты отличников боевой службы. Согласно идее фотографа, они не только должны были поднять самооценку работающих, но и наглядно продемонстрировать посетителям, с кем не стоит входить в один лифт.

Но бытовая неустроенность и отсутствие евроремонта меня не особенно беспокоили. Главное, что в моем любимом РУВД сложилась душевная команда. Сколько удачных, на мой взгляд, материалов было написано благодаря помощи знакомых оперов!

Время вплотную приближалось к обеду. Несмотря на богатое модельное прошлое, я никогда не изнуряла себя диетами. И убедилась, что замечательный аппетит и тонкая талия хорошо уживаются в одном организме.

На сей раз, правда, угощение состояло из чашки кофе с печеньем, что не помешало мне вежливо улыбнуться в ответ. Ведь главная-то цель визита была достигнута (каждый без исключения журналист мечтает быть в центре событий).

— Коля, «пробей» мне быстренько убитого — что из себя представляет, прописан где, — озадачил коллегу Владимир Николаевич. — Игорь Термекилов, 1974 года рождения.

А потом, обернувшись ко мне, добавил:

— Ну вот, Светочка, может, сегодня у нас будет повод выпить шампанского.

— Нет, лучше пепси-колы, — возразила я.

— А что, язва? — понимающе спросил он.

— Да нет, журналистская этика, — сострила я. — Сами знаете, ведь сейчас вся выпивка крепче воды — бодяжная. Поэтому я ликеры пью исключительно в виде конфетной начинки. Тут вам и спиртное, и закуска в одном флаконе...

Мы всегда так перешучиваемся с полковником. Все-таки менты славные люди — я успела в этом убедиться за время своей журналистской карьеры. Раньше мой круг общения был несколько другим, его составляли люди более светские, но при этом намного более «душные». Сегодня общаться с ними я смогла бы только по приговору районного суда.

Вспомнив о работе, я сменила тему разговора и вернулась к убийству. Оперативники сходились во мнении, что Термекилова «завалили» конкуренты по торговле героином. По крайней мере, на банальный разбой ничто не указывало. Помимо наркотиков и пары сотен баксов, в квартире осталась нетронутой дорогостоящая аппаратура. Все это я и поспешила изложить в своем репортаже, вернувшись в агентство, на улицу Росси.

Стоило поторопиться и поскорее закончить работу до прихода подруги Василисы. С Васькой мы не разлей вода с трех лет. Тогда, правда, ее все называли Люльком. Поэтому ее настоящее имя я узнала, уже учась в школе, и была очень удивлена. Детское прозвище в пору взросления немало потрепало ей нервы. Чтобы отучить от дурной привычки родственников, она на целый год в шестом классе ввела штрафные санкции. Отныне после каждого «люлька» в ее копилке прибавлялось по двадцать копеек.

До десятого класса мы учились вместе, но потом она увлеклась психологией, перешла в спецшколу и поступила в «Герцена» на биофак. К своим двадцати пяти годам как-то неожиданно Василиса стала классным психотерапевтом с обширной частной практикой. Я же до сих пор не нашла пока свое призвание. И сейчас пробую себя на стезе криминального журналиста.

Не успела я поставить точку, как на пороге появилась Василиса.

— Всем привет! Как вы тут без меня поживаете? — обратилась ко всем присутствующим Васька.

Ее были рады видеть все. Особенно это касалось стажера Витюши Восьмеренко. При появлении Васьки у нашего юного коллеги в глазах заплясали чертики. Никаких подробностей о личной жизни Восьмеренко никто не знал. По всей видимости, единственной страстью Витюши был Интернет — там он мог провести несколько суток кряду и ни капельки не устать. Его любимым адресатом был китайский друг, с которым Витюша ни разу не встречался, но надеялся съездить к нему на родину на поезде. Другой привязанностью Витюши был трехмерный компьютерный футбол — у нашего новичка его было аж три версии. При всем при том, как считал Восьмеренко, у него с моей подругой Васькой был «бурный платонический роман».

Особых надежд на взаимность Василиса не давала. Любовь еще в зародыше погубил проведенный вместе Новый год. Веселью с гостями Витюша предпочел прослушивание по рации сообщений о пожарах. Пытаясь стать классным журналистом и влиться в наши стройные ряды, бывший студент обзавелся портативным передатчиком и дни и ночи напролет выуживал из эфира «свежие сенсации». Рация, приютившаяся во главе праздничного стола в вазе с фруктами, настолько шокировала хозяйку и гостей, что воспоминаний потом хватило на целый год. Такие номера Витюша откалывал постоянно.

Вот и сейчас, стоило только появиться Ваське, как Восьмеренко расцвел прямо на глазах.

— Ну и когда мы поедем жарить рачков? — хитро улыбаясь, спросил он у Василисы.

— Каких?!! — только и смогла вымолвить она.

— Ну как же... Ты же говорила, что любишь...

— Кого? — недоумевала та.

— Ну, это... рачков.

Поймав нить рассуждений своего коллеги, я чуть не свалилась под стул от хохота. Дело в том, что однажды, прикалываясь в кругу близких друзей, мы решили назвать групповой секс варкой креветок. Об этом случайно стало известно Восьмеренко. Сейчас он решил блеснуть эрудицией и порадовать Василису нашим с ней сленгом. Да вот беда, перепутал креветок с рачками.

— Витюша, душа моя, ты, как я вижу, извращенец, — заключила Василиса.

— Почему? — разочарованно откликнулся Восьмеренко.

— Ну ладно, варку креветок я еще как-то могу понять. Но жарка рачков — это уже точно не для меня. Я тебя даже бояться начинаю после твоих кулинарных изысков, — пояснила подруга.

— Василис, я готова, — перебила я подругу. — Может, мы все-таки отправимся?

— Нет, я так просто уйти не могу. Какая ты глупая. Разве ты не видишь, человеку требуется моя профессиональная помощь, — поучающим тоном начала Васька.

— Послушай, ты так совсем засмущаешь моего коллегу, — ответила я.

— Это ты, право слово, зря, — промурлыкала Васька. — Я всех вылечу. И тебя, и ее, — кивнула в мою сторону подруга. — Света знает, я целый год проработала сексопатологом. Так что

360

твоя, Витюша, проблема вполне решаема. За отдельную плату, конечно, — осадила она уже было воспрянувшего духом Восьмеренко. — Ну что, Малявка, пошли, — обратилась ко мне Василиса.

— Ладно, пошли, моя прелесть. Только не зови меня больше Малявкой. У меня на это имя стойкая аллергия.

— Хорошо, Малявка, больше не буду.

Перебрав практически все мало-мальски подходящие по цене и комфорту заведения на Невском, мы наконец остановили свой выбор на мороженице «Баскин-Роббинс». Набрав в вафельные рожки по пять шариков и заказав по бокалу шампанского, мы уютно устроились за столиком у окна.

Народу в кафе все прибывало и прибывало. Поэтому мы постарались занять сумками и плащами оставшиеся за столиком пару стульев в надежде, что никто не посмеет нас побеспокоить. Очень хотелось посекретничать.

— Что-то у вас Витюша совсем заскучал.

— У него на этой неделе мало материалов, да ты еще тут с кулинарными изысками.

После этой фразы мы, не сговариваясь, весело захихикали. Погрузившись в приятные воспоминания о разговоре с бедным влюбленным Восьмеренко, Васька принялась за десерт и явно переусердствовала. Желая отломить от замороженного шарика кусочек побольше, она погнула ложку, и сладкий клубничный джем выплеснулся на столик. Пытаясь стереть липкую красную лужицу салфеткой, Василиса пуще прежнего размазала джем. Я невольно вспомнила увиденную утром картину — разводы засохшей крови, труп в коридоре и суету оперов. Аппетит пропал сам собой.

— Тебе помочь? — Василиса потянулась ложкой к моему вафельному рожку с разноцветными шариками.

— Знаешь, такой денек выдался. Сегодня в центре нашли трупак пацана одного. Как же его... Термекилов Игорь.

— Игорь Термекилов? — переспросила подруга. — Так его, наверное, за наркоту.

— А ты откуда знаешь? Небось твоих рук дело, — пошутила я.

— Нет, всего лишь тонкое психологическое чутье, — скромно заметила Василиса.

— Да ладно, кончай разыгрывать.

— Я серьезно, — ответила Васька. — Был у меня один клиент года три-четыре назад. Его тоже Игорем Термекиловым звали. Мальчику сейчас двадцать четыре года.

— И он, конечно же, был блондином, — перебила ее я.

— А ведь верно. Не о нем ли речь? — увлеклась подруга. — Помнится, тогда он жил в районе Песков, в коммуналке. Папенька у него «отошел к верхним людям», а мать-старушка еще тянула. Игореша по юности экспериментировал с наркотой, обращался к нам в службу на «Дейтокс». Мальчик впечатлительный, нуждался в теплоте и ласке. Этакий шизоид. Его все к потусторонним вещам тянуло. Он мне тогда еще рассказывал, что у него друзья в секте «Черная пустынь». Ну да знаешь, мы с ним после того, как поработали, практически не виделись. Потом он, правда, пару раз ко мне забегал счастливый и довольный. Сказал, что у него все прекрасно. Видно, друзья его в секту и втянули.

— Так ты думаешь, что этот твой Игорь — клиент морга? — спросила я у Васьки.

— В жизни полно совпадений, — неопределенно ответила она.

Уже поздно вечером, когда я, лежа в постели, вспоминала все перипетии прошедшего дня, раздался телефонный звонок.

— Здравствуй, как дела у моего дорогого Малыша? — послышался в трубке глубокий ласковый баритон. Голос с характерными бархатными нотками нельзя было перепутать ни с одним другим. С его обладателем я познакомилась относительно недавно в «Ночах Голливуда».

Как-то раз в дождливый субботний вечер меня занесло туда на концерт Михаила Гулько. Зал был переполнен понтовыми бандитами, навороченными новыми русскими и валютными проститутками. Конечно, меня удивить чем-либо трудно, но все же такое изобилие счастливых обладателей шестисотых «мерсов» под одной крышей я встречала нечасто. Однако выбирать было некого, наличие шикарной иномарки и отсутствие материальных проблем — это необходимое, но недостаточное условие для знакомства со мной. Я порядком подустала отшивать всех, кто ко мне клеился, и, помешивая трубочкой коктейль, одиноко сидела за столиком. В этот момент сзади послышался голос:

— Стрельцам не свойственно грустить.

— Что? — машинально переспросила я, немного удивившись. Ведь по гороскопу я действительно Стрелец.

— Я колдун, я все знаю.

Накануне приятельница моей мамы, увлекающаяся парапсихологией, сообщила мне о родовом проклятии, якобы висевшем надо мною. Поэтому неожиданное упоминание о колдовстве подействовало на меня подобно электрическому разряду и привело к мысли, что настал мой последний час, который мне не захотелось проводить в одиночестве. Тем более что колдун оказался на редкость привлекательным.

Вообще-то я не расположена к небритым мужчинам. Но его стильная бородка, тонкие благородные черты лица и красивые ухоженные руки вскружили мне голову. Этого человека украшала даже не дорогая одежда из бутика и умопомрачительные драгоценности (одни часы по стоимости приближались к двум среднестатистическим квартирам), а внутреннее обаяние и сила. Звали моего нового знакомого Аркаша.

Он оказался не только ласковым и умелым любовником, но и фантастически интересным собеседником. И всякий раз умудрялся сделать мне что-нибудь неординарно приятное. Это могла быть поездка в Пушкин или поход в стрип-тиз-клуб. Человек поставил себе целью не просто развлечь меня, но сделать частью своей жизни. Васька, познакомившись с Аркашей, начала мне завидовать черной завистью и пару раз хитро намекала, что было бы неплохо как-нибудь нам всем вместе «поварить креветок». Но я моментально пресекала все эти разговоры — делить Аркашу я не желала ни с кем, даже с лучшей подругой.

Я не расспрашивала Аркадия, чем он занимается — и так было ясно, что чем-то опасным. Тем более что он проявил прекрасную осведомленность о делах агентства, в котором я работаю, и довольно иронично отозвался о нашей последней книге «Петербург мафиозный», обнаружив там кучу фактических ошибок. Может, поэтому я старалась не посвящать Аркадия в подробности своих журналистских расследований, дабы невзначай не повредить родному

364

агентству. Надо сказать, мы вполне обходились и без профессиональных разговоров — у нас находились не менее интересные занятия при каждой встрече.

Но в тот вечер я мягко отклонила его приглашение на очередной ночной «сейшен», сославшись на усталость. На самом же деле я была целиком поглощена предстоящим расследованием убийства незнакомого мне Игоря Термекилова (о чем, разумеется, не стала рассказывать Аркаше).

«Наколки» по убийству, данные Василисой, подогревали кровь. Разборка с двумя наркоторговцами, как подсказывало мне журналистское чутье, могла иметь глубокие корни в полузакрытой и полукриминальной секте «Черная пустынь», имевшей широкое влияние как в Петербурге, так и за его пределами. Расследователи из нашего агентства уже давно собирали материалы по этой секте.

Я уже знала, что церковь «Черная пустынь» еще в середине века основал канадский кинорежиссер, снимавший фантастические «ужастики», некто Ричард Климовски. Он нашел прекрасный способ заработать миллион долларов на создании нового учения. «Я хочу создать собственную религию — вот где можно отхватить действительно огромный куш», — признался он.

Члены «Пустыни», следуя заветам своего основателя, беспощадно расправлялись со своими критиками. Французский публицист Патрик Дюпен, написавший разоблачительную книгу о «Черной пустыни», потратил два года и двадцать тысяч долларов на адвокатов, чтобы доказать абсурдность выдвинутых против него обвинений. Члены «Черной пустыни» утверждали, что он намеревался разбомбить церковь, и фальсифицировали улики.

В начале 90-х с мощной рекламной кампании началось внедрение этой религии в России. После того как секта отвоевала себе жизненное пространство в Петербурге, за ней потянулся шлейф грязных историй — ходили слухи о массовых оргиях «пустынцев» с печальным исходом и даже о массовых самоубийствах. Но ни одна из этих историй не получила официального подтверждения. Редкие публикации о «Черной пустыни» в «Калейдоскопе» и других желтых изданиях основывались только на слухах и не содержали ни одной ссылки на достоверный источник.

Наутро у меня уже окончательно созрел смелый план. Хотя моя журналистская карьера исчислялась месяцами, мне очень хотелось попробовать совершить что-то значимое на этом поприще. Не успела я, разгоряченная мыслью о грядущей славе, влететь в кабинет, как раздался телефонный звонок.

— Привет, Малявка!

— Вась, ну сколько можно, — с ноткой легкой обиды в голосе ответила я подруге.

— Ты не забыла о великом событии, которое я хочу отметить в тесном дружеском кругу? — поинтересовалась Василиса.

— Я хотя и старше тебя на полгода, но еще не успела впасть в старческий маразм. То, что у тебя день рождения и ты очень скоро станешь совсем большой, я помню прекрасно. Кстати, хочу сразу озадачить. У меня к тебе есть дело.

— Надеюсь, это касается подарка, — деловым тоном начала Васька.

— Отчасти. Я тут задумала провернуть аферу и очень на тебя рассчитываю.

— Конечно, без меня в твоей жизни еще не проходила ни одна афера. Давай, выкладывай.

— Ну уж нет. Обо всем при встрече, — напоследок заинтриговала я Василису.

Вечером в уютном ресторанчике «Белый слоник» мы вдвоем с Васькой отмечали ее день рождения и здорово налегли на шампанское. Главной темой беседы стала пресловутая «Черная пустынь».

Сначала идею визита в секту Васька вроде бы поддержала. Мы тут же договорились о классном репортаже с места событий. Но стоило нам покинуть уютную обстановку ресторана, как Васькин задор унес первый же порыв безжалостного осеннего ветра. Мысль оказаться в банке с пауками пришлась ей явно не по душе.

— У тебя совесть-то есть? Подруга называется, — принялась канючить я, подхватив под руку свою компаньонку. — Ты же профессионал все-таки. Представь, а если в секте на меня будут оказывать психологическое давление?

— Ты еще скажи, что тебя там съедят, — вяло огрызнулась Василиса. — Бог с тобой, золотая рыбка. Пошли, пока я добрая. Тоже мне, подарочек ко дню рождения... Слушай, сыщик, ты адресок-то знаешь? — вдруг оживилась подруга, ухватившись за последний аргумент, удерживающий ее от авантюры.

Вместо ответа я с сияющим лицом сунула ей под нос бумажку с адресом.

— Где это ты надыбала?

— Секрет фирмы. Это мне Зудинцев дал из отдела расследований. Он намедни материал делал про новые центры по психологии. Вот ему кто-то и подсказал с «Черной пустынью» связаться. Они же курс «психологической поддержки» открыли.

— Да знаю я, знаю. Ты давай, Сусанин, веди лучше, — ответила Василиса.

Георгий Зудинцев, бывший опер, сам никогда не был у «пустынцев», хотя все собирался написать про них отдельный материал. Но, видимо, мне первой выпала честь познакомиться с сектантами.

Их контора располагалась в маленьком дворике на Владимирском проспекте. Вопреки моим ожиданиям, на подступах к офису «Пустыни» не было никаких указателей. Мы едва обнаружили старую деревянную дверь, выкрашенную в грязно-коричневый цвет. Прямо у порога ветер накидал кучу сухих листьев.

Широкоплечий охранник с небольшим шрамом на переносице и коротким ежиком волос несколько секунд, насупившись, оглядывал нас с ног до головы. Видимо, решив, что мы ничем не можем навредить его драгоценной конторе, он чуть посторонился. В этот момент, как по сигналу, из-за его спины выпорхнула молоденькая девица, раскрашенная во все цвета радуги.

— Здравствуйте, девушки. Вы к нам на курсы? — растянув густо напомаженные губы в зубастой улыбке, оживленно затараторила она.

Чтобы прервать неловкое молчание, вдруг воцарившееся в коридоре, я кивнула.

— Да. Мы правильно пришли? Это центр «Новой психологии»? Мы хотели бы записаться на курсы «Успех путем общения».

— А откуда вы про нас узнали? — продолжая улыбаться, спросила секретарша.

— Мне соседка с дачи сказала. Очень рекомендовала ваш центр, — вступила в разговор Вася.

— Пожалуйста, я провожу вас, — пригласила девица.

Мы двинулись по длинному коридору с множеством дверей. В отличие от запустения, которое я наблюдала во дворе дома на Владимирском, внутри офиса царила какая-то неестественная, прямо-таки больничная чистота. У предпоследней двери провожатая остановилась и, постучавшись, пропустила меня и Василису вперед.

— Николай, к тебе гости, — произнесла она, когда сидевший за письменным столом прямо напротив входа молодой человек оторвал взгляд от папки с документами. Николай по виду мало чем отличался от встретившего нас охранника. Но едва он взглянул на нас, лицо его озарила приветливая улыбка.

— Вы, как я понимаю, хотите поступить к нам на курсы психологии, — начал он. — Меня зовут Николай. Работаю здесь менеджером по персоналу. Со специалистами по программе «психотерапия» вы еще успеете познакомиться. Для начала вам следует записаться, пройти тесты, чтобы мы смогли подготовить индивидуальную программу занятий...

— Извините, что мы так бесцеремонно, — дождавшись паузы, перебила его Васька. — Но для начала мы бы хотели поприсутствовать на занятиях, посмотреть на преподавателей, учеников.

— Я думаю, это можно устроить, — взглянув на дорогие часы, красовавшиеся у него на запястье, ответил Николай. — Сейчас в одной из аудиторий как раз проходит семинар по проблемам общения в коллективе. Надежда проводит вас.

— Надя, отведи девушек к Василию Семенычу, — скомандовал он в телефонную трубку.

Не прошло и десяти секунд, как на пороге появилась все та же секретарша и, продолжая хищно улыбаться, повела нас сначала к лестнице за углом коридора, а потом на второй этаж. Нашим конечным пунктом стал довольно большой зал. В нем, составив стулья полукругом, сидело около тридцати «теток с авоськами».

— Смотри, вон гипнотерапевт, он их в транс вводит, — зашептала мне в ухо Василиса, кивнув на лощеного Василия Семеновича, методично делавшего пассы руками.

Тетки в полугипнотическом состоянии наперебой рассказывали всякие неприличные истории из своей жизни. Так, по мнению специалистов центра, они очищались от лишней информации и становились кандидатами на сверхчеловека. Ассистентка с деловым видом нарезала круги по залу со специальным прибором — детектором лжи. Мы с Василисой сошлись во мнении, что она выборочно пропускала слабый разряд через учениц. Если женщину ударяло током — значит, она врала.

Васька, которой происходящее показалось еще более абсурдным, чем мне, принялась громко смеяться. Само собой, тетки повыходили из транса, а второй раз они уже были «негипнабельны». Прекрасно зная об этом, гипнотерапевт состроил нам такую рожу, что секретарша поспешила увести нас из зала. Вечер у компании начинающих пустынцев был безнадежно испорчен. Подмигнув мне, Василиса едва сдержала предательскую улыбку. Мне, в отличие от нее, было не до смеха. За устроенный спектакль нас вполне могли выставить вон. Но вместо этого наша провожатая вновь привела нас к Николаю. Тот даже не поинтересовался нашими впечатлениями и предложил заполнить анкету с указанием фамилии, имени, места жительства и места работы. Василиса тут же пожаловалась, что она живет в новом районе, телефон ей не провели, и внесла в графу «прописка» адрес своей начальницы по работе. Я, заранее подготовившись к подобным расспросам, тоже выдала липовый адрес. После того как мы с трудом осилили первое задание на пути к «сверхчеловеку», Николай рассказал о схеме занятий. Поначалу казавшееся столь простым внедрение в секту на деле требовало не только завидных артистических талантов, но и уйму времени, а также некоторых денежных затрат.

С деньгами вопрос удалось решить довольно просто — Володя Соболин, начальник нашего отдела, которого мы посвятили в свой план, легко выбил нужную сумму у завхоза агентства Леши Скрипки. Соболину давно хотелось утереть нос начальнику расследовательского отдела, высокомерному Глебу Спозараннику, и доказать, что репортеры могут проводить журналистские расследования не хуже, чем Спозаранник со своими бойцами. И вот представился такой удобный случай.

Гораздо труднее мне было уговорить Василису не бросать начатое дело.

— И много мы узнали? — отчитывала она меня с кислым выражением на лице. — Теперь сиди с тобой по уши в дерьме. Сколько нам еще тут торчать? Разговор шел об одном визите в «Пустынь», а получается, что туда по три раза в неделю надо таскаться.

— Ритуля, ну улыбнись, — попробовала я пошутить, обозвав Ваську ее «сценическим псевдонимом», отныне фигурировавшим в анкете пустынцев.

— Да и, кстати, что я Ритке скажу, если они вздумают проверить наши каракули? Там же липа сплошная, — не унималась подруга.

— Никто не станет проверять, если ты этих психов сама не позовешь. Не бойся, мы еще до всех проверок от них смоемся, — закончила я препирательства на оптимистической ноте.

А ночью я долго не могла уснуть, стараясь понять — зачем мне самой все это надо. Только ли жажда журналистской славы меня толкает на авантюру или что-то другое? Мне вспомнился Игорь Термекилов, блондин с перерезанным горлом. Почему я так хочу раскрыть его убийство, кто он мне?.. Торговец героином, наркоман, одним словом — люмпен, отребье. С такой публикой я никогда в жизни близко не общалась. Вдруг я зачем-то представила, каким этот Игорек мог бы быть в постели, и тут же брезгливо вздрогнула при этой мысли. Но уже через миг начала с интересом обдумывать подобный вариант, вспомнила, что меня иногда тянет к чему-то заведомо плохому. Да, случались со мной истории, о которых лучше не вспоминать. Жуть! Кажется, мне пора обратиться за консультацией к Ваське. С этой мыслью я и заснула.

Нас с Василисой сразу же поместили в «молодежную группу для начинающих», где сначала пришлось заполнить тест из полутысячи стандартных вопросов типа: бывает ли у вас нервный тик? Или: перестали ли вы пить коньяк по утрам? В итоге оказалось, что меня уже полгода мучает глубокая депрессия, а Василиса и вовсе находится на грани суицида. И все это, естественно, из-за нерешенных проблем в общении. Слабые попытки возразить или оправдаться были безжалостно отвергнуты нашим консультантом, который недвусмысленно объяснил, что предлагаемый нашему вниманию курс психологии — единственная альтернатива сегодняшнему бессмысленному существованию. Так секта обзаводилась новыми приверженцами.

За первые две недели ни с кем из старожилов «Пустыни» сблизиться нам не удалось. Каждый раз я с трудом вытаскивала Ваську на занятия, а вскоре и сама начала сомневаться, не напрасно ли мы затеяли эту историю.

И вдруг в нашем вялотекущем расследовании наступил перелом — Николай неожиданно пригласил нас на празднование двухлетней годовщины курсов. Руководство расстаралось и устроило вечер на широкую ногу. Столы, застеленные сильно накрахмаленными белоснежными скатертями, прямо-таки ломились от обилия вкусной еды. Салаты, корзины с яблоками и виноградом, а также небольшие сэндвичи «на пару укусов» порадовали бы любого гурмана. Но более всего нас с Васькой поразили батареи вино-водочных бутылок. Наши друзья из «Черной пустыни» явно шиканули.

Как бы подтверждая мои мысли, Василиса тихо зашептала мне на ухо:

— Ишь ты, смотри, а в руководстве, видно, не дураки выпить и закусить. И как только они, бедные, денег-то наскребли. Все два года, чай, копили, трудились не покладая рук. А ведь еще за аренду сколько... мама дорогая, чует мое сердце, на одну скромную оплату за курсы не погуляешь так.

Ехидные ахи и охи моей любимой подруги прервал наш главный менеджер по персоналу.

Прежде чем перейти к обеду, Николай где-то полчаса в пламенной речи превозносил достоинства центра и фантастические успехи его выпускников.

— А теперь позвольте мне подарить нашим лучшим студентам книги по психологии. Они были написаны группой специалистов, возглавлявших нашу московскую компанию, — с этими словами Николай стал поочередно вызывать к себе особо отличившихся пустынцев.

— ...Григорий Ковалев уже второй год учится у нас. Сейчас он готовит работу по оздоровительным методикам центра и скоро пройдет тест на должность консультанта по вопросам семейных конфликтов.

Под эти дифирамбы из-за стола поднялся мой сосед слева. Щупленький, невысокого роста парнишка был одет в темный костюм с иголочки и белоснежную рубашку. Бедняга из кожи вон лез, чтобы походить на Николая, старательно копируя его походку и чуть замедленные движения, но, видно от чрезмерных усилий, переигрывал. Тем не менее пацан производил приятное впечатление.

Для него настал звездный час, так как именно к нему было приковано всеобщее внимание зала. Под аплодисменты главный менеджер пожал ему руку, хлопнул по плечу и вручил большой альбом.

Изобразив на лице непритворное восхищение, я томным голосом поинтересовалась:

— Скажите, вы уже давно занимаетесь на этих курсах?

Переведя взгляд с тарелки на мою скромную персону, юноша расцвел пуще прежнего, и я, чтобы усилить впечатление, легко дотронулась до его руки и с придыханием заявила:

— Просто вы сразу производите впечатление удачливого мужчины. Трудно поверить, что вы тоже были нашим студентом.

— Я здесь действительно почти с самого начала. Курсы мне помогли здорово приподняться. Здесь, по-моему, вообще все очень классно. Такой вечер... Позвольте, я налью вам чего-нибудь выпить?

— О, только шампанского.

— Ну а я себе водочки налью. Что ж не выпить, если есть за что. Правда?

— Конечно, — улыбнулась я.

— Мы до сих пор не знакомы, — разом опрокинув себе в рот содержимое стопки, неожиданно заявил мой собеседник. — Я Григорий. Для друзей просто Гриша.

— А я Инга, — помня о конспирации, представилась я. — Хотите, познакомлю вас с подругой? Мы здесь вместе занимаемся.

— Если только она столь же очаровательна, как и вы, — по мере опьянения юноша становился все более раскованным.

— В этом вы сами убедитесь, — шепнула я ему и упорхнула к сидевшей немного поодаль Василисе.

Поняв меня с полуслова, она на ходу проглотила кусок бутерброда и ринулась охмурять молодого сектанта. Весь вечер мы в два голоса твердили о Гришиной неотразимости, не забывая по ходу наполнять его рюмку. Опасаясь вспугнуть единственный источник информации, мы не спешили перейти к теме разговора. Через пару часов мальчик наконец дошел до кондиции. Поочередно хватая то меня, то Ваську за талию, он уже вовсю распевал песенку «Единственная моя...»

На втором куплете наш герой сбился, и в этот момент я наконец спросила:

— Слушай, Гришаня, а ты случайно такого Игорька Термекилова не знал?

Как ни пьян был наш приятель, он таки насторожился и, привалившись к стенке, замолк.

— А тебе зачем? — вскинул голову Гришаня.

— Да так, слухи разные ходят, а нам, бабам, интересно. Понимаешь? — ласково объяснила Василиса.

— Ха! Правда, был такой сучонок, недавно делся куда-то. Его начальство не жаловало особо. Да я точно не знаю, у нас тут говорили, что он предатель. Мне-то плевать. Я с такими знаться не хочу, — разом выпалил юный сектант.

— Вот мне интересно, как так вышло. Вроде люди здесь все солидные, а с ним история какая-то... — неопределенно прокомментировала ситуацию Василиса.

— Если вам так нужно, спросите у Наташки Семеновой. У него тут девочка была. Они даже учились вместе. Сейчас... У меня телефон ее домашний был, — и Гриша принялся с трудом перелистывать свою записную книжку. — Вот, подождите, сейчас найду...

После долгих поисков он наконец нашел ее адрес и номер телефона.

— Она, как Игорь пропал, редко к нам ходит. Да ну ее на фиг. Давайте лучше еще выпьем, — и Григорий вернулся к прерванной трапезе.

На следующее утро, в субботу, мы с Васькой попытались дозвониться до бывшей подруги Игоря.

— Здравствуйте, извините за беспокойство, могу я поговорить с Наташей? — взвешивая каждое слово, произнесла Васька, включив для моего удобства громкую связь.

— Да, я вас слушаю, — на другом конце ответил бесцветный голос.

— Мы, к сожалению, пока с вами не знакомы, но не могли бы мы встретиться? По поводу вашего друга, Игоря Термекилова.

— Игорь умер.

— Мы знаем. Нам просто хотелось бы узнать кое-какие подробности. Очень не хотим вас тревожить, но...

— Вы что, из милиции? — грубо прервала Ваську Наталья.

— Да нет, но...

— Я не буду встречаться, — отрезала бывшая подруга Игоря и повесила трубку.

— Вот черт, — в сердцах бросила Василиса. — Что делать-то теперь?

— Я думаю, надо к ней ехать, — внесла я смелое предложение.

Одно было хорошо — мы знали наверняка, что девушка сейчас сидит дома. Чтобы застать ее, следовало поторопиться, и мы решили тормознуть машину.

Наталья жила на 7-й Советской, а мы звонили с моей работы, где стоял анти-АОН. Я взяла за правило не общаться с домашнего телефона по служебным вопросам. Особенно глупо было светить свой номер сейчас.

— Спорим, что доедем за пять рублей, — прикололась Василиса.

— Идет, только договариваться будешь ты.

Василиса могла уболтать кого угодно, но матерые частники даже ей были не по зубам. Помню, как-то к ней поздно вечером привязался молодой наркоман «под кайфом» и попытался ее изнасиловать. За пятнадцать минут подруга, не сказав ни одного лишнего слова, смогла повернуть ситуацию в свою пользу. После внеплановой консультации парень сначала горько разрыдался, а потом с благодарностью засунул в карман куртки номер телефона кризисного центра и удалился.

Вскоре мы были уже на месте. Оказалось, что наша героиня живет на пятом этаже старого, еще дореволюционного дома, сплошь обжитого бродячими кошками и бомжами. На звонок долго никто не реагировал, но мы с завидным упорством не отпускали кнопку. Наконец из-за двери послышался все тот же уставший голос. Наталья была на месте.

— Кто здесь?

— Извините, это опять мы.

— Ну что вам от меня надо? — спросила хозяйка, чуть не плача.

— Понимаете, нам действительно нужно с вами поговорить об Игоре. Мы журналисты. Надолго вас не задержим — всего лишь пара вопросов. Если вы не захотите, можете не отвечать, но поймите нас правильно — мы же на работе. Если вы против, можем встретиться где-то в другом месте, — объяснила я через дверь.

— Нет, лучше сразу проходите.

Наталья наконец распахнула дверь. Несмотря на неуверенность и надрыв в голосе, она оказалась симпатичной плотной блондинкой. Правда, слегка осунувшейся и с темными синяками под глазами.

Пригласив нас в небогато обставленную, но вполне приличную комнату, она устроилась в кресле и закурила. Молчание прервала Василиса:

— Я понимаю, что для вас это очень больная тема, но давайте вернемся к событиям прошлого месяца. Нам известно, что Игорь состоял в секте «Черная Пустынь», — при этих словах хозяйка вздрогнула, но Василису не перебивала. — У него в квартире при обыске нашли героин. Как вы думаете, это убийство произошло из-за наркотиков?

— Не знаю... Нет... Почему вы так считаете? — спросила Наталья.

— Мы занимаемся журналистским расследованием. Это просто предположение, — осторожно начала я. — А у вас есть какие-то другие версии?

— Слушайте, я же сказала, что ничего не знаю и не хочу больше знать!

Подмигнув мне, Василиса спросила:

— Малявка, как насчет прогулки в близлежащий магазин? Неплохо бы чайку с чем-нибудь попить.

Уважая психологические таланты подруги, я беспрекословно подчинилась и оставила их наедине. Когда я почти через час вернулась с пирожными, расклад успел сильно измениться. Тихо всхлипывая, Наталья пыталась оправдаться:

— Боюсь я теперь сильно, у меня же из родных только мама осталась. Игорь всегда говорил, что из любого дела сухим выйдет, а с ним вон что...

Разговор прервали ее судорожные рыдания.

— Мы же с Игорем еще со школы вместе были. Он там на «герыч» подсел крепко, а как раз все эти секты, курсы по городу пошли. Пацаны со двора в «Пустынь» его сманили, — начала свою историю Наталья.

Дело в том, что в «Черной Пустыни», кроме разных семинаров и курсов, действовал еще

«Антинарк» — сектантский центр по работе с наркоманами и алкоголиками. Принцип лечения заключался в подмене одной зависимости другой. Вместо героина шла подсадка на витамины и нейролептики. После курса лечения у Игоря снова начались ломки. Но бесплатных лекарств больше не давали. Руководство «Черной пустыни» послало парня на заработки — вербовку новых членов секты.

Наталья, чтобы не бросать приятеля, устроилась на семинар «Новой психологии», на котором теперь маялись и мы. Ее присутствие позволило девушке быть в курсе всей истории, приключившейся с Игорем Термекиловым.

По ее словам, Игорь решил поискать более простой способ добывания денег. Тут-то и пригодились его детские навыки. Еще по малолетке он был на учете в детской инспекции за форточные кражи. А теперь залез в квартиру к администратору секты и выкрал кое-какие документы, надеясь шантажом получить за них выкуп. Параллельно он вернулся к героину и решил попробовать себя в роли торговца. На всякий случай сделал с краденых бумаг копии и за пару дней до своей гибели отдал их Наталье. Поскольку «отступников» в «Пустыни» почти никогда не было, вычислить человека, который украл бумаги, оказалось несложно.

В секте установлена жесткая система иерархии, и ей могли бы позавидовать даже наши спецслужбы. Помимо вербовки новых членов и промывки мозгов, есть подразделения, ведущие борьбу с противниками — журналистами и предателями, нарушившими устав. Игоря постигла печальная участь — все складывалось в пользу той версии, что его тихо, без следов убрали и, обыскав квартиру, забрали документы. О копиях им было ничего не известно, иначе они бы не оставили в живых и Наталью. С ней, конечно, беседовали, раза два вызывали к начальству, но до прямых вопросов дело не дошло, а сама девушка благоразумно промолчала.

— А почему ты не обратилась в милицию с этим делом? — поинтересовалась я.

— Господи, да что толку, меня же из-под земли достанут. Я даже из секты теперь уйти не могу. Они ж там знают, что мы с Игорем дружили, сразу неладное почуют. Я после этой истории почти не сплю. Все думаю, что со мной будет.

— Скажи, а документы эти до сих пор хранишь? — поинтересовалась я. Вместо ответа Наташа полезла на стул. Сняла с книжной полки несколько детективов и вытащила тонкую полиэтиленовую папку с бумагами.

— Вот они, держи.

— Слушай, блин, здесь же доверенности какие-то, — присвистнула Василиса.

— Да вижу я, вижу, — трясущимися руками я перебирала листки. — Наташа, а ты знаешь, кто такой Виктор Витальевич Познин, 1978 года рождения?

— А, так это Витька Познин. Он вместе с Игорем на «Антинарке» был. Там все доверенности наших ребят из «Черной пустыни», — равнодушно произнесла Наталья. — Ерунда это все. Игоря же не вернешь.

Уже в агентстве мы в должной мере оценили сенсационность попавшего в наши руки материала. Там было двадцать шесть генеральных доверенностей. Среди тех, кто получил в свое распоряжение чужое имущество и квартиры, мы нашли главного менеджера «Пустыни» Николая Хуторного и гипнотерапевта Василия Семеновича Перетятько. По нашей компьютерной базе мы сумели вычислить телефоны нескольких подаренных квартир и переговорить с их новыми владельцами. Практически все эти квартиры были перепроданы, некоторые даже по нескольку раз, но благодаря Васькиной настойчивости и умению общаться по телефону мы ненавязчиво сумели выяснить, что несколько прежних хозяев жилплощади имели некоторое отношение к нашей «Пустыни». Кроме того, трех человек уже не было в живых.

На то, чтобы оформить эту историю в классный репортаж, ушло меньше недели. Так что уже в следующий понедельник в очередном номере «Новой газеты» вышел сенсационный материал о «Пустыни». От остальных журналистских работ на эту тему он отличался обилием «живых» фактов. Мало кто из коллег мог похвастаться таким знанием темы изнутри.

Окрыленная славой, я не ощущала почвы под ногами. Перечитав несколько раз свое творение, я поспешила удостовериться, что в любимом РУВД известно о моих заслугах.

— Владимир Николаевич, здравствуйте. Как продвигается расследование убийства Игоря Термекилова? Помните? — наивно поинтересовалась я.

— Да, конечно. Пока «глухарь». Работаем...

— У меня кое-что для вас есть, — гордо заявила я.

— И что же?

— Вы говорили, что любите читать «Новую газету». Откройте вторую страничку.

— Мне приятнее узнать последние новости из твоих уст. Слышать твой голос с утра — залог хорошего настроения на целый день, — с неподдельной искренностью сказал полковник Греков.

Поведав на одном дыхании о результатах собственного расследования, я почувствовала напряжение на другом конце провода. В трубке послышалась фраза, оканчивающаяся на родное слово «мать».

— Ты понимаешь, что ты натворила?.. Ты же эту девчонку подставила! Срочно выезжай ко мне со всеми этими хреновыми доверенностями...

Трясущимися руками я стала набирать семь цифр «мобильного» Аркаши. У меня настолько сдали нервы, что правильно набрать номер получилось лишь с четвертой попытки. Аркаша примчался быстрее любых оперативников, мне же считанные минуты показались целой вечностью. Он просек все мгновенно, и через пару минут мы уже летели в РУВД. Утренние пробки не были для нас помехой, поскольку Аркаша предусмотрительно вынул из-под сиденья и установил на крышу «мигалку». Все машины старались держаться подальше от нашего «шестисотого», и даже гаишник не рискнул нас тормознуть.

Когда я оказалась в кабинете начальника криминальной милиции, Владимир Николаевич как раз отдавал распоряжение о подготовке выезда наряда на квартиру подруги Игоря. Через несколько минут ему сообщили, что выехать невозможно из-за отсутствия бензина.

— Это не проблема, транспорт есть! — заявила я удивленному полковнику, и вскоре уже усаживала его и трех оперативников в Аркашин «мерс». Мой друг и бровью не повел при появлении нашей компании, хотел только из вежливости убрать явно незаконную «мигалку», но Владимир Николаевич жестом остановил его, и потому добрались мы мгновенно.

Оперативники безрезультатно давили на кнопку звонка, но никто не открывал, хотя из квартиры Натальи доносились странные шорохи.

— Ломайте! — распорядился полковник.

— Но, Владимир Николаевич... — замялся оперативник. — Без санкции нельзя...

— Какая, блядь, санкция — где я тебе, на хер, сейчас прокурора найду! — заорал полковник, забыв о моем присутствии, но Аркаша молча протянул ему свой «мобильник». На переговоры с райпрокуратурой ушло еще три минуты. После этого старая дверь под натиском молодых и сильных тел вылетела в два счета.

— Жди на лестнице, — строго приказал мне Аркаша, выхватывая на ходу миниатюрный газовый револьвер. Но любопытство оказалось сильнее — я вбежала в квартиру вслед за всеми и спряталась в стенном шкафу в прихожей. Грянул выстрел, зазвенело стекло, послышались хрипы, ругань, шум падающих тел и ломающейся мебели.

— Стоять, гад! — услышала я крик Владимира Николаевича. И увидела сквозь едва прикрытую дверцу шкафа чью-то тень, метнувшуюся к выходу. Еще не успев сообразить, что я делаю, я изо всех сил толкнула вперед дверцу шкафа, сбив бегуна — с глухим ударом, матерясь, он шмякнулся на пол. Через миг, ткнув ему колено в спину, оперативник застегивал на его запястьях браслеты.

В комнате уже лежали лицами вниз, с заломленными руками, пятеро «пустынцев» — обычные стриженые ребята в «косухе». Полураздетую Наташу с растрепанными белокурыми волосами нашли в ванной в бессознательном состоянии. На щеках и груди бедной девушки виднелись следы ожогов от сигарет.

— Наташа, прости, — прошептала я. Но она меня не услышала.

Где-то внизу завыла сирена «скорой помощи».

Осознав, что все плохое позади, я разревелась. И не заметила, как оказалась в объятиях Аркаши. Его дорогой костюм был разорван, белоснежная рубашка забрызгана кровью. Не переставая реветь, я приложила платок к кровоподтеку на его виске. От той журналистской славы, которой я упивалась еще пару часов назад, не осталось и следа. Я вдруг поняла, насколько несерьезны все эти наши игры в сыщиков по сравнению с той настоящей опасностью, что ежедневно испытывают Владимир Николаевич и оперативники. И еще мне стало ясно, что я должна благодарить судьбу за тот счастливый жребий, что выпал мне в облике надежного и верного Аркаши...

Несколько дней спустя мне позвонил Владимир Николаевич.

— Да, Светочка, твоя статейка задала нам работенки. Знаешь, на что мы вышли?

— Могу только догадываться, — спокойно ответила я.

— Ребята, которых мы взяли у Натальи, выполняли всего лишь, так сказать, охранные функции. Один из них раскололся, сдал тех подельников, что Игоря убрали. Остальные пока молчат, но мы их привлекли за Наталью, сейчас работаем, а там, глядишь, и они заговорят. Мы ведь в самой конторе тогда еще четверых из руководства взяли. Двоих отпустить пришлось, но твой Николай-менеджер хорошо засел. Он хоть и был средним звеном, но встречался с «быками» и отдавал все распоряжения. Над ним, конечно, есть люди, сама понимаешь. Это тоже со временем отработаем.

— А что с доверенностями?

— С ними пока не все ясно. Знаешь, куда-то пропали тринадцать человек, подаривших свою недвижимость сектантам, да плюс еще трое умерли «под благовидным предлогом». Там и бумаги в порядке, и заключения о смерти. Но проверить их еще все равно придется. А с теми тринадцатью — вообще беда. Родных нет, заявлений о пропаже нет, да и тел тоже пока не нашли. Есть тут у нас кое-какие подозрения, но никто пока не колется. Конечно, просто так мы никого не отпустим.

— Писать-то об этом можно? — лукаво спросила я.

— Да уж куда от вас, писак, денешься?! — вздохнул полковник.

ДЕЛО О СЛАДКОГОЛОСОЙ «КАНТАТЕ»

Рассказывает Зураб Гвичия

«*Бывший майор ВДВ, по-кавказски красноречив, общителен, любвеобилен. В минуты ярости склонен к рукоприкладству, в связи с чем у него иногда возникают проблемы. Надежен, честен, искренен. Незаменим при обеспечении безопасности отдельных мероприятий Агентства. Увлеченно занимается журналистскими расследованиями, но имеет проблемы с литературным стилем, что сказывается на качестве материалов...*»

Из служебной характеристики

В эту кучу компоста наша «Золотая пуля» влетела, словно из помпового ружья выпущенная.

В понедельник утром, выслушав от Спозаранника очередную нотацию, мол «писать, Зураб Иосифович, надо не штампами, а творчески и со знанием дела», я плюнул на все и пошел к нашим репортерам пить кофе.

Вся «клумба» уже была на месте, в ее центре благоухала Светочка Завгородняя. Она демонстрировала очередной наряд, состоящий из полоски плюша на бедрах и бесстыдно прозрачного шифонового облачка повыше пупка. Аня

Соболина выгружала содержимое своей пульманообразной сумки в холодильник и с явным непониманием косилась на Свету: «Зачем прикрывать то, что для всех открыто?» Марина Борисовна исполняла роль конкурсного жюри: «Пройдись... Что ж, неплохо... Повернись кругом... Замечательно!» Валя Горностаева сидела, прижав к уху телефонную трубку, но за происходящим на нашем импровизированном подиуме, тем не менее, следила ревностно. Соболин, Шаховский и Модестов прилипли бессловесными тенями к стене и сверкали голодными взглядами.

— Светлана, милая Светлана, с тобой я вместе слезы лью! Ты в руки гордого тирана... — начал я от души, перефразировав классика.

— ...тиран мне, папа, по хую, — мгновенно отозвалась Света, и все присутствующие прыснули. Нет, все-таки эмансипированная женщина — страшное дело.

— Зурабик, где ты еще увидишь такую красоту? — Агеева заметила, что меня перекосило от Светкиной фривольности. — Только в нашем агентстве остались такие прекрасные девушки.

— Да еще на углу Литейного и Кирочной, — я налил кофе. — Так же матом кроют и попами крутят.

— А что? За триста баксов с носа я согласна на интим. Пардон, не с носа, а с хуя, — сказала Света вполне серьезно, и только тут я понял, что у Завгородней, похоже, большие неприятности. Если молодая, красивая и умная женщина надевает свой самый вызывающий наряд, напрямую говорит о деньгах и через слово ругается матом — значит, в ее личной жизни случилось что-то чрезвычайное.

Наверное, то же самое почувствовали все присутствующие, потому через минуту-другую с виноватыми лицами разбрелись по своим делам. Даже Валя ушла, выдернув из розетки вилку телефона. В отделе остались лишь Шаховский, Завгородняя и я.

— Девочка, тебя кто-то обидел? — в голосе Шаха сквозило неподдельное участие.

Света стояла у окна и молча курила. Мне показалось, что еще немного — она заплачет.

— Светуня, покажи нам этого урода, и мы его кишки на кулак намотаем, — я верил в то, что говорил.

— Ребята, это не поможет, — сказала Завгородняя и разрыдалась. Да так, что у нас с Виктором скулы свело.

Минут двадцать мы с ним носились по агентству в поисках валерьянки, отпаивали ревевшую белугой Завгороднюю каплями и всячески ее успокаивали. История, рассказанная Светой в перерывах между всхлипываниями и сморканиями в платок, оказалась весьма любопытной.

Как выяснилось, тетка Завгородней, старая дева и вообще «синий чулок», выйдя на пенсию, связалась то ли с баптистами, то ли с иеговистами — хрен их разберешь. Эти слуги Господни тянут из тетки последнее и скоро, судя по всему, вытянут все. Месяца два назад родственница пришла к Свете и под предлогом, что нужны деньги на срочную операцию, заняла полторы тысячи долларов. Позавчера она заявилась в сопровождении какого-то хлюста и попросила еще пятьсот. Хлюст, от которого пахло то ли серой, то ли ладаном, лопотал что-то о лучших клиниках, в которых будет лечиться «дочь Господа нашего уважаемая Ольга Семеновна» (как мы поняли, он так Светину тетку величал). Сама тетка в беседу не встревала, тупо смотрела в потолок и лишь стонала время от времени: «Света, Христом Богом прошу», «Света, Всевышний не забудет твою доброту к заблудшей овечке».

Света деньги дала, а вчера решила проведать «заблудшую овечку» и узнать все подробно о клинике, операции и прочем.

Увиденное повергло нашу топ-модель в шок. «Овечка» лежала в стельку пьяная и совершенно голая на неразобранной постели, на вопросы не отвечала и лишь корчила гримасы. Под занавес набросилась на племянницу и чуть было не выцарапала ей глаза, истошно крича: «Сатанинское отродье! Сучка греховодная! Синим пламенем тебе гореть на вечном огне! Изыди, блуд во плоти!»

— Я, конечно, не святая, но за что?! Ведь я ее так любила, так любила. Последнее отдала... — и Света снова залилась горючими слезами.

Мы с Шахом переглянулись и без слов поняли друг друга. Если первая леди нашей «Золотой Пули» в беде, надо выручать. Обнорский и Спозаранник подождут!

Уже через сорок минут мы стояли перед дверью коммуналки в доме на Большой Зеленина, где жила тетка Завгородней, и поочередно нажимали кнопку звонка. За дверью притаилась тишина.

— Может, она уже дуба дала? — шепотом спросил Шаховский.

— А соседи? Они бы трезвон подняли, — ответил я почему-то тоже вполголоса. — Давай подождем.

Мы простояли на площадке минут пятнадцать, пока снизу не раздались чьи-то торопливые шаги и веселое посвистывание. Вскоре на лестнице показался мужчина лет сорока с полиэтиленовым пакетом в одной руке и портфелемдипломатом в другой. Увидев нас, он на секунду тормознул в растерянности, но все-таки поднялся на площадку и, перехватив пакет и дипломат в одну руку, по-хозяйски достал ключи из кармана:

— Вы в тридцать восьмую? К кому, если не секрет? — От мужчины пахнуло чем-то сладковато-приторным, и я вспомнил Светины слова: «...то ли серой, то ли ладаном».

— А вы здесь живете? — ответил Шах вопросом на вопрос. Похоже, он тоже уловил расточаемые мужчиной ароматы.

— Вроде того, вроде того, — пропел-промурлыкал мужчина, вставляя ключ в замок. — Лишь один Господь знает, что ожидает нас во мраке. И бредем мы по терниям, следуя наказам Его и выполняя волю Его, пока не откроются для нас врата небе...

Договорить хлюст не смог, потому что после моей оплеухи взмахнул руками, ногами и оказался в дальнем углу лестничной площадки. Дипломат с пакетом остались у двери, связка ключей — в замке.

— Тихо, дядя, мы из СОБРа, — подскочил к мужчине Шах. — Сколько бандитов на сходке? Оружие, гранаты есть? У черного выхода кто стоит? В глаза смотреть! В глаза, я сказал!!

— Какие бандиты, какие гранаты? Товарищи, вы что? Здесь явное недоразумение! — мужчина ошалело хлопал глазами, от страха сошедшимися к переносице. — Я менеджер фирмы, в этой квартире проживает наша клиентка. Она заболела, мне поручили ее проведать. Не верите — посмотрите пакет. Там помидорчики, огурчики, кефир.

— Все точно! — Витя повернулся ко мне и подмигнул. — Связного взяли, товарищ майор.

Они лохов для связи используют, под видом помидоров и огурцов рассовывают по пакетам тротиловые шашки.

— Какие лохи? Какие шашки? Я эти помидоры купил двадцать минут назад с лотка на углу! — менеджер, похоже, начал сомневаться в достоверности нашей легенды и повысил голос до фальцета.

За дверьми, выходящими на лестничную площадку, раздались осторожные шевеления. Соседей явно заинтересовали наши разборки.

— Тихо! — я схватил хлюста за лацканы пиджака и поставил на ноги. — Значит, так. Вы идете первым, мы за вами. Если спросят кто, ответите — «свои» и назовете пароль. Пароль, надеюсь, не забыли? Или напомнить?

— Дурдом! — мужчина перешел на шепот, но своих сомнений не оставил. — А удостоверения у вас есть?

— Наши удостоверения всегда при нас, — с этими словами Шах достал из-за пояса пистолет и сунул его в бок менеджеру. — Идите.

Пистолет был пневматический, купили мы его год назад всем отделом вскладчину, стрелял он лишь металлическими шариками. Главное достоинство этой «игрушки» состояло в ее способности с двух метров пробивать лист шестислойной фанеры. На крайний случай неплохое орудие самообороны, главное — никаких лицензий не надо.

В квартире мы продолжили свою крайне рискованную игру в «сыщиков-разбойников». Пока Шах с пистолетом наизготовку делал вид, что обследует замысловатые и, к нашему счастью, пустые лабиринты коммуналки, я позволил хлюсту проводить себя в комнату тетки Завгородней. «Овечка» мирно похрапывала под одеялом, в комнате плавали запахи мочи и многодневной пьянки. Хороша родственница нашей топ-модели, ничего не скажешь.

— Видите? Никаких сходок и бандитов. Это наша клиентка, а это моя визитная карточка, — с этими словами хлюст протянул мне белоснежный, с ярко-синей полосой, кусочек картона.

Я взял визитку. «Бацман Петр Васильевич, менеджер регионально-просветительской организации „Кантата“. Тел... Факс...»

— Все чисто, товарищ майор, — вошел в комнату Виктор. — Ушли, гады. На столе в кухне три стакана, пустая бутылка из-под «Столичной» и остатки закуски. Будем вызывать экспертов?

Я молча протянул ему визитку.

— А-а, та самая «Кантата»! — Шах засунул пистолет за пояс. — Как же, наслышаны. Мошенничество, злоупотребление настроениями верующих, присвоение чужого имущества. Главарь — вор в законе Армен Харбелла. Три грабежа, одно убийство, в настоящее время в федеральном розыске. А это, стало быть, его подельник?

— Подождите, товарищи, подождите, — Бацман занервничал куда больше, чем минуту назад. — При чем здесь наша организация?

— Вы хотите сказать, что с Харбеллой не знакомы?

— Первый раз слышу.

— Все ясно. Соучастие в преступлении, предварительный сговор и препятствие следствию. Статья тридцать два, тридцать пять и...

— Да погодите вы! — менеджер опять сорвался на фальцет. — Какое отношение может иметь наша организация к пистолетам, гранатам и бандитским сходкам?! Мы коммерсанты, понимаете? Ком-мер-сан-ты!

— Ах коммерсанты! — я вспомнил плачущую Свету Завгороднюю и от души выдал Бацману вторую оплеуху. На этот раз менеджер улетел в угол вместе с дипломатом и лопнувшим пакетом, из которого посыпались помидоры и огурцы. Не обманывал, гаденыш: тротиловых шашек в пакете не было...

Мы провозились с истеричным Бацманом часа три. Выяснилось, что «Кантата» — обычная для наших дней структура многоуровневого маркетинга. С клиентов собирают деньги, вешая на уши лапшу о «принципиально новой инновационной политике». Приведешь в фирму несколько себе подобных — есть шанс вернуть свои деньги и даже подзаработать. Не приведешь — будешь, как Ольга Семеновна, кушать с горя водку и пускать слюни под одеялом.

— «Если не удается взять всю сумму, соглашаться на часть. Быть с гостем всегда, спать с ним, вечером пожелать доброй ночи, утром разбудить», — процитировал Шах из найденного у менеджера дневника. — Спать — это как? В переносном, что ли, смысле?

— Почему в переносном? — хлюст, как мне показалось, даже обиделся. — В прямом.

— Значит, вы... ты ее... того?

Бацман отвел глаза.

Мы не выдержали и рассмеялись. Бедная Ольга Семеновна! Всю жизнь блюсти невинность, чтобы под закат дней пасть жертвой притязаний похотливого мошенника, да еще заплатить за это кругленькую сумму.

— Кстати, где деньги?

— Сданы в кассу. Все, до последнего цента.

Похоже, менеджер не врал.

— Теперь закрой хавальник, подбери сопли и слушай сюда, — лицо Шаховского приобрело незнакомое мне выражение. — Ты, терпила, влетел. Эта шмара мне по крови, я в разводке ее не кину. Значит, выбирай, фуфел: или хрусты взад, или паяльник в жопу. Сечешь? Есть еще вариант: на твой крендель кипятильник наденем, пока кипятком ссать не начнешь. Ну?

Менеджер с минуту молчал, переваривая услышанное. Наконец понял ситуацию и обхватил голову руками:

— Боже, я знал... Я чувствовал, что это случится! За что? Господи, за что все это?

— Ну?!

Бацман раздумывал лишь несколько секунд, после чего выпалил:

— Всю сумму сразу я не смогу.

— Кент, ты кому, в натуре, баки бьешь? — Шах как бы между прочим вынул «пушку» из-за пояса и переложил в карман брюк. — Думаешь, тебе две жизни отмеряно?

Видимо, вспомнив классическое «...жизнь дается человеку один раз и прожить ее надо...», менеджер перестал упираться и согласился завтра же принести деньги.

Под занавес, растолкав Светину тетку и для пущей острастки заставив Бацмана написать расписку, что «Я, такой-то, обманным путем получив от..., обязуюсь вернуть всю сумму в размере...», мы из квартиры ретировались.

— Ты откуда так ловко по фене ботаешь? — не удержался я от вопроса, когда мы мчались в агентство на раздолбанной Витькиной «шестерке».

— А ты откуда так ловко зуботычины раздаешь? — ответил Шах в свойственной ему манере вопросом на вопрос.

— Ха!

— Вот и у меня «ха!»

Поговорили, называется.

Конечно, Шах знаком с бандитской жизнью Питера куда лучше меня. И в агентстве он дольше работает, и с братвой, по слухам, был связан. Слухи, конечно, дело дрянное, но то, что «мерседес» Шаховского однажды взлетел на воздух, факт достоверный. После того взрыва Шах предпочитает добираться на работу трамваем, используя купленную с рук «мохнатку-шестерку» лишь в чрезвычайных ситуациях.

Мотор брюзжал, жалуясь на недержание масла и гастрит топливной системы. Подвеска кашляла осипшими шаровыми и повизгивала фальцетом сайленблоков. С прохудившегося краника отопителя капало и парило, а я смотрел на летящие за окном городские пейзажи и думал о Завгородней, ее тетке и всем том дерьме, который называют «современный бизнес».

Три года назад я мучился одним вопросом: где заработать? Когда доценты промышляют сбором стеклотары, а младшие научные сотрудники торгуют с лотков мороженым, вчерашним майорам место остается разве что на свалке. И болтался я по городу, тихо склоняясь к мысли, что надо продавать квартиру, ехать в родной Цхалтубо и начинать жизнь сначала.

Как-то у выхода из метро накрашенная дама сунула мне в руку бумажку: «Работа в офисе с персоналом. Ненормированный рабочий день. Возраст и образование значения не имеют. Заработки от 300 у. е. в день».

Уж что-что, а с персоналом работать я умею! Как начал взводным в двадцать два года, так в тридцать шесть замкомдивизии закончил. А «персонал» в воздушно-десантных войсках — сами знаете какой.

Одним словом, купился я на это предложение. Пришел по указанному адресу и попал на роскошное торжество. Банкетный зал набит до отказа, музыка, улыбки, «Боржоми» на столиках... Мужчина, по возрасту мой годок, с ряхой шеф-повара перворазрядного ресторана, мурлыкал что-то о принципиально новом бизнесе, грандиозных перспективах семейного заработка и невостребованной потенции личности, которую их фирма обязуется реализовать. Девушка-менеджер, подсевшая за мой столик, так белозубо улыбалась и так старательно демонстрировала декольте на груди пятого, как минимум, размера, что я почувствовал неладное. Слушайте, если у вас есть для меня работа, зачем так старательно за нее агитировать? Давайте работу, и дело с концом!

«Чтобы стать сотрудником нашей фирмы, необходим вступительный взнос в размере трехсот долларов», — девушка пропела это как нечто сокровенно-интимное, после чего обычно спрашивают: «Согласны?» Именно это она и спросила, но взаимной ласки и нежности от меня не дождалась. Более того — оскорбилась, услышав о моей невостребованной потенции, рвущейся наружу от одного взгляда на нее и ее бизнес.

Впрочем, в чем девушка виновата? Многие мечтают о «тарелочке с голубой каемочкой», считают себя наследниками великого комбинатора и так же, как он, хотят, чтобы денег было много и, по возможности, сразу. Хрестоматийные сентенции Родиона Раскольникова помнят не все, а вот заветы внебрачного сына лейтенанта Шмидта шпарят наизусть. Страна такая: лелеяли монархию — вырастили революционеров, прививали коммунизм — получили демократию, учили работать — выучили партнеров-халявщиков.

Такая, блин, страна...

Обо всем происшедшем на Большой Зеленина (без излишнего натурализма, конечно) мы рассказали на очередной летучке и вызвали к теме живой интерес Обнорского и Спозаранника.

— Надо раскрутить этих бизнесменов-новаторов, Зураб Иосифович, — у Глеба загорелись глаза, словно у основания финансовой пирамиды нас ожидали сокровища Тутанхамона. — Чем не повод для журналистского расследования?

Шеф согласно кивнул и не торопясь закурил.

— Значит, так. Зураб через этого блядуна-менеджера узнает, где жирует «Кантата», а также все обстоятельства этого затянувшегося праздника жизни. Кто руководит, на каких машинах ездят, «крышующие» и тому подобное, — Обнорский что-то черкнул в блокноте. — Теперь — Зудинцев. Михалыч, узнай, пожалуйста, через своих бывших коллег, были ли какие-нибудь криминальные разборки, связанные с «Кантатой». Марина Борисовна, вам, как всегда, пресса: кто писал о финансовых пирамидах, что писали и вообще, было ли что-либо подобное в других городах.

— Только России или всего евроазиатского континента? — съехидничала Агеева.

— Африка с Америкой нас тоже интересуют, — мгновенно парировал шеф, — но, поскольку у вас трудности с иностранными языками, ограничимся Российской Федерацией. Все. Остальные, по мере возможности, помогают Зурабу...

Моя встреча с Бацманом ничего не дала. Сохраняя безопасную дистанцию, растлитель престарелых дам сунул мне пухлую пачку долларов и, пролепетав серыми губами: «Отдайте расписку, пожалуйста», хотел уж было рвануть прочь, но я остановил его вопросом:

— Слушай, чем это от тебя пахнет?

Надо ж было как-то разговор завязать.

— Чем?

— Это я спрашиваю, чем? — рявкнул я в сердцах. Этот Бацман меня определенно раздражал. — Ты кем работаешь?

— Прозектором.

— Прожекторы, что ли, устанавливаешь? — каюсь, но о профессии «прозектор» я услышал впервые. Бацман облизнул серые губы:

— Прозектор — это специалист по вскрытию трупов в морге.

Тьфу ты, поганец! Трупы он вскрывает, да еще и бабушек трахает!

— Вали отсюда, козел!

Внезапно порадовал Зудинцев. Через пару дней после летучки он, усталый и мокрый, ввалился в кабинет (на улице лило как из ведра) и положил на мой стол мятую бумагу:

— Во! Список автолюбителей и номеров машин, которые паркуются у гостиницы «Пулковская», когда «Кантата» там презентации проводит. С тебя, кацо, причитается.

— Спасибо, опер, «Хванчкара» за мной. Сам накопал?

— Зачем? Твоей «Кантатой» ребята давно интересуются, вот и удружили мне списочек. Посмотри внимательно: там есть лихачи, которые за месяц имеют по три нарушения ПДД. Пацанам явно деньги некуда девать.

Я начал читать список и уже на третьей строчке споткнулся:

«„SAAB" 9000, О 764 УЕ, 78 рег. Владелец — Шапиев Олег Мусавирович, 1966 г. р. У „П" 3,

10, 17 апреля, 16, 23 мая, 12, 13, 19, 20 июня. 13 июня имел конфликт с работником стоянки из-за небрежной парковки. Ударил его по лицу. Потом откупился».

На Шапи это похоже. Безропотно пройдя стадии «духа», «салаги» и через год добравшись до «черпака», он возомнил себя эдаким Шварценеггером (еще бы — девяносто пять килограмм веса при росте метр восемьдесят!) и как-то после марш-броска набросился с кулаками на командира отделения Леню Малышенко. Что послужило причиной конфликта, я так и не узнал, но когда подбежал к бузотерам, Шапи уже валялся на песке в глубоком нокауте, а Леня вытирал о тельник разбитый в кровь кулак и смотрел на меня спокойно и, как всегда, немного грустно. После той стычки Шапиев проникся уважением к своему непосредственному начальнику и безропотно выполнял все его указания. Звериный инстинкт: подчиняйся тому, кто сильнее тебя.

О том, что лично знаком с одним из списка, я Зудинцеву не сказал, но в тот же вечер через армейских ребят узнал телефон Шапиева и позвонил ему домой.

— Ну здравствуй, рядовой запаса Шапиев.

Пять секунд паузы.

— Вы, товарищ майор?! Здравия желаем.

— Спасибо, не забыл. Как в Питере оказался?

— Стреляют на родине. А мне стрелять надоело.

— В коммерцию, стало быть, подался?

— Почем знаете?

— На «саабе» раскатываешь, правила нарушаешь, хорошим людям морды бьешь.

Еще пять секунд паузы — и вздох разочарования:

— Вы в ментовке, что ли, пристроились?

— Поговорить надо. Через полчасика подруливай к Пяти Углам, я со стороны Рубинштейна буду стоять...

У Пяти Углов был припаркован ангароподобный «нисан», хозяева которого, завидев меня, широко распахнули дверцу:

— Садись, кацо, тебя заждались.

Хозяев было трое. Синие небритые рожи, стриженые затылки и дутые золотые цепи говорили сами за себя. Шапи среди них не было.

— А где сам-то? — спросил я, залезая в машину, и в ответ услышал ржание, как на конюшне:

— Еще чего захотел!

«Неужто Шапи до „папы" приподнялся? Чушь, у него мозгов не хватит. Или, действительно, все в этом мире перевернулось? Рядовой запаса во главе финансовой пирамиды, вчерашний комбат у него на цырлах... Все путем!»

«Нисан» тем временем прошуршал по Рубинштейна, свернул на Невский и полетел к Московскому вокзалу. На спидометре было девяносто.

— Мой тебе совет, кацо: перед Костей сильно хвост не распускай. Он еще с прошлого раза на тебя зол, — не очень дружелюбно прогундосил тот, что сидел за рулем.

— Я вроде повода не давал.

— Ха, блядь, он не давал! Будь я на месте Кости, свистеть тебе дыркой в башке где-нибудь за Волховстроем! Или пять тонн, по-твоему, не деньги?

Молча перевариваю услышанное, ровным счетом ничего не понимая.

— Теперь что касается корчмы. Тихо возьмешь нашего человека в долю. Как будешь со своими объясняться, нас не ебет. Или счетчик тебе, в натуре, включить?! — водила зло оскалился.

— Корчма не моя, и Шапи это знает, — бросил я пробный камень.

— Какой такой, к херам, Шапи? — все трое с удивлением повернули ко мне головы.

Впереди в золоте прожекторов выросла стела Площади Восстания.

— Ладно, замнем. Крутанись на площади и дуй обратно, — делаю усилие, чтоб не рассмеяться.

— Зачем?

— Давай, браток, поспешай. Человек с документами у Пяти Углов остался...

На углу Рубинштейна и Загородного топтался брюнет с сумочкой-педераской на запястье. Метрах в десяти от него чернел «сааб», О 764 УЕ, возле которого в позе генерала Карбышева застыл рядовой запаса Олег Шапиев. При виде меня, выходящего из «нисана», он нервно дернулся и мгновенно превратился из «изваяния» генерала в обычного приблатненного пацана.

Я неспешно вышел из машины, подошел к брюнету:

— Гамарджобо, батоно.

— Гамарджобо, — грузин ошалело зыркал то на меня, то на хозяев «нисана».

— Все нормально, не ссы. Садись в машину и езжай к Косте. Мой тебе совет: хвост перед ним не распускай, а то будешь свистеть дыркой в башке, — я сказал это по-грузински, отчего земляк еще больше растерялся.

— Ты с ними?! — в голосе брюнета явно звучали нервные нотки.

402

— Вроде того. Торопись, и так опоздали.

Земляк юркнул в «нисан», я сделал отмашку: дескать, езжайте, — машина, раздраженно рявкнув двигателем, унеслась в сторону Невского проспекта.

Вах, с одним, кажется, разобрались. Теперь с другим. Подошел к Шапиеву, протянул руку:

— Ну здравствуй, Олег Мусавирович.

Пальцы Шапи в моей ладони мелко подрагивали.

— Так вы с ними?!

Даже интонация та же, что я слышал в этой фразе минуту назад.

— Так, знакомые. Подбросили. Ну что, поговорим?

В салоне «сааба» было тепло, пахло дешевым дезодорантом.

— Хорошо живешь. Сколько лет машине?

— Три года, сорок тысяч на спидометре.

— Ого! Почти новая. Поделись с командиром, где такие деньги можно заработать?

Олег замялся, поглаживая руками баранку.

— Что с вами делиться? И так все знаете, если от «казанских», — Шапи мотнул подбородком в направлении уехавшего «нисана». — Пирамиду крутим, там бабки немереные. Я хоть и пятое колесо в этой телеге, но на хлеб с маслом хватает.

— А с казанцами где пересекался?

— Так ведь я в охране. Они как-то наехали, но узнали и вмиг отвалили.

— Что узнали?

Олег раздраженно покосился:

— Ладно вам, Зураб Иосифович, дурачком-то прикидываться.

— Не тяни, Олег.

— В натуре, что ли, не знаете?

Критическая минута. Одно неосторожное слово — и Шапи поймет, что я в их системе ни бум-бум, и начнет «крутить вола».

— Знаю, что менты крышуют. Так?

Шапи кивнул, и у меня в груди радостно екнуло. Попал! Причем точно в десятку.

— Кто конкретно?

— Ха! Спросите что-нибудь полегче! Кто ж вам про это расскажет? Пацаны с Захарьевской приедут, деньги заберут и молча отвалят. Мы их даже до машины не провожаем — у каждого ствол казенный, что им наша охрана?

По крайней мере с одним прояснилось.

— Это правда, что сам начальник ГУВД к вам в гости захаживает?

— Вроде был один раз. В тот день я взял выходной, но ребята говорили, что видели генерала. Он как-то быстро просвистел: минут двадцать побыл и уехал.

— В форме?

Шапиев посмотрел на меня как на умалишенного:

— Это вам что — армия, строевой смотр?

— Так ведь генерал, говорят, даже на пижаму лампасы нашил.

— Таких интимных подробностей мы не знаем. Но в «Кантате» ему светиться в лампасах, мне кажется, не с руки.

— А твои пацаны не ошиблись, это действительно был кум?

Олег горько усмехнулся:

— Как же здесь можно ошибиться, если этого борца с криминалом каждый день по «ящику» показывают?

Логично. Возразить было нечего.

Мы проболтали минут сорок. Со слов Шапиева, «Кантата» проводит презентации по субботам и воскресеньям в конференц-залах лучших отелей города. Всякий раз народу битком, но отважившихся встать «на трудовую ниву» за два дня набирается не более ста человек. При взносе в три тысячи долларов с клиента итоговые суммы получаются неплохие. Я бы сказал — весьма неплохие. Головокружительные суммы! Не удивительно, что рядовой охранник «Кантаты» Олег Шапиев может позволить себе купить трехлетний «сааб-9000». Что же позволяют себе те, кто наверху пирамиды?

На следующий день Марина Борисовна Агеева положила передо мной внушительную пачку ксерокопий:

— Зурабик, это все, что удалось найти. Не обессудьте.

Я стал перебирать газеты и обалдел. «Приднестровская правда», «Воркутинский час пик», «Чырвоная змена», «Калининградская правда», «Звязда», «Тульский рабочий»... Да тут чуть ли не вся Российская Федерация с ближним зарубежьем в придачу!

— Марина Борисовна, это все о финансовых пирамидах? Когда же вы успели?

— Мне стало вдруг очень интересно. Оказывается, пирамиды типа вашей «Кантаты» существовали почти во всех крупных городах, но, в отличие от Питера, их везде сразу разгоняла милиция, а организаторов судили как мошенников. Только у нас тишь-благодать. Тебе не кажется это странным, Зурабушка?

— Странным — не то слово, дорогая Марина Борисовна, — и я углубился в чтение газет, совершенно по-свински забыв сказать женщине спасибо.

Все было так, как рассказала Агеева. Первые упоминания о финансовой пирамиде появились в «Калининградской правде» около года назад. Некий Сева Иванов (псевдоним, конечно) в статье «Бизнесмены оказались мошенниками» взахлеб расписывал знакомую мне формулу: круговая порука — презентация — крупный вступительный взнос — сотни обманутых.

«К счастью, сотрудники областного УВД достаточно быстро смогли рассмотреть в действиях псевдобизнесменов состав преступления, предусмотренного ст. 171 УК РФ (незаконное предпринимательство). Уже через три месяца фирму закрыли, отправив ее организаторов на скамью подсудимых. Их дальнейшей судьбой будут распоряжаться не люди в форме, а женщина железных принципов по имени Фемида», — писал Сева. Фраза о «женщине с железными принципами» подсказала мне, что коллега Иванов еще молод и никогда под судом и следствием не состоял. Дай Бог ему и дальше.

Примерно то же было и в других газетах, разве что не так патетически. Белорусские журналисты, в частности, не преминули рассказать читателям о семье менеджера финансовой пирамиды, расстрелянной из автоматического оружия в собственной квартире. Конечно, из-за таких баснословных денег...

Через два часа, отложив последнюю газету, я понял, что в теме о «Кантате» вопросов стало гораздо больше, а ответов не прибавилось.

Если «Кантату» организовала братва, почему молчит милиция? В других-то городах она вон как быстро расставила все по своим местам.

А если пирамиду «крутят» чины из ГУВД? В таком случае — где наши доблестные эфэсбэшные ребята, которых раньше хлебом не корми, дай на фоне МВД самоутвердиться?

Родоначальники «Кантаты» сидят в Большом Доме?..

Я почувствовал, что еще час-полтора размышлений в этом направлении, и мои мозги закипят, с треском развалив черепную коробку. Вспомнилось предостережение одного маститого журналюги: «Разоблачаешь мошенников — больше времени посвящай рыбалке, клеймишь казнокрадов — думай о бабах, а взялся за властные структуры — вообще напейся и забудь!» Мне вдруг захотелось выполнить все три рекомендации сразу: сесть на берегу лесного озера, открыть холодную баночку «Джин-тоника» и, поглаживая круглую коленку той, которая согласилась разделить со мной прелести земного бытия, закинуть удочку...

Будь проклята это «Кантата»!

В отдел яркой бабочкой впорхнула Света Завгородняя и пригласила «на чай по поводу успешной экспроприации экспроприаторов».

«Чай» удался на славу. Дамы пили исключительно шампанское, нам с Шахом персонально выделили бутылку виски, остальные пили все подряд. Обстановка была самая непринужденная, ибо отсутствовал «стоп-кран» — шеф, с утра укативший то ли в РУБОП, то ли в УБЭП. Оттуда, как известно, быстро не возвращаются, и мы кутили напропалую.

— Зурабик, Витюша, вы так много для меня сделали! — Света в очередной раз подняла пластмассовый стаканчик с шампанским. — Давайте выпьем за мужчин, рядом с которыми чувствуешь себя как за каменной стеной!

— Стена — да гнилая, ткни и развалится, — вспомнил Зудинцев цитату классика. — Вернется Обнорский, ткнет кулаком в эту стену и... Что, скажет, вы узнали нового о «Кантате»?

— Один мой знакомый, кандидат наук и вообще очень умный человек, тоже всегда смотрел на происходящее диалектически, — подал голос Скрипка. — Жена ему: «Хочу новое платье!», а он в ответ: «Как можно думать о тряпках, когда в стране такое творится?» Ему предложили докторскую писать, а он категорично: «Не буду! Вдруг она попадет в руки американской разведки?» Ну и так далее, по восходящей. Финал: жена ушла к другому и сейчас каждый день в новых нарядах. Из НИИ парня поперли по сокращению штатов. Теперь он по ночам вместо диссертации пишет на заборах и стенах домов: «Ельцин — пособник ЦРУ!»

— При чем здесь это? — вспыхнул Зудинцев. — Если мы не побоялись проводить журналистское расследование, то в интересах закона и правосудия должны довести дело до конца. Быстро и четко!

— А я считаю, что «Кантата» — вообще не повод для нашего расследования, — оживилась молчавшая до этого Валя Горностаева. — Наша задача — повернуть общество лицом к этой проблеме, очертить круг участников аферы, устроить им диффамацию. Все остальное — дело прокуратуры и следствия. Разве не так?

— Пое-ха-ли! — пьяненько икнул Безумный Макс. — Прямо как канадские лесорубы: в лесу о бабах, при бабах о лесе. Господа, давайте о прекрасном...

— Подожди, Макс, — Агеева отобрала у Кононова фужер, в котором была явно не кокакола. — Зураб, а что, действительно, говорят на тему «Кантаты» в ГУВД? Ты с кем-нибудь беседовал?

Я виновато развел руками:
— Не успел, Марина Борисовна.

— Зураб Иосифович на другом специализируется, — фыркнул Спозаранник. — Морду кому-
нибудь набить или с бандитами по понятиям разобраться — это всегда пожалуйста. А обычное
интервью для него — это скучно и нерезульта-
тивно.

Вот черт! Неужто Шах проболтался? Я покосился на Шаховского — тот отрицательно покачал головой. Нет, Витя не сдаст...

— И это правильно! Настоящий мужчина сам
решает, как ему лучше действовать, — Света
подняла очередной стаканчик с шампанским
над головой. — За тебя, Зурабушка! А интервью
с милицейскими начальниками поручи мне — я
этих стражей закона так раскручу, что они от
удовольствия визжать будут!

Вах! Предложение Светы было настолько оче-
видно-беспроигрышным, что я подпрыгнул на
стуле. Ну конечно! Только Света сможет узнать
правду. Только ей, нашей очаровательной ветре-
нице, суровые парни из ГУВД ответят даже на
те вопросы, на которые сами себе стараются не
отвечать. Но готовить эту встречу надо крайне
серьезно. Если прогорим — гвоздя не найдешь
на пепелище!

Когда, спев напоследок под гитару Макса
«Извозчик, отвези меня домой, я, как ветерок,
сегодня вольный!..», ребята наконец разошлись
по домам, в агентстве остались Спозаранник,
Завгородняя и я. Остаться их попросил я, вы-
звав неудовольствие одного лишь Глеба, рвущегося к жене и детям. Света к моей просьбе отнеслась с большим пониманием, хотя думала
при этом, кажется, о своем, о женском...

Я рассказал об идее срочного интервью какого-нибудь крупного начальника из ГУВД и,
что называется, «попал в клещи».

— Какие проблемы? — Света закинула ногу на ногу, и ее колени оказались почти вровень с моей переносицей. — Завтра же нарисуем.

— Ни в коем случае! — разволновался Спозаранник. — Если «Кантата» — их детище, разнесут по кочкам.

— Ну прямо-таки разнесут! В худшем случае кислород перекроют на время, — я нарочито бравировал. — Что нам, впервой?

— Когда прекращается обмен кислорода в крови, это приводит к атрофии мозга и последующему дебилизму, — Глеб посмотрел на меня как на потенциального дебила. — Тебе это надо?

— Надо! — я стукнул кулаком по столу. — Очень надо, понимаешь?!

Спозаранник долго молчал, глядя куда-то в пространство. Потом, буркнув: «А-а, шут с вами!» — залез в сейф и вынул оттуда два диктофона: наш штатный «SONY» и еще один, размером чуть больше спичечного коробка, с кнопкой-микрофоном на длинном тонком проводе.

— Значит, так: приходишь, предлагаешь интервью под диктофон и демонстративно ставишь «SONY» на стол, — начал Глеб инструктировать Завгороднюю. — Скорей всего, диктофонную запись тебе запретят. А этот «малыш» уже работает (Глеб постучал пальцем по диктофону-малютке). Одна особенность: диктофон и микрофон должны быть в едином элементе одежды. Понимаешь?

У меня челюсть отвисла от таких шпионских штучек. Света тоже хлопала глазами: «Не понимаю».

— Поясняю. Если диктофон во внутреннем кармане плаща, в рукаве того же плаща находится микрофон, — с умным видом объяснял Глеб. — Если диктофон в пиджаке — микрофон

410

в рукаве пиджака. Чтобы не получилось так: тебе предложили снять плащ, а микрофонный шнур тянется из пиджака в рукав плаща. Ясно?

— А если диктофон в трусиках, куда мне микрофон засунуть, Глеб Егорович? — спросила Света голосом прилежной ученицы, и я пулей вылетел из кабинета. Нехорошо смеяться в лицо начальнику, «повернутому» на спецуровских прибамбасах.

Половину следующего дня я ждал Свету, умчавшуюся на интервью, и ничего не мог делать.

— Ладно тебе психовать, — заметил мою нервозность Шах. — Можно подумать, мы ее к Горбатому на «малину» отправили. Ведь не съедят ее там, в самом-то деле?!

Света появилась лишь на исходе дня с букетом гвоздик в одной руке и бутылкой шампанского в другой.

— «Позови меня с собой, я приду сквозь дни и ночи...» — пропела она. — Мальчики, знаете самое интересное? Они там все мнят себя ментами с «Улицы разбитых фонарей». Каждый второй — Казанова, а на самом деле — одни Мухоморы.

— При случае расскажу Андрюхе Пименову. Его творчество наконец овладевает массами милицейских начальников, — хохотнул Зудинцев. — Когда он свою первую книгу написал...

— Погоди, Михалыч, — перебил я опера. — Ну, что с «Кантатой»?

— Все путем, начальник, базара нет, — дурашливо ухмыльнулась Света. — Пленка записана, улики неопровержимые. Ну-ка, парни, отвернитесь.

Мы послушно выстроились лицами к стене. Светуня чем-то шуршала, щелкала, вжикала и, наконец, произнесла: «Все, можно повернуться взад».

На столе лежал малютка-диктофон, схватив который, я почувствовал еще не остывшее тепло Светкиного тела. Даже запах ее духов сохранился. Или мне показалось?

Запись была на удивление чистой. Цокот каблучков по гулкому казенному коридору, стук в дверь, заискивающее «Можно, Андрей Владимирович?» Обмен приветствиями, мурлыканье Светы, добродушный баритон в ответ: «Почему бы не поговорить? Можно и поговорить. Нет, нет, диктофон нам не нужен. Да вы присаживайтесь. Извините, сразу не предложил сесть».

После этого шуршание, негромкий щелчок и... тишина.

Минуты две мы напряженно вслушивались в эту тишину, пока Шаховский не произнес:

— Все. Дальше не интересно, можно выключить. Прямо как в фильме «Два товарища». Кстати, товарищ, ты куда диктофон засунула, если не секрет?

Глаза у Светки были на мокром месте.

— Куда Глеб Егорыч сказал — в колготки. Как единый элемент одежды.

— Понятно. Она села, колготки натянулись и вдавили кнопку «пауза», — уныло резюмировал Спозаранник. — Вообще-то «пауза» на этой модели неудачно расположена: сбоку и чрезмерно выступает. Не сопи, Света. Рассказывай, что дальше было.

Видимо поняв, что слезами горю не поможешь, Завгородняя промокнула уголки глаз платочком и начала рассказывать.

Замначальника ГУВД (тот самый, с добродушным баритоном) выслушал Свету и отправил ее к начальнику какого-то отдела, которому «эта тема гораздо ближе». Начальник отдела, в свою очередь, пригласил двух своих заместите-

412

лей, которые учинили Завгородней форменный перекрестный допрос: что за агентство? почему именно «Кантатой» заинтересовались? что уже известно? и тому подобное. Их отношение к финансовой пирамиде, в свою очередь, было туманным и зыбким.

— Они говорят, здесь нет состава преступления, — Света протянула мне бутылку шампанского. — Открой, Зураб. И доказательная база слабовата.

— В других городах не слабовата, а у нас слабовата? В других городах есть состав, а у нас нет?

— Так говорят.

— Ну, собаки, я им устрою доказательную базу! — вдруг взвился со стула Спозаранник. — Всем сидеть здесь, никуда не расходиться. Я к шефу!

Мы успели допить шампанское, когда вернулся Глеб. Вид у него был многообещающий.

— Расклад такой: Зураб пишет статью о «Кантате» с изложением всех установленных фактов. Пример с теткой Светланы надо расписать особенно красочно, чтоб у читателя слеза навернулась. Как контраст нищеты и безысходности — жирные бизнесмены, вчерашние прозекторы, сидящие на позолоченных унитазах. Сколько троллейбусов можно закупить на деньги, которые утаиваются от налоговой, сколько километров дорог можно отремонтировать на эти деньги. Сколько исковерканных судеб людей, которых банально «развели». Сколько... Короче — два дня на боевую, толковую статью.

Последняя фраза Спозаранника повергла меня в уныние.

— А потом?

— Обнорский обещает, что статью прокомментируют по всем питерским телеканалам и объявят «горячую линию». Мы такую доказательную базу соберем, что, как говорят наши потенциальные клиенты, — мама, не горюй! Все, поехали...

Последующие два дня я провел как в доме терпимости. Нет, не в качестве клиента — в качестве перворазрядной шлюхи, пользующейся повышенным спросом. С особым вожделением меня и мою статью «трахал» Глеб Спозаранник: «Это надо поднять... Здесь я чуточку опущу... Больше натурализма, Зураб! Так! Молодец! Давай в том же духе...» Профессионал хренов. Впрочем, Обнорский и Повзло изгалялись с таким же остервенением. Доизгалялись. Статья «Сладкоголосая „Кантата" мошенников» вышла в одной из ведущих питерских газет. Накануне ее проанонсировали в трех городских телепрограммах и объявили телефон «горячей линии», по которому могут звонить пострадавшие. Телефон, на беду, был нашего отдела. И понеслось!

— Алло, это горячая линия? Здравствуйте, вас беспокоит Наталья Семеновна Бусыгина. Вчера по телевизору узнала ваш телефон и решила позвонить. Знаете, это ужасно! Мы с мужем потерпели от этой «Кантаты», теперь хоть голову в петлю! Все деньги, которые копили пять лет, отдали этим аферистам! Вы их найдете?

— Горячая линия? Добрый день. Вам звонит одна из тех дур, на которых умные люди делают деньги... Да, самокритична, теперь могу себе это позволить. Деньги, конечно, вы мне не вернете, так хоть выслушайте...

— Это ваш телефон по телевизору объявляли? А куда я попала? Журналистское агентство? А чем вы можете помочь? Предположим, я пострадала. И что? Зачем вам моя фамилия? Надо бороться? Не смешите, умоляю...

414

Телефон не смолкал ни на минуту две недели, «горячую линию» лелеяли всем агентством поочередно. Наконец наступило относительное затишье.

— Итак, подведем итоги, — Спозаранник радостно потер руки. — Сколько человек позвонили?

— Двести сорок восемь. Из них только семеро отказались представиться и назвать свои координаты, остальные готовы писать заявления в милицию.

— Вот! Вот им доказательная база, пусть утрутся! Света, звони этим Казановам-Мухоморам, пусть приезжают за списком.

С Литейного за списком приехали в тот же день. Человек с постным лицом долго расшаркивался, благодарил и поочередно жал нам руки. Уходя, обернулся на пороге:

— И все-таки доказать факт мошенничества будет очень трудно. Ведь пострадавшие добровольно деньги вносили, не так ли? К тому же расписок, извините, им не давали. До свидания.

Дверь за ним тихо закрылась. Я схватил подвернувшийся под руку дырокол и запустил им в стену. Потрескавшаяся стена нашего отдела не выдержала и уронила здоровенный кусок штукатурки прямо на настольную лампу. Лампа, которую Скрипка выделил нашему отделу на прошлой неделе, превратилась в кучу гнутых железок.

Что же это за страна такая, Господи?!

Последний раз о «Кантате» мы услыхали месяц спустя.

«Вчера в гостинице „Юбилейная" задержаны руководители региональной культурно-просветительской организации „Кантата", — писали „Санкт-Петербургские ведомости". — Им инкриминируется 171-я статья УК РФ (мошенничество). Семь человек в тот же день выпущены под подписку о невыезде, заместитель директора „Кантаты" Игорь К. находится в следственном изоляторе».

Я подсунул статью Спозараннику:

— Неужто сдвинулось, Глеб Егорович?

— Может быть, может быть, — задумчиво вымолвил Глеб, прочитав статью.

— Значит, не зря ковырялись в этом дерьме?

— Возможно, вполне возможно. Кстати, на днях сестре моей тещи предложили вступить в центр перспективных технологий творческой интеллигенции под названием «Галактика». Родственница в восторге. Говорит, наконец-то нашла людей, которые ее понимают. Ее одно смущает: вступительный взнос в организацию что-то около трех тысяч долларов. Пришла ко мне. Может, говорит, одолжишь? Прямо не знаю, как быть, деньги-то серьезные. Вам не кажется, Зураб Иосифович, что эта «Галактика» повод для очередного журналистского расследования? — с этими словами Спозаранник зыркнул на дыру в стене и предусмотрительно отодвинул новый дырокол на другой край стола, подальше от меня.

Правильно он это сделал. И главное — вовремя.

ДЕЛО О «КРАСНОМ ДОМЕ»

Рассказывает Нонна Железняк

«Железняк Нонна Евгеньевна, выпускница журфака Ленинградского университета. Внешне — девушка обычно мягкая и рассеянная, но способная в крайних случаях на героические поступки: может быстро пробежать дистанцию в пять километров, зайти в горящий дом (кабинет), не ставя в известность начальство, отправиться на встречу с матерым уголовником. Гордится не столько личными успехами, сколько славным прошлым своих предков...»

Из служебной характеристики

— Тебе выпала честь спасти семью Спозаранника от позора, а его самого — от жуткого греха, — Света Завгородняя, спускаясь по лестнице, театрально вытянула левую руку вперед и вдруг с силой прижала ладонь к сердцу. — Спеши!

Действительно, перед Спозаранником, как провинившаяся школьница, стояла юная фотомодель. Прежде чем обвинять Глеба в донжуанстве, удалось бы уличить его хотя бы в джентльменстве! Предложить даме стул наш сыщик мог только в целях конспирации. Обычно он со слабым полом не церемонился.

— Нонна! Железняк. Познакомься с Катей Полушкиной. Я вкратце рассказывал тебе вчера. В общем, разберись, — буркнул шеф.

Дело близилось к вечеру, у Глеба обострялся приступ творческой активности. Я усвоила, что приказания шефа заслуживают внимания, как прихоти любого тяжелобольного, и отнеслась к новому поручению философски. Блондинка так блондинка. Не черт с рогами.

В жестах и словах девушки была какая-то загадка. Исходившее от нее тихое журчание не вязалось с внешностью. По закону физиогномики она должна была блестеть, пленять и очаровывать, а не забиваться робко в угол. Но внешность бывает обманчивой, как и слова.

Поиски свободного кабинета, казалось, отняли у девушки последние силы. Она начала всхлипывать с первых слов:

— Я боюсь, скажите, что мне делать? Он преследует меня. Встречает в подъезде, ждет вечером у метро. Он убьет, убьет меня, он сам это сказал!!! — Катины руки слабо задрожали, и она разрыдалась.

Я и не заметила, как девочка достала из сумочки платок. Платок был кстати, пудра размазалась, превратив чудесный ровный тон кожи в ультрафиолетовую палитру. Катя продолжила:

— С Олегом Алапаевым я познакомилась на даче у брата. Это было примерно год назад. Говорили, что он милиционер. Он и в самом деле работает оперативником в Выборгском РУВД. Сначала все было замечательно...

...Собственного дядю Катя с детства называла Витькой. Когда колотила его портфелем, когда бегала ему жаловаться на одноклассников, а потом мстительно шла за старшими в дворовые кусты, чтобы насладиться актом наказания обидчиков. Визги мальчишек с оттянутыми красными ушами ее не смущали. Она всегда была права, потому что призывала в свидетели всемогущего дядю. Витька принимал условия игры и считал племянницу младшей сестрой: разница в семь лет с повзрослением стиралась, и к окончанию института Витька, выгодно женившись на стометровой квартире, вальяжно пригласил племянницу поступить в питерский институт и перебраться к нему.

Витька сидел на доходном месте. Оклад патологоанатома золотых гор не сулил, но выпускник мединститута дураком не был и от своего счастья не бегал. Родственники покойных обещали не обидеть — совестно было им отказать. Хороший врач нарасхват идет, халтуру не разгрести. К копейке копейка ложится, к квартире — машина. В общем, дядя не бедствовал, мог позволить себе барские жесты и выписать племянницу из провинции.

Катюша к тому времени вытянулась под два метра, носила юбки длиной чуть ниже пояса и в остальном старалась следовать американскому стандарту: не курила и имела абонемент в бассейн. В общем, вместо невзрачной жены, протиравшей локти на службе, Витек стал таскать за собой видную Катю. И встреча с Олегом на даче у приятелей была одной из многих — за спиной Катюши стоял «братишка», закалившийся на нервной работе. Можно было кокетничать и позволять себе глупости.

— Если она останется в квартире, мне придется уйти, — поставила ультиматум жена, и Витя снял ей отдельную — однокомнатную, но уютную жилплощадь.

Ну а надо ли девушке в девятнадцать лет постригаться в монахини? Ничего удивительного не было в том, что Олег пригласил Катю поужинать, потом позвал на день рождения к товарищу. И она согласилась.

На празднике Олег напился и стал жарко дышать неопытной простушке в лицо, хватать за коленки.

— Отстань, отпусти, — отбивалась Катя, а когда поняла, что сила не на ее стороне, растерялась и — завизжала.

В общем, оскандалилась из-за него в доме главврача Витиной больницы — он-то и был товарищем Олега. Алапаев совсем разошелся: чуть не повалил стол, дрался. Невменяемый он, сумашедший. Грозился расправиться с ней, как только выпадет случай.

Сладострастный поганый мент — я представила нагловато ухмыляющуюся рожу, плоский боксерский нос, белые бешеные глазки, кулаки с плоскими костяшками, натренированные на прессовке подследственных в застенке.

Нет, пора отвлечься. От долгого сидения в полутемном сыром кабинете перед открытой форточкой с далеким солнечным пятном на стене напротив, с сумасшедшим стрекотанием воробьев, в голову лезут ненужные бытовые мысли. Пятичасовые беседы с клиентами доводят до головокружения и маразма. Но разве можно испытывать злобу к человеку, которого в глаза не видела?

Конечно, большое счастье, что не надо выскакивать из постели и мчаться на опознание трупов, не надо вглядываться в кровавые пятна на асфальте.

— Это только за границей судьи белые парики надевают, — любил повторять Зудинцев. — А у нас каждый в прокуроры лезет, в обвинители, и без образования, не то что без парика, — в часы уныний только Георгий Михайлович умеет ободрить. Но он сейчас в подполье. Отслеживает каналы торговли незаконным оружием.

Катя постепенно успокоилась, закинула ногу на ногу и шумно вздохнула:

— Тогда, на первом пикнике, он спрашивал, почему я выбрала экономический факультет. А я не понимала его: разве интересно смаковать описания разложившихся трупов, найденных на помойке, зубрить, как таблицу умножения, приметы уголовников? Он приглашал меня в кафе, обещал показать рабочий кабинет. Кто же знал, что он маньяк?

В дверь просунулась голова Горностаевой. Она усиленно мигала, давая мне за спиной собеседницы папуасские знаки, смысл которых сводился к простой констатации факта: Валентине опять лень идти в кафе одной, а в целом агентстве ей не сыскать более благодарного слушателя. Своей манерой беседовать о сокровенных тайнах сразу со всеми присутствующими, как если бы они были пациентами клиники для слабослышащих, Валя напоминала мне бабушку. Я обычно мужественно внимала звонкому шепоту Горностаевой, переходящему в сдавленный крик. Темы монологов не отличались оригинальностью: увольнения в Комитете финансов, обстрел машины алкогольного магната, последние похождения Скрипки. А душа Валентины на этом отдыхала.

Стоило мне выйти за дверь, как Горностаева торжествующе прокричала:

— Бросай эту кикимору. Обнорский зовет: еще одна старуха в Озерках пропала. Но не безродная. Сестра покойной согласилась написать заявление в милицию.

Я пообещала зайти к Обнорскому сразу, как только освобожусь, и вернулась к Кате.

Было заметно, что критика коллеги по перу долетела до Катиного слуха. Девушка, не обращая внимания на приближающиеся шаги, напряженно всматривалась в карманное зеркальце и поправляла прическу.

Впрочем, с Катей все уже было ясно. Сюжет вырисовывался банальный. Не получив от Кати взаимности, спятивший на сердечной почве молодой оперативник стал гоняться за ней по пятам, надеясь взять измором. А когда осознал проигрыш, двинулся окончательно и решил ее уничтожить мощью своего статуса и силой знакомств: Катя рассказывала, что Олег Алапаев, следователь прокуратуры, по телефону грозился ее убить.

— Да, знаете, — уже на пороге вспомнила Катя, — как называют Олега друзья?.. Убийцей! Откуда такой жуткое слово, как вы думаете?

Ответить было нечего.

Надо было постараться обезопасить девушку. Скорее выйти на этого больного следователя, вывести его на чистую воду. А вообще, пора и о выходных подумать. Вода, опять же: Ладога, залив — или на реку, под Лугу?

Плохо, что Обнорский заболел Выборгской прокуратурой, синдромом «тетки».

Весть о том, что моя тетка остаток сознательной трудовой биографии связала с Выборгской прокуратурой, принес Скрипка. Однажды утром, увидев меня вдалеке, он так заволновался, что бросил ключи в дверце машины и двинулся наперерез.

— Слушай, Нонна, еду из Смольного, встречался там, между прочим, с Иван Иванычем, — тоже, между прочим, в Выборгской прокуратуре работал, правда, недолго. О тебе хорошо отзывался, привет тетке передавал...

Конечно, в бессознательном возрасте мне приходилось пешком заходить под теткин рабочий стол, но встреча с Иван Иванычем там исключалась, и вообще никто нас друг другу не представлял. Я не помнила всех теткиных боевых товарищей. Но, по мнению руководства, это не служило оправданием.

Смутные намеки в мой адрес раздавались все чаще. Шумевшие за дверью кабинета Скрипка и Зудинцев при моем появлении стали как-то чересчур вежливо замолкать. Тягостную недосказанность месяц спустя бесцеремонно нарушил Спозаранник. В шесть утра он поднял меня с постели телефонным звонком:

— Не разбудил? Обязательно к утренней летучке разузнай все о вице-губернаторе, задержанном вчера в одиннадцать вечера в ресторане. Он жил на Сикейроса. Позвони тетке, свяжись с родственниками...

Перспектива объясняться в шесть часов утра на тему взаимоотношений с именитыми родственниками не прельщала. Легче было сонно хмыкнуть в трубку: «Угу». Если некоторые мужчины мечтают жениться на сиротах, то я с этого момента предпочла бы вырасти беспризорницей. По крайней мере, при знакомстве не слышала бы участливых вопросов: «Не родственница ли тому самому» или «той самой». Спрашивали бы прямо:

— Не вы ли, гражданка Железняк Нонна Евгеньевна, 1969 года рождения, город Ленинград, в феврале 1918 года по личному рас-

423

поряжению Владимира Ильича закрыли Учредительное Собрание первого созыва, явившись в зал Таврического дворца в матросском бушлате?

С каким облегчением я бы ответила:

— Не я! Это сделал мой прадедушка.

Я решила появиться в агентстве раньше всех, чтоб успеть поработать с архивом. Но уже на пороге услышала громкий разговор. В коридоре сцепились Скрипка и Зураб.

— Ты вообще-то смотришь, куда едешь? — ехидно спрашивал завхоз.

— Меня в армию брать не хотели, сказали — дальтоник. Аномальная трихромазия, слышал? — Гвичия в спорных случаях предпочитал не отвечать на вопросы прямо. — Едет грузин на машине, не справился с управлением, перевернулся в кювет. Подъезжает гаишник.

ГАИШНИК: Предъявите права! Ездить не умеете — не садитесь за руль!

ГРУЗИН: Слюшай, дарагой, мой машина, хачу еду, хачу переворачиваюсь.

— Ага, — ядовито оборвал Зураба Скрипка. — Только машина не твоя, а общая, принадлежит агентству.

Самые худшие предположения оправдывались. Старухи небольшого микрорайона, ограниченного проспектами Художников и Луначарского, совсем ослабли. Они скоропостижно умирали или вовсе исчезали.

Примерно полгода назад в агентство пришла интеллигентного вида дама средних лет и поведала загадочную историю смерти своей матери.

Впрочем, начала она с извинений, сказала, что истории, которую нам предстоит услышать, скоро исполнится полгода, ее переживания давно похоронены, до правды докопаться она не надеется.

— Материально я не нуждаюсь, живу в хорошей квартире на зеленой улице, недалеко от центра, — предупредила наши вопросы дама. — Мне ничего от вас не нужно, только чем больше я думаю о гибели матери, тем более странными и необъяснимыми кажутся мне некоторые обстоятельства, которые могут вас, журналистов, заинтересовать, — дама определенно внушала доверие.

Дочь поссорилась с матерью несколько лет назад, когда старуха, забыв о внуках, все свободное время посвятила своему здоровью. Где хилая и больная (как ей казалось) старуха черпала силы для реализации нового метода оздоровления, неизвестно. Выбирая «диетические продукты», она доводила до дрожи закаленных в словесных баталиях продавщиц из углового продмага. Она «моржевала» в проруби у Петропавловки с октября по апрель, а летом невская вода казалась ей слишком теплой, и бабка обливалась водой из крана со льдом из морозильника. В общем, готовила себя, как йог, к нирване. В свободное от физических моционов время занималась самокопанием и всякими оккультными упражнениями — вроде столоверчения и заклинания духов. Дочь махнула рукой на бабкины «поиски», за домашними делами забывала звонить.

Поэтому узнала о трагедии слишком поздно и не поверила: мать готовилась пережить собственных внуков. Соседи по лестничной клетке позвонили, чтоб упрекнуть: даже на 40 дней не явилась. Она прилетела, а в квартире уже прописаны молодожены, в прихожей разбросаны детские игрушки. Хотя выяснить, что случилось, не у кого. Соседи вспомнили, что ходила к покойной какая-то парочка: девушка очень красивая и парень видный. Приезжали на машине. Но заняли жилплощадь другие, а тех и след простыл.

Собираясь уходить, посетительница еще раз добавила, что никаких конкретных доказательств насильственной гибели матери у нее нет.

— Но только я убеждена, что у мамы было абсолютно здоровое, «бычье», сердце, которому завидовали все доктора, — задумчиво закончила посетительница. — А в документах сказано, что причиной смерти стал инфаркт, происшедший от слабости сердечных клапанов.

Следом прошел слух о похожей истории. И опять с «улицы». Правоохранительные органы судьбой безродных старух не интересовались. Никто не писал заявлений, прокуратура не возбуждала дел, старушки исчезали тихо. К тому времени, когда пропажа обнаруживалась, все возможные улики бывали тщательным образом выметены.

Когда мы с Зудинцевым обсуждали второй случай, Аня Соболина сидела рядом и с интересом прислушивалась.

— Ну, что ты об этом думаешь? — обратился к ней Зудинцев.

— А старушки все падали и падали... — флегматично процитировала Хармса сердобольная Аня.

Значит, дело — глухое. Никому не нужное.

Но наутро рассвирепевший от неизвестности происходящего Обнорский при полном параде, в сверкающих штиблетах и белоснежной рубашке, явился к знакомой чиновнице и буквально вырвал у нее обещание сообщать о всех случаях регистрации смерти с участием дальних родственников и знакомых. Это было в апреле. А сейчас июнь. «Главный» ждет. Видимо, клюнуло.

Обнорский вынул из аккуратной папки фотографию:

— Ползункова Вера Игнатьевна. 1931 года рождения.

На фотографии у Вечного Огня на Марсовом Поле стояла среднего роста пожилая женщина.

— Вышла вечером из дома и не вернулась, — продолжал Обнорский. — Можешь познакомиться с ее сестрой.

Понятно, что старушка — не подросток, убежавший на месяц-другой на волю от родительского гнета. По чердакам искать ее с клеем и наркотиками бесполезно. Скорее всего, Ползунковой уже нет в живых.

Я приняла и «старушечье» дело. И помочь мне было некому, начинался сезон отпусков.

Встреча с сестрой Кирой Игнатьевной была назначена на десять утра. Но когда я без пятнадцати десять подходила к дверям кабинета отдела расследований, Спозаранник уже успел сварить кофе и любезно нес его на подносе. Старушка, сидевшая спиной к входу, благодарно закивала Глебу, пытаясь выхватить поднос, и обернулась...

Боже правый! Кто не верит в привидения, тот ошибается. Передо мной стояла та самая женщина, которую мне предстояло найти. Точнее, ее труп... в лучшем случае.

— А вы Нонна? — обрадовалась посетительница. — Очень приятно. Кира Игнатьевна.

Выходит, это не галлюцинация. Новая знакомая из плоти и крови, и даже кофе пьет. Не
растворяется.

— Вам Андрей, наверное, показывал фотографию Верочки? — прочитала мои мысли и
смущение несостоявшееся привидение. — Мы
с ней близнецы, в детстве только родители нас
различали. Даже над друзьями иногда шутили,
переодевались. Может, поэтому и замуж удачно
ни одна из нас не вышла. Привыкли друг к
другу, пугала мысль о расставании. А потом не-
чаянно разъехались — и виделись не чаще чем
раз в год.

Кира Игнатьевна рассказала, что неделю назад приехала из Сланцев навестить сестру. По-
слала телеграмму, час прождала на вокзале,
встревоженная, примчалась к сестре на такси.
Звонила — никто не открывал. К счастью, за-
хватила с собой ключ от квартиры... Прождала
до вечера, убралась, испекла пирог, а сестра так
и не вернулась.

На следующий день начала звонить соседям,
справляться, не предупреждала ли сестра об
отъезде. Но все только недоуменно разводили
руками: сыщиков ищите в отделении. Пошла в
милицию, и там отказали: посоветовали зайти
через три дня.

— Срок пропажи слишком малый, домашние старухи просто так не пропадают, — объяснил дежурный в РУВД. — Может, под машину
попала...

Кира Игнатьевна в ужасе обзвонила все
больницы и травмапункты. Безрезультатно. Потом вспомнила про агентство. Оказывается, все
наши книги она читала, покупала их на скуд-

ную пенсию и прибавляла к домашней библиотеке.

— Верочка такая доверчивая, такая добрая, — переживала сестра. — О себе никогда не вспомнит, все другим старалась помочь.

Кира Игнатьевна задумалась на минуту:

— Да, соседи сказали, что последнее время к ней часто ездили какие-то молодые ребята. Парень и девушка на блестящей синей машине.

Назавтра планировалась зарплата, поэтому Скрипку ждали с плохо скрываемым нетерпением.

— Где этот главный по тарелочкам? — стуча кулаками по столу, сопел Володя Соболин.

Завхоз появился с тыла, из глубины коридора, ведущего на черный ход. Схватив меня за локоть, он загадочно поманил в темноту пустой курилки.

— Жильцы с первого этажа совсем озверели, — внушительно зарокотал Алексей. — Обещали гвоздей насыпать под колеса. И насыплют непременно. Машина по часу под их окнами греется. Ангельское терпение лопнет. Я и сам на их месте хлопушку придумал бы. А что делать? — и Скрипка выжидательно уставился на меня.

Солидность Скрипки во всех вопросах, касающихся починки водопровода, ремонта стульев, обескураживала и расслабляла. И на этот раз я, как лунатик, последовала за Алексеем в курилку, предчувствуя по меньшей мере грядущую смену кабинета в правительстве... Но, к счастью, проблема ставилась Скрипкой риторически, и завхоз, выдержав многозначительную паузу, продолжил:

— Хочу отгул взять за свой счет. Будь другом, подмени, надо в двигателе разобраться...

Неловкое молчание прервал Спозаранник. Он возник на пороге курилки, как тень отца Гамлета, и ликующе произнес:

— Неслужебные отношения будете выяснять в другом месте, Нонна Евгеньевна! А сейчас потрудитесь рассказать о ваших успехах.

Говорят, Спозараннику всюду чудятся заговоры, но мне удалось убедиться в обратном: заговоры рождаются волей Спозаранника.

— Исключительный слух, — выдохнул Скрипка, как только величественная тень скрылась. — Ему бы оркестром балалаечников заведовать. Или телефоны без аппаратуры прослушивать.

Но с мнением начальника трудно не считаться, так же как с желанием ребенка играть в синий, а не зеленый мячик. Я, не говоря ни слова, послушно последовала за Глебом, оставив в курилке надежду на личную жизнь, получку вне очереди и прочие блага.

Вопросы Спозаранника всегда были конкретны, как на допросе:

— Тебе удалось выяснить, что хочет эта девушка?

У прозорливого начальника отдела расследований была одна странная привычка: он регулярно подозревал своих сотрудников в полной или частичной невменяемости. Например, слушая отчет о беседе с вице-губернатором, не упускал случая посоветовать:

— Обязательно выясни его полное имя, фамилию и отчество. Узнай, кем он работает и как долго.

Рассказывая о случае на ЛАЭС, непременно добавлял:

— ЛАЭС — это Ленинградская атомная электростанция. Как известно, ЛАЭС входит в систему РАО ЕЭС. РАО ЕЭС — это Российское Акционерное Общество Единая Энергетическая Система.

И так далее.

Понять, шутит он или говорит серьезно, с первого раза еще никому не удавалось. И на этот раз я выжидательно уставилась на Глеба. Что хочет эта юная девушка Катя, было ясно сразу. Вывести безобразника-оперативника на чистую воду и наказать. И еще защититься от его надоедливых притязаний.

— А ты задавала ей этот вопрос?

Вопрос в такой форме действительно не звучал. Я вытащила из Кати самые далекие воспоминания о переезде в Петербург, о встрече с Олегом, об общих знакомых. Мне стало казаться, что всю эту историю я пережила за несколько часов сама. Но чего именно добивается Катя... именно этот момент ускользнул от моего внимания. Шеф, как обычно, оказался прав. Надо было звонить Полушкиной.

— Алло, кто говорит? — я решила, что ошиблась номером. Но цифры на табло АОНа были верные. А голос слишком развязный.

— Да, это я. Вы, Нонна? — нет, все верно, ручейковое журчание принадлежит Кате. — А я не видела статьи. Специально ходила в киоск, скупала все городские газеты... Как не было статьи? Вы же обещали!

А вот голос повышает девушка зря. Нам нахалов не надо — мы сами нахалы. Но Катя уже сменила тон:

— Разве вы не знаете? Олега увольняют. Может быть, уже арестовали, уголовное дело, во всяком случае, возбуждено. Спешите со статьей, будет поздно, все напишут.

— Кто все? И при чем здесь статья? Какая статья? — я искренне не могла понять, как газетная статья может помочь двум людям разобраться во взаимоотношениях, даже если один из них — белоглазый оперативник, а другой — очаровательная простушка. — И при чем здесь уголовное дело?

— Так вы не знаете? — ахнула Катя. — Об изнасиловании.

— Ко-го? — еле выдавила я из себя.

— Меня, конечно.

— Кем?

— Да Олегом, Алапаевым.

Ничего не понимаю. Следователь... изнасилование... Пришел Алапаев в прокуратуру, конечно, «с земли», поработав участковым где-нибудь в «сорок третьем истребительном» ОМ. Не сразу пришел, конечно, довелось поморщить узкий лобик на вступительных экзаменах в академию милиции. Поучился заочно, вооружился знаниями, как хитрая обезьяна вооружается дубиной. Теперь не укулупнешь.

Но внутри он — его свинство мент, способный в пьяном виде поступить хуже бандита, избить, украсть, изнасиловать и виртуозно отмазаться.

В сорок третьем... или в двадцать третьем отделении года четыре назад был участковый: приковал молодую девчонку к трубе, вымогая показания, избивал, выбил из нее самооговор, — помнится, Кононов рассказывал об этом случае. Дело о краже пошло в суд, но по ходу выяснилось, что сучок этот девчонку изнасиловал, дернуться-то ей от трубы было некуда...

В общем, нашлись тогда люди в РУВД, помогли «прикрыть задницу», вовремя убрали мента из отделения. Поехал он, гад, на переподготовку в Пушкин, потом получил звание капитана, и, кажется, успешно продолжил учебу. Имя-фамилию сразу не вспомнить. Неужто тот самый? Надо спросить у Макса.

Тогда он опасен — но надо уметь говорить с такими, знать, чего они боятся.

А боятся они непонятного, нерасшифрованного: «новой метлы», внезапно прибывшей бригады Генпрокуратуры, агентуры РУБОПа, каких-то хитрых ошеломительных компроматов, интриг коллег, в результате которых можно потерять голову или свободу. Ведь для больших людей такой Олег — мелочь.

Тем более сейчас этот кобель-законник временно отстранен от дел и сам находится под следствием...

Я скомкала разговор, обещала перезвонить и бросилась к милицейским сводкам. На прошлой неделе. Попытка изнасилования. Обстоятельства выясняются. Все верно. И тем непонятнее.

— Слушай, а зачем твоя Катя, после горючих слез, размазанных по жилетке Спозаранника да и по твоей, Нонна, зачем она пошла к Олегу? — реакция Зудинцева на мой монолог, неосторожно произнесенный в кабинете, выходила за рамки приличия. Катя реально пострадала, а циничный журналист абстрагируется, парит на детективных высотах... Но от зудинцевских пророчеств не скрыться, и сейчас он бесцеремонно загородил мне дорогу кольцами дыма от «Беломора»:

— Ведь натурально дрожала от страха, говорила, что боится на улицу выходить. Так? А зачем твой Олег потащился в Сосново — чтоб изнасиловать Катю, при которой всегда дежурит брат? Ерунда! Кстати, знаешь, почему этого опера «убийцей» называют? Я узнавал. Интере-есная история, опер знакомый рассказал. Короче, отправили его на лето в деревню, к дедушке. А дом у деда был старый, трухлявый, и места в горнице маловато. Запесочили внучка на чердак спать. А чтоб уважить городского, затащили туда же и кровать железную. И вот ночью раздался треск да гром: балки не выдержали и рухнули прямо с внуком на кровати — и на деда. А старику лет под восемьдесят было. Увезли в больницу — но бедняга так и не оклемался. Вот как в жизни-то бывает!

Зудинцев — хороший человек, но свои поучительные истории лучше бы иногда при себе оставлял...

В прокуратуре подтвердили, что Алапаев отстранен от исполнения, но назвать причину отказались, отослав в пресс-центр. Я набирала номер весь день. Издевательские длинные гудки сменялись короткими. Наконец я решила проявить выдержку и, набрав номер в сто четырнадцатый раз, принялась медитировать:

— Совершенно спокойна... спокойна...

Удалось. На тридцать третьем гудке другой конец провода дал вялый щелчок и недовольный голос ответил: нет, еще ничего не известно. До выяснения обстоятельств.

Кратчайшее расстояние между точками — кривая. Каждый раз эта аксиома давалась мне с трудом. Когда-то мой дед-стахановец внушал мне обратное и угощал яблоками. Яблоки с тех пор ассоциируются для меня с прямотой и бескомпромиссностью. Очевидно, потому, что дед не рвал дармовые фрукты в собственном саду, а покупал их в магазине на честно заработанные деньги.

Плохо, что в агентстве не практикуется разделение труда. Не бросая Катино дело, мне предстоит разобраться и со старухами. Хорошо, что вспомнила, надо связаться с Кирой Игнатьевной. Интересно, почему вспомнила, почему мысль о Кате навела на другое?

— А почему бы тебе не обратиться за помощью к тетке в Выборгскую прокуратуру? — Спозаранник не столько прервал размышления, сколько ответил на вопрос. Да, без «мохнатой» лапы не обойтись. А к Выборгскому району привязаны оба дела. Только в суматохе можно было пропустить такую элементарнейшую, детскую подробность.

Внутри похолодело. Такое странное чувство приходило перед Поступком. Например, в студенческие годы, во время журфаковского стройотряда. Дело было под славным городом Выборгом-Виибори, где будущие журналисты доблестно копали дренажные канавы на местах советско-финских баталий и пили портвейн. Я была студенткой первого курса и на спор прошла по балке разрушенного дома на головокружительной высоте четвертого этажа. Внизу была черная вода, из которой торчали погнутые взрывом железные рельсы. Смерть грозила мгновенная — и грубая, неизящная. Но я прошла, потому что надо мной пытались посмеяться ребята (писклявых и жеманных девиц я тогда в упор не замечала и мнением их не интересовалась). Похолодела внутри — и пошла.

Теперь необходимо было встретиться с ментом. Домашний адрес действительно удалось узнать с помощью тетки.

Взяв в агентстве диктофон, чей-то знак отличника милиции, кучу сводок (для важности), несколько бланков ФСБ, которые забыл на столе Зураб, и кое-что еще из антуража, я отправилась в пригородный поселок, где, по данным бюро регистрации, жил Олег. Странная картина, нелогичная для горожанина. В углу, где поселился злодей, не было улиц, но имелись номера домов. Это был не собственно поселок, а коттеджный городок от НИИ.

— Землю застраивала фирма, ну и прогорела, дома достроила городская администрация и продала их по себестоимости очередникам, — вкратце объяснил мне по телефону знакомый чиновник-архитектор. — Мирских благ в виде дорог, телефонов, цивилизованных сортиров при таком усеченном варианте не ожидалось.

— В «шанхае» живем, порядка никакого в деревне этой нет, — услышала я у дверей закрытого на обед магазина.

Ну что, вперед? Как говорил полковник ВДВ новобранцам на учениях: по статистике, не раскрывается всего один парашют из тысячи. А вас только девятьсот восемьдесят пять человек!

Да, еще один странный слух насчет этого Олега принес знакомый бывший оперативник, который забежал в агентство с утра. На Алапаева, оказывается, вешают целых два дела!

— Он, видишь ли, не только насильник, — сказал опер. — Говорят, что в кабинете этого ублюдка учинили обыск и обнаружили незарегистрированный иностранный ствол «Беретта», он сейчас в экспертизе. Ну, попытка изнасилования еще объяснима, но зачем держать в кабинете нештатный ствол, когда для этих целей существуют чердак или подвал, тайничок в стене или на огороде?

Строишь тут, строишь теории, а может, реально, имеешь дело с дураком, с отморозком полным? Что ему взбредет в голову?

Ну что же, будем блефовать...

Жилье Олега Алапаева я нашла после сорокаминутного скитания по коттеджному городку. Каменно-деревянный домик на хорошем фундаменте не производил, однако, впечатления шикарного. Начали строить с размахом, а доделывали, как видно, чуть ли не с использованием заборных досок, оторванных от ограды местной животноводческой фермы. Щель на чердаке прикрывал наспех приколоченный щит с полустершейся, до боли знакомой надписью «Лучшие наставники молодежи». Какой-то меланхоличного вида молодой человек, несколько похожий на Джона Леннона без очков и длинных волос, вкапывал плодовое деревце в политую землю. Видимо, сосед. И я легко, по-дружески, спросила у него:

— Послушайте, здесь где-то живет Олег Алапаев...

— Да... — молодой человек растерянно огляделся по сторонам, как бы ожидая увидеть третье лицо, которому адресовался вопрос. — Но... Олег Алапаев — это я.

От неожиданности я сделала шаг назад. «Джон Леннон» никак не походил на белоглазого бандита с плоским носом. Но на всякий случай твердо сказала:

— К сожалению, тут негде развернуться, ребята ждут в машине около магазина. Я могу вызвать их по рации, но они, скорее всего, заглянут скоро. Участковый тоже... А пока я хочу задать вам несколько вопросов.

И впилась глазами в Олега, внимательно отслеживая реакцию, как учил Глеб. Дрогнут ли руки, запрыгают ли глазки, как изменится выражение лица.

Но Олег просто погрустнел, положил лопату на землю, потер лоб и тихо сказал:

— Постановление о возбуждении уголовного дела и принятии его к производству я читал. Следственное дело шесть восемь — шесть пять — тридцать один по пистолету Егоров оформил, показания с меня сняты. Меня что — вязать приехали? Вы — из ГУВД?

Нет, похоже, этот парень не представлял опасности. Уже сейчас видно — покорно готов протянуть руки под «браслеты» и полон тоски в ожидании грядущих бедствий. Еще заревет, как баба... И я раскололась:

— А вот ошибаетесь. Я вообще не из органов. Агентство журналистских расследований, улица Зодчего Росси — слышали?

...Долгий разговор шел на верандочке, за чаем, который Олег заварил с черничными листьями. Кстати, очень вкусно.

Вытягивать из Алапаева ни одного слова не пришлось, наоборот, Олег увидел во мне соломинку, за которую можно уцепиться, и говорил долго, подробно, взволнованно, но явно не с целью произвести впечатление. Катерину Полушкину и ее дядю, которого все запросто звали Витек, он действительно видел на дне рождения у главврача. И слегка поразился: эта парочка несколько выпадала из культурного общества, во всяком случае вела себя неадекватно. Жирный красномордый Витек, осилив четыреста грамм водки, стал исполнять блатные песни, аккомпанируя себе на гитаре, а поддатая Катя в открытой блузке с визгом бросалась дяде на шею.

Потом она выпучила глаза и с надрывом стала рассказывать о своих экстрасенсорных способностях. Например, в день похорон Николая Второго в Петропавловке царь явился к ней на кухне «как живой» и сказал: «Груз спал с меня, но вам грозят беды!» И действительно — сперли кошелек в электричке, а там тысяча рублей и колечко! Офигеть, вот никто не поверит!

Словом, на юрфаке Ленинградского университета, где некогда учился Олег, такую девушку назвали бы «мисс ПТУ». Близко с этой парочкой он не общался. Правда, выяснил, что особа эта действительно слегка двинута на загробном мире, но это единственная ее слабость. Девочка железная и денежная. Зато вот потом... потом пришлось присмотреться к ним попристальнее. Дело в том, что в районе стали пропадать старухи. (Старухи!!! — я насторожилась.) И по ряду эпизодов, исходя из оперативных данных и слухов, близ конкретных адресов светилась одна и та же парочка — плотный молодой мужчина и блондинка с роскошной прической. Кажется, приезжали на темной машине марки «Жигули».

В общем, уголовных дел о старухах никто не возбуждал, хотя в отделе умышленных убийств РУВД не без оснований считали, что эти пропажи — криминальные. Но вот один старый «внештатник» (Олег зацепил этого человека давно и держал на привязи, как своего агента), приемщик бутылок и мелкий уголовник одно-

временно, видел ночью, как врач морга с не-
установленной девушкой грузили в машину тело. Они действовали настолько спешно, что на
землю упала туфля с этого тела, и внештатник
подобрал ее.

— Так вот. Патологоанатом — это Виктор
Полушкин, машина принадлежала ему же, а девушка — Полушкина Катерина! Туфля, я узнал,
принадлежала пропавшей Ползунковой! — вы-
крикнул Олег. — И тут меня пробило. Я боялся
верить, но походило на то, что старухи исчезали
с помощью парочки Полушкиных. Дело воз-
буждать было невозможно, но разузнать кое-что
стоило. Как? Внештатника не зашлешь. И я решил воспользоваться шапочным знакомством,
по-приятельски взял и навестил «мисс ПТУ»,
она сидела с бабкой на кухне. При бабке мы и
поболтали. Я спросил между делом — а как,
Катя, проводишь свободное время? Тут бабка вмешалась — говорит: Катя — кристальной
души человек. Аура, говорит, у нее чистая, све-
е-етлая, как у младенца. И в Бога верит. Я чуть
не расхохотался. Говорю: а вот ночью такого-то
числа (число я от внештатника знал) по ТВ показывали фильм «Евангелие от Луки» — не
смотрела ли, Катюша, как твое мнение? — Олег
не выдержал и, вытащив из старенькой сумки
мятую пачку «Космоса», продолжил:

— И тут понял, что зря посчитал ее за дуру.
Посмотрела на меня зверем, дату просекла, все
смекнула, разговор оборвала. А через неделю по-
дали заявление о попытке изнасилования. Свидетели — бабка и Витек. Меня отстранили от дел.
Но что-то не заладилось с экспертизой. И следователь дал понять Полушкиной, что сомневается
в судебной перспективе. Тогда в кабинет мне
подбросили «Беретту» — там щель под дверью во

440

какая. Пистолет закатился под стол, был завернут в пластиковый пакет. Стол мой. Вот так... — закончил Олег.

Я поверила Олегу. Но на другой день в агентстве особого понимания не встретила.

— Цветистый роман... — протянул Спозаранник. — Потрясенная журналистка Нонна Железняк рыдает на плече у душки-насильника, картина неизвестного художника. Не знаю, не знаю... Нонна, ты повнимательней отнесись к делу.

Похоже, Спозаранник засомневался в моих деловых качествах. Тем более что в одной питерской желтенькой газете уже вышла леденящая душу заметка «Следователь-насильник?» за подписью спившегося журналиста-криминалиста, бывшего сотрудника «Вечерки». Борзописец обещал читателям «в одном из ближайших номеров подробно рассказать о сенсационном деле».

Агентство отставало, терялся один из главных принципов: знать раньше всех, расследовать лучше всех. Особенно обидно, ведь знаешь, что городским газетам собственно криминальными расследованиями заниматься некогда, часто из-за нехватки кадров остается переписывать сводки ГУВД и питаться отходами пресс-конференций.

Я сидела за своим столом с мрачным видом и слушала, как Макс Кононов рассказывает идиотский анекдот.

ГАИШНИК: Вы же колесо прокололи. Чем, гвоздем?

ВОДИТЕЛЬ «БМВ»: Нет, осколком бутылки.

ГАИШНИК: Вы что, не могли бутылку на дороге разглядеть?

ВОДИТЕЛЬ «БМВ»: Да нет, эта дура бутылку под пальто прятала, когда я на нее наехал...

«И тут является раздавленная старуха с того света и говорит: ТЫ ЗАЧЕМ МОЕ МОЛОЧКО ПРОЛИЛ!!!» — в духе детских страшилок закончила я про себя. Стоп, стоп, является старуха... Эврика!

— Нет, Нонна, ты начиталась романов! — сказал Олег, которого я вновь застала на даче (в этот раз Алапаев сажал уже не деревце, а рассаду помидоров). — Тебе все это ужасно интересно, но я в детские игры не играю!

— А если попробовать? — я не собиралась отступать. — Как у вас говорят, взять на понт?

— У нас так не говорят, — обиделся Олег. — Мы не бандиты. На юрфаке, между прочим, я увлекался римским правом.

— Ну, Олег, попробуем! Это же шанс.

— Ладно, — вздохнул Алапаев. — Но сделаем все профессионально. Я знаю, где взять сканер радиотелефонных переговоров.

В квартире Кати раздался телефонный звонок. Странный женский голос прошептал в трубку:

— ОНА ЖДЕТ ТЕБЯ... ЭТО НЕОБЪЯСНИМАЯ ТАЙНА ДУХОВ... РОВНО В ОДИННАДЦАТЬ СТАНЬ У МАГАЗИНА «МОЛОКО» И ПОСМОТРИ НА ДВЕРЬ ВТОРОГО ПОДЪЕЗДА НАПРОТИВ...

— Это кто, это кто, эй! — заорала в трубку Катя, но оттуда звучали короткие гудки.

На часах было без десяти одиннадцать.

— Что за тайна? Позвонить Витьку? Да что они, мужики, понимают? — я будто слышала внутренний монолог нашей подопечной. Девица нервно прошлась по комнате, взяла в руки затертый томик Блаватской.

«Необъяснимая эктоплазма эманации таинственного инвольтирует тонкую психику избранных, их высшее „Я"» — наверняка в восторге прочитала блондинка. А может, а может...

Встав у молочного магазина, она уставилась на дверь подъезда. Дверь медленно отворилась, и оттуда в пепельном платье вышла смертельно бледная Вера Игнатьевна Ползункова. Старуха была в одной туфле. Подняв руки, она медленно пошла к Кате...

Такого пронзительного визга улица давно не слышала. Сработало!

Катя рванулась домой, потом выскочила из дома, забежала на детскую площадку и прямо оттуда начала набирать номер по «трубе».

Мы с Олегом, затаив дыхание, слушали ее вопли из сканера, подключенного к диктофону.

— Але, але, Витя? Это Витя? Я сейчас видела бабку... ну, Ползункову!

— Ты что, охренела?

— Она ходит по улице, из подъезда вышла, может, это она живая, а мы с тобой, ну, ошиблись... ну, тогда...

— Чего ошиблись?

— Ну, у красного дома, у колонии... ошиблись. Вить?

— Дура, не базарь! — заорал дядя и бросил трубку.

Олег скептически посмотрел на меня:

— Красный дом и колония. Какая? Металлострой? Колпинская? Саблинская? Пойди ищи!!!

— Дай подумать.

Я как зверь забегала по комнате. Закурила и бросила. Что-то знакомое... что-то слышала... Ага!

На Ропшинском шоссе есть развалина лютеранской кирхи, ее зовут местные Красный дом. Рядом бывшая немецкая колония, это поселок Средняя колония. Сзади — кладбище. Все! Совпадает!

Ни Обнорскому, ни Спозараннику не стала звонить — не было времени. Да и зачем — все равно посчитают за сумасшедшую. Ведь я еще утром забрала ключи от редакционной тачки, и сейчас меня наверняка коллеги вспоминают «добрым словом». Но медлить нельзя ни секунды. Срочно вместе с Олегом рванули в Ломоносовский район.

— Ну, журналистка, гляди! — напутствовал Олег.

В сумерках проехали Петергофское шоссе, свернули на Волхонку. Здесь Олег попросил притормозить и, выскочив из машины, рванул через дорогу. Я чуть не подпрыгнула:

— Времени нет, ты куда?!

Но фигура уже скрылась в кустах. Через пару минут я увидела двух человек: Олег усиленно жестикулировал, рассказывая на ходу что-то своему спутнику в милицейской форме.

— Познакомьтесь. Иван Колобцов, местный участковый. Нонна. Трогаем!

Машина рванула и с визгом завернула на Ропшинское шоссе.

— А вот скорость лучше сбавить, — попросил участковый. — Не надо, чтоб нас слышали издалека.

Извилистая дорога огибает развалины, на повороте фанерная табличка с жирными буквами, выведенными синей масляной краской: «Склад». Но стрелка указывает вправо, а влево — кладбище.

Я выпрыгнула из кабины первая.

— Дверями не хлопать, — тихо предупредил Иван.

У речки, на обочине дороги стояли «Жигули».

— Если Виктор здесь, надо быть осторожнее, — сказал Олег. Но Виктора не было. У самой ограды кладбища, за поворотом, мы увидели девушку. К ней тянулась рваная тень от кирхи, увидеть, что она делает, с расстояния в пятьдесят метров было трудно.

— Ну, с Богом! Чего ждем? — прошептал Иван и ровным шагом направился к фигуре.

Катя оглянулась не сразу. Когда увидела милицейскую форму, рванулась, но, пробежав несколько шагов, рухнула на землю.

— Ее там нет, нет!!! — и она забилась в истерике.

Олег поднял саперную лопатку и осторожно начал копать.

— Полиэтилен. Они завернули труп в полиэтилен, — Олег встал и не спеша отряхнул колени.

«...Войдя в доверие к своим жертвам, Виктор и Екатерина Полушкины заставляли одиноких женщин переписывать квартиры на себя. Сильную дозу лекарства, стимулирующего работу сердечной мышцы, дипломированный врач Виктор Полушкин вводил своим „подопечным“

во время сна. Благодаря хорошим отношениям с рабочими и санитарами больницы подельникам удавалось без особых хлопот сжигать трупы в крематории. Смерть пожилых женщин не казалась слишком неожиданной и родственникам, если таковые находились. Сбой произошел только на убийстве Веры Игнатьевны Ползунковой. Виктор Полушкин поссорился с начальством на работе, использовать „законный“ морговский путь погребения на этот раз не удалось...

Дело об изнасиловании было закрыто. Свидетели отказались от своих прежних показаний. На пистолете не нашли отпечатков пальцев Олега Алапаева. Его невиновность была полностью доказана...» (Газета «Городские новости», 23 июня 1999 г.)

СОДЕРЖАНИЕ

Андрей Константинов
и *Агентство журналистских расследований*

АГЕНТСТВО «ЗОЛОТАЯ ПУЛЯ»

Сборник новелл

Ответственные за выпуск
Л. Б. Лаврова, Я. Ю. Матвеева

Корректор
О. П. Васильева

Верстка
Н. А. Домника

Художественное оформление
П. Волков

Налоговая льгота — Общероссийский классификатор
продукции ОК-005-93, том 2; 953000 — книги, брошюры

ИД № 02040 от 13.06.00
ЛР № 070099 от 03.09.96

Подписано в печать 16.03.01.
Формат 84×108$^{1}/_{32}$. Печать офсетная.
Бумага газетная. Гарнитура Таймс. Уч.-изд. л. 17,8.
Усл. печ. л. 23,52. Доп. тираж 10 000 экз. Заказ №4526.

Издательский Дом «Нева»
199155 Санкт-Петербург, ул. Одоевского, д. 29

При участии издательства «ОЛМА-ПРЕСС»
129075 Москва, Звездный бульвар, д. 23

Отпечатано с готовых диапозитивов
в полиграфической фирме «КРАСНЫЙ ПРОЛЕТАРИЙ»
103473 Москва, ул. Краснопролетарская, д. 16